本书是科技部国家重点研发计划资助项目

"公元前 1500 年至公元前 1000 年中华文明早期发展关键阶段

核心聚落综合研究·长江流域商代都邑综合研究"

（项目编号 2022YFF0903603）的阶段性成果

国家社科基金重大项目

"湖北黄陂盘龙城遗址考古发现与综合研究"（项目编号 16ZDA146）成果

本书出版得到

国家文物保护资金补助项目经费支持

二

景观与环境

邹秋实　张　海／主编

盘龙城

（1995～2019）

武汉大学历史学院
湖北省文物考古研究院　／编著
武汉市文物考古研究所
盘龙城遗址博物院

科学出版社

北　京

内 容 简 介

本书梳理了2012年以来盘龙城遗址的环境考古工作，主要包括陆地考古勘探、水下考古勘探与试掘、湖泊地形测绘、湖泊钻孔植物遗存分析、典型剖面沉积物分析；在对环境考古采集样品进行检测分析的基础上，探讨了盘龙城遗址的地貌形态、河湖分布与生态环境；最终对商文化时期盘龙城的聚落景观进行了复原，进而对同时期盘龙城周边聚落的空间分布和层级进行了讨论。

本书可供考古学、历史学、地理学相关学者，以及院校师生阅读和参考。

审图号：GS京（2024）1695号

图书在版编目（CIP）数据

盘龙城：1995～2019. 二，景观与环境 / 武汉大学历史学院等编著；邹秋实，张海主编. -- 北京：科学出版社，2024. 10. -- ISBN 978-7-03-079550-2

Ⅰ. K878.34；K870.4；X14

中国国家版本馆CIP数据核字第2024R7D573号

责任编辑：雷 英 蔡鸿博／责任校对：邹慧卿
责任印制：肖 兴／书籍设计：北京美光设计制版有限公司

科 学 出 版 社 出版
北京东黄城根北街16号
邮政编码：100717
http://www.sciencep.com

北京中科印刷有限公司印刷
科学出版社发行 各地新华书店经销
＊
2024年10月第 一 版 开本：889×1194 1/16
2024年10月第一次印刷 印张：12
字数：310 000

定价：200.00元
（如有印装质量问题，我社负责调换）

总　序

　　《盘龙城（1995～2019）》是《盘龙城——1963～1994年考古发掘报告》（湖北省文物考古研究所编著）的续编。全书共分五卷，分别为《田野考古工作报告》《景观与环境》《玉石器研究》《陶器研究》《青铜器研究》。第一卷《盘龙城（1995～2019）（一）：田野考古工作报告》为报告卷，分为上下两册，公布1995～2019年盘龙城遗址考古调查、勘探、发掘收获及相关田野考古所获遗存检测数据等，由武汉大学历史学院、湖北省文物考古研究院、武汉市文物考古研究所、盘龙城遗址博物院编著。第二至五卷为研究卷，主要围绕1954～2019年考古工作收获，分别对景观与环境、玉石器、陶器、青铜器开展专题研究。其中《景观与环境》卷主编为邹秋实、张海，《玉石器研究》卷主编为苏昕、荆志淳，《陶器研究》卷主编为孙卓、荆志淳、陈晖，《青铜器研究》卷主编为张昌平、苏荣誉、刘思然。全书由张昌平总主编。

　　盘龙城遗址考古工作在不同阶段的项目负责单位和项目性质有所不同。1995～1998年，考古项目由湖北省文物考古研究所负责；1998～2012年，考古项目由武汉市文物考古研究所负责；2013～2019年，考古项目由武汉大学历史学院负责。

　　盘龙城考古一直是有多家考古机构合作工作，2013年后，以上单位以及盘龙城遗址博物院一直作为合作单位参与考古工作。盘龙城考古作为国家重点大遗址保护项目正式启动，工作得到国家文物局大遗址考古项目的多年连续支持。2017年，盘龙城被纳入"考古中国·长江中游地区文明进程研究"重点项目。十多年来，盘龙城考古一直围绕以上项目，既为大遗址保护、遗址公园建设与展示等社会性工作方面提供支撑，也在中华文明进程研究等学术性方面取得进展。

　　《盘龙城（1995～2019）》在编撰中力求保持五卷主要内容在体例上的一致，但各卷具体表述方式由分卷主编自行拟定。以下对一致性体例作概括说明。

　　（1）各卷均采用2014年由武汉大学历史学院在盘龙城遗址布设的三维测绘坐标系统，高程系统采用1985国家高程基准。

　　（2）各卷涉及的发掘区、探方以及遗迹等编号，均按目前学界一般惯例方式。其中发掘区和探方等编号，Q代表发掘区、T代表探方、TG代表探沟、JPG代表单个遗迹中所设的解剖沟。遗迹的编号中，H代表灰坑、G代表灰沟、F代表房址、Y代表窑、J代表井、M代表墓葬、D代表柱洞。此外，遗迹的序号仍然按地点分别从1995年之前的遗迹编号顺编。

（3）为明确和简化表述，遗迹编号的构成采用"地点名+遗迹序号"的方式，如2016年发掘的小嘴Q1610T1714的H73，编号为小嘴H73；地层单位编号的构成采用"区号+探方号+地层序号"的方式，如2016年小嘴Q1710T0116第5层，编号为Q1710T0116⑤。编号不再沿用1994年之前用汉语拼音首字母表示地点的方式，如PYW表示盘龙城杨家湾遗址，也不再保留此前发掘简报中带有发掘年份的方式。

（4）器物标本用罗马数字编号。除常规序号之外，对墓葬中的采集品独立编号，并在数字前另加零，如杨家湾M13∶01。对墓葬中同一件器物碎片散落在不同地点，在器物编号后加小号，如杨家湾M17∶14-1。

（5）遗迹等区域范围的比例尺及描述尺寸，以米为计量单位；遗物图形的比例尺及描述尺寸，以厘米为计量单位。遗物容积按毫升计算，重量按克计算。

（6）学界对于一些考古学文化的写法、称谓和内涵存有差异，本书采用"二里冈文化"的写法。对二里冈文化的不同阶段，一般称"二里冈文化早期""二里冈文化晚期"，同时根据情况保留"二里冈上层第一期""二里冈上层第二期"等称谓。对中商文化的不同阶段，一般称"中商文化白家庄期""中商文化洹北期"。

目 录

第五章

聚落景观
研究

第一章

绪 论

一、研究背景

盘龙城遗址位于湖北省武汉市黄陂区叶店村，遗址保护区总面积约3.95平方千米，遗址主体接续分布在盘龙湖沿岸的岗地之上。盘龙城遗址面积巨大，地貌类型多样，开展环境与景观考古研究，是我们分析聚落内部人类活动，复原聚落布局，乃至探究聚落性质的重要基础。因此，在盘龙城遗址田野考古与综合研究工作中，环境与景观一直是重要内容之一。

21世纪初期，盘龙城遗址保护区边界被地方政府正式划定并公布。在遗址保护规划中，根据遗存性质和遗迹分布密度，盘龙城遗址遗址保护区被区分为核心保护区和一般保护区。2012年，为配合盘龙城国家考古遗址公园建设，武汉大学、武汉市文物考古研究所、湖北省文物考古研究所等单位联合对盘龙城遗址一般保护区进行了系统性考古勘探，以了解一般保护区地下遗存分布情况。在随后的十余年中，武汉大学等单位在盘龙城遗址保护区内持续开展了多项考古发掘和连续性的考古勘探工作。盘龙城遗址的环境与景观考古工作也是在这一背景下开展起来。

盘龙城遗址保护区占地面积近4平方千米，地表覆盖物原以农作物为主，2005年前后因遗址公园建设，当地村民整体搬迁，荒芜的农田在十余年间迅速被自然生长的灌丛和林木覆盖，因此该遗址大部分区域地表能见度低，不利于开展考古调查工作。对于面积广大、地表能见度低下的大遗址而言，考古勘探成为了快速了解地下遗存整体分布情况的最有效手段。因此，武汉大学等单位在2012年完成了对盘龙城一般保护区考古勘探工作之后，于2014～2017年陆续对盘龙城遗址核心保护区进行了系统性考古勘探。2012～2017年累计考古勘探面积273.6万平方米，探孔间距10米，探孔总计30820个，基本覆盖了盘龙城遗址保护区内的陆地空间。

系统性考古勘探工作为盘龙城遗址的环境与景观研究工作提供了不可或缺的基础性资料。跨越五个年度的考古勘探工作，基本揭示出了盘龙城遗址地下遗存分布的总体态势，我们可以据此勾勒出商代盘龙城聚落的分布范围。与此同时，系统性的考古勘探工作也呈现出了遗址地理环境变迁的诸多线索。一方面，陆地考古勘探表明，盘龙城遗址中商代遗存的分布可能从当代陆地地表延伸至湖盆之中。这可能意味着该区域商代河湖水位可能低于现代。另一方面，考古勘探揭示出的地层信息表明，该遗址商代文化堆积之下的"生土"存在多种类型，以"褐土""黄红土"为代表，这些信息为研究遗址区域地貌演变提供重要资料。因此，在完成了遗址陆地区域的系统性勘探工作之后，武汉大学联合北京大学、山东大学、中国社会科学院考古研究所、中国科学院南京地理与湖泊研究所围绕遗址的地理与生态环境开展了多学科研究工作。主要的工作内容包括以下几个方面。

第一，高精度数字化测绘。搭建起了盘龙城遗址三维测绘坐标系统，并在遗址保护区设立了由16个控制点组成的一、二两级测绘控制网。测绘坐标系统的搭建使得不同地点的遗存得以在统一的地理坐标系中呈现。在此基础上，对盘龙城遗址陆地空间开展了激光滤波测绘，生成了遗址区数字高程模型和1：1000数字线划图。随后利用单波束超声波测深仪对盘龙湖区域的水下地形进行了测绘，测点间距5米，通过空间插值生成了盘龙湖湖盆数字高程模型。水、陆区域的数字化测绘数据形成了盘龙城遗址完整的现代地貌数字高程模型。以这套数字高程模型为基础，研究团队得以在此基础上模拟不同时期、不同水位条件下盘龙城遗址所在区域的微地貌形态与聚落布局。

第二，水下考古勘探与试掘。为探明盘龙城遗址中商代遗存在湖盆中的分布范围，武汉大学与中科院南京地理与湖泊研究所借助水上勘探平台和采样器具，对盘龙湖进行了勘探和采样工作。武汉大学在盘龙湖西侧的破口湖，利用枯水时节开展了探沟试掘工作。盘龙湖与破口湖的考古工作均在现代湖盆底部发现了商代文化堆积，并精确测定了商代堆积的海拔。这项工作成为了估测商代与现代河湖水位差值的科学依据。

第三，植物微体遗存分析鉴定。根据盘龙湖水下勘探所采集的湖底地层泥样，武汉大学联合山东大学、中国科学院南京地理与湖泊研究所分别开展了湖底样品的植硅体和孢粉鉴定分析工作，并对样品中包含的炭块进行了绝对年代测定。此方面工作为复原历史时期盘龙城区域的生态环境和气候提供了新的线索。

第四，遗址宏观地貌演变研究。依据盘龙城遗址陆地考古勘探所揭示的地层信息，武汉大学联合中国社会科学院考古研究所、北京大学对盘龙城遗址区域的土壤类型进行了环境考古调查、典型剖面土壤微形态分析、粒度分析、^{14}C 年代测定等一系列工作，对盘龙城遗址区域宏观地貌演变过程形成了初步认识。

第五，河道变迁研究。武汉大学结合考古调查、勘探资料，运用早期卫星遥感影像、古旧地图和现代测绘技术，对盘龙城遗址南部的府河、滠河河道变迁过程，以及盘龙湖、破口湖平面形态变迁过程进行了研究。初步复原了商文化时期盘龙城周边的河湖水位及走向。

上述研究工作表明，盘龙城区域的地理和生态环境处于复杂的变化之中，就时间尺度而言，我们大体可以将盘龙城的生命周期分为两个大的阶段，即盘龙城聚落时期和盘龙城遗址时期。这两个时期分别是：盘龙城作为一处聚落被兴建直至发展成为一处城邑的时期和盘龙城聚落被废弃直至当代成为一处遗址的时期。基于这样一种认识，我们可以把盘龙城遗址环境研究分为两个板块。首先是针对遗址开展的测绘、勘探、发掘、采样、检测分析等工作，均是基于遗址本体而展开，这一系列工作揭示的是盘龙城遗址的环境变迁过程。在此基础上，我们能够对商文化时期承载盘龙城聚落的地理与生态环境有所认知，从而对商文化时期这座城邑的布局，以及城邑周边聚落的层级与结构展开若干分析和讨论。这方面研究正是本书中所谓的盘龙城聚落景观研究。正因如此，本书的结构大体可分为三个板块，第一板块是以环境考古为出发点，针对盘龙城遗址开展的一些列田野工作及其收获；第二板块是在田野工作中采集和提取的样品开展的多学科技术手段的检测分析及初步研究成果；第三板块则是对商文化时期盘龙城聚落布局以及盘龙城与同时期周边聚落的层级结构展开的研究，以期揭示商代前期盘龙城与江汉地区的聚落景观。

二、研究工作历程与方法

盘龙城遗址环境与景观研究工作是在国内多家科研机构的合作下，运用多学科技术方法展开，以下将围绕各项工作的主题，分项梳理盘龙城遗址环境与景观研究工作的历程及方法。

（一）搭建三维测绘坐标系统

盘龙城遗址的田野考古工作始于20世纪60年代，长期以来该遗址区域未能建立统一的三维测绘坐标系统，因此在相当长的时期内，由不同考古机构，于不同年份发掘或发现的考古遗存的空间位置信息难以得到准确的记录。

2014年9月，武汉大学联合北京大学、山东科技大学组成测绘工作小组，在盘龙城遗址布设了三维测绘控制网。此次三维测绘控制网的布置工作采用的是现代测绘仪器设备RTK型GPS接收机，其精度可达厘米级，工作小组通览既有的卫星遥感图像和地形图，划定测量范围，选定控制点的布置方位，通过实地考察，确认其实际可能性，并在控制点方位埋石、设立保护标志。整个遗址共设立了16个控制网点，形成了覆盖遗址的一、二两级三维测绘控制网。工作小组依据地表特征明显，视野开阔，分布均匀的基本原则选择了部分特征点作为一级控制点。与此同时，在盘龙城遗址核心区域，由于遗迹分布密集，考古工作频繁，工作小组还设立了二级加密控制点，保证二级加密控制点均匀分布于盘龙城遗址的核心区域，且相互之间具有良好的通视效果，为日后利用全站仪等测绘工具进行考古测绘提供便利。在天气晴朗的良好条件下，工作小组于控制点架设GPS数据测量装置，并且保持了45分钟的持续接收时间，多次重复接收数据，最终取数据的平均值作为控制点的三维坐标数据。工作小组还详细记录了控制点的编号、对应的接收机序号、工作时间和关机时间、高差数据等信息，便于和GPS测量数据进行匹配。为了进一步减小控制点三维坐标数据的误差，工作小组运用RTK测量技术对遗址进行碎部测量。在RTK作业模式下，工作小组以一个控制点为基准站，并设立天线，其他控制点或者有明显标志的各自然地物、人工地物为碎部测量的流动站，将通过基准站观测到的数据传送给流动站，基准站和流动站的数据交流可以在系统内得到一个数据链，工作小组以此为依据对盘龙城遗址各控制网点的GPS三维数据进行校正，最终确认遗址所有控制网点的精确三维坐标。此次工作的主要成果是布置了覆盖该遗址的三维测绘控制网，并精确测定了各控制网点的三维坐标。

本次工作通过布置三维测绘控制网的形式，首次建立起了盘龙城遗址三维测绘坐标系统。这套测绘控制网以16个地面控制点组成，形成了独立坐标系，高程系统采用1985国家黄河高程基准。这一系统的搭建为后续田野考古工作的开展、遗迹空间位置的记录、遗址地貌研究、聚落景观数字化复原等提供了统一且精准的坐标系统。随后武汉大学历史学院联合北京大学考古文博学院、武汉大学遥感信息工程学院对盘龙城遗址开展的地形测绘、地理信息系统建设、地貌数字复原等工作均是以本次建立的测绘坐标系统为基础。

（二）遗址陆地区域考古勘探

2012年12月至2013年1月，武汉市文物考古研究所联合湖北省文物考古研究所、武汉大学历史学院，首次对盘龙城遗址"一般保护区"进行了全面的考古勘探①，以明确该区域内的遗存分布情况。本次勘探区域的划分以盘龙城大遗址保护规划分区为基础，以遗址分区为

① 《盘龙城遗址保护总体规划》按照遗存分布的密集程度将盘龙城遗址划分为"重点保护区"和"一般保护区"。

表1.1 盘龙城遗址勘探调查工作统计表

年份	调查方式	调查面积（m²）	调查区域	工作单位
2012～2013	勘探	210万	一般保护区	武汉市文物考古研究所、湖北省文物考古研究所、武汉大学历史学院
2014～2016	勘探	3.6万	重点保护区	武汉市文物考古研究所
2014～2017	勘探	60万	重点保护区	武汉大学历史学院
2018～2019	地表遗物采集	35万	盘龙湖及府河沿岸	武汉大学历史学院

基本单元开展勘探工作[1]。本次勘探采用普通勘探和重点勘探两种方式。首先，对遗址一般保护区进行全覆盖式普通勘探，以10米间距布设探孔。对于发现古代遗存的区域，在普通勘探的基础上进行重点勘探，以2米间距加梅花孔的方式布设探孔。本次工作普通勘探面积共210万平方米，重点勘探面积7万平方米，发现和复查了商代至明清时期的遗址点共17处（表1.1；图1.1）。

2014年9月至2017年12月，武汉大学历史学院对盘龙城遗址"重点保护区"内的杨家湾、杨家嘴、江家湾、小嘴、艾家嘴及王家嘴等岗地进行了全面的考古勘探，主要目的在于明确重点保护区内的遗存分布情况同时关注遗址的地貌环境变迁信息，最终复原商文化时期盘龙城的聚落布局形态。在此期间，武汉大学历史学院也配合盘龙城考古遗址公园建设，针对公园内部道路和安防系统布设区域开展了考古勘探。上述勘探工作均以遗址分区为基本单元进行勘探，采用普通勘探与重点勘探相结合的方式，探孔间距与2012年的勘探工作保持一致，共计普通勘探面积50万平方米，重点勘探面积10万平方米。通过本次勘探工作基本明确了盘龙城遗址重点保护区内文化遗存的分布范围及各区域堆积的保存状况。为便于管理数万个探孔数据，武汉大学历史学院与北京大学考古文博学院合作开发了"盘龙城遗址田野考古钻探系统"，运用地理信息系统对考古钻探数据进行管理和空间分析。

2014年3月至2016年5月，为配合盘龙城遗址公园建设，武汉市文物考古研究所对盘龙城遗址"重点保护区"内的盘龙城城垣分布区和李家嘴岗地进行了考古勘探。确定了城垣内外边界、各城门的具体位置和基本结构，基本弄清了原南、北城壕的分布情况，并新发现了环城壕沟、排水石沟、城垣内夯土台基等新的遗迹现象。本次勘探还在李家嘴墓地新发现了商代前期的房址和墓葬各1处[2]。

在开展全面系统的考古勘探工作的同时，武汉大学历史学院还对盘龙城遗址开展了地面调查工作。其内容包括两个方面：①对盘龙城遗址历年发掘区域进行实地踏查，并利用高精度测量仪器进行重新测绘；②对盘龙城遗址内的滨湖滩地开展地面调查，记录并采集地表散布的古代遗物，以弥补勘探工作的不足。

---

[1] 在盘龙城大遗址保护项目中，考古部门将盘龙城城遗址划分为若干个100米×100米的区，以遗址西南角为坐标原点，按坐标法编制各区区号，例如Q1915则表示编号为1915的一个区。

[2] 武汉市文物考古研究所、盘龙城遗址博物院：《盘龙城遗址宫城区2014至2016年考古勘探简报》，《江汉考古》2017年第3期。

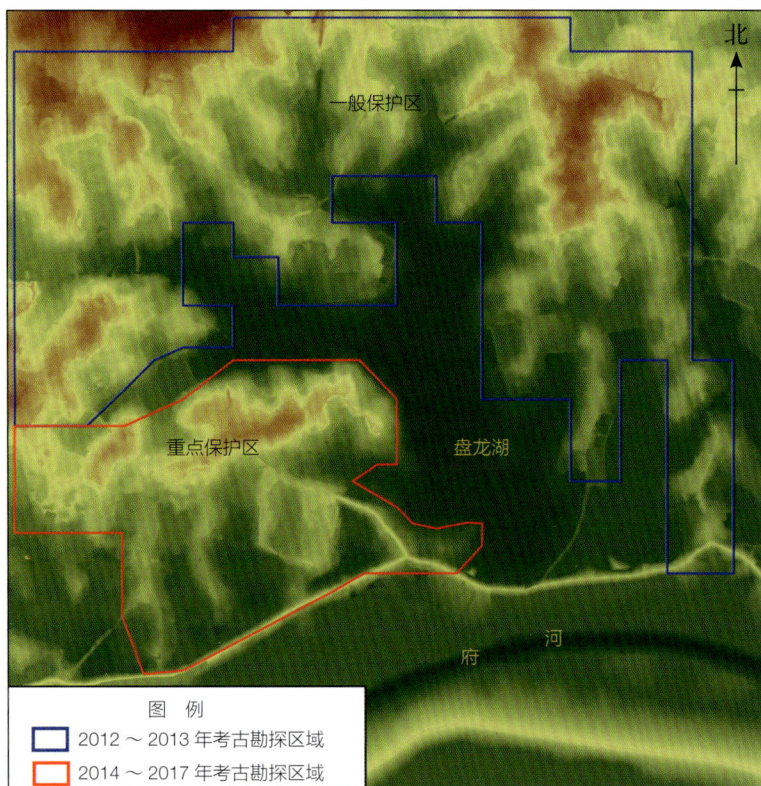

图 1.1　盘龙城遗址历年勘探调查区域分布图

2014年11～12月，武汉大学历史学院考古队在盘龙城遗址博物馆工作人员的协助下，对盘龙城遗址1963～2006年的考古发掘区域及重要遗迹、遗物分布地点进行了实地踏查，并运用高精度测绘仪器RTK对上述发掘区、遗迹、遗物的地理位置进行了测量，从而将上述遗存的空间位置信息精确地记录下来。

2016年12月，武汉大学历史学院利用府河、盘龙湖枯水时节，对盘龙城遗址内临湖滩地进行了一次初步的地面调查，在李家嘴、杨家嘴、小王家嘴、童家嘴、长峰港等岗地的临湖地带采集到了一批不同历史时期的遗物。

2019年1月，武汉大学历史学院在前期工作的基础上再次对盘龙城遗址开展了地面调查。本次的考古调查与国内常见的区域系统调查有所不同，由于盘龙城遗址区内绝大部分区域被茂密的植被覆盖，并不适宜开展地面调查，因此2012～2017年间我们开展了大规模的考古勘探以系统了解遗址的遗存分布情况。而遗址内盘龙湖、破口湖沿岸的临湖滩地地表植被稀疏，每年枯水时节地表可见大量商文化时期遗物显露，但由于临湖滩地地下水位较高，且局部散布有密集的砂石，难以开展勘探，因此该区域成为了我们本次调查工作的主要区域。

本次工作在盘龙城大遗址保护分区的基础上将各区划分为10米×10米的采集单元，以10米为边长的采集单元与盘龙城遗址勘探工作中采用的10米孔距相对应，以便于后期将勘探与地面调查资料相整合。在采集陶片的过程中，对于地表陶片密度小于1片/平方米的区域，我们对该采集区内的陶片进行全部采集，对于地表陶片密度大于或等于1片/平方米的区域，我们采用系统采集的方式，即在采集区中心画一个直径为1米的圆形，采集圆形区域内的所有陶片。对于其他类别的遗物我们亦采取同样的采集方式。同时，本次调查工作我们配备的目前较为先进的北斗高精度移动平台QpadX8DM用于记录采集点的空间坐标，该设备可接接收CORS差分信号，由单人手持操作即可，其平面和高程精度都可达到厘米级，能够克服以往调查工作中所使用的手持式GPS误差较大的缺点。

（三）遗址湖泊区域勘探、试掘与采样

2016～2017年，武汉大学历史学院联合中国科学院南京地理与湖泊研究所、武汉大学

遥感信息工程学院等单位在盘龙湖、破口湖区域开展了湖盆地形测绘、水下考古勘探与试掘工作，其主要目的在于探寻盘龙湖水面以下的商代遗存的分布范围，研究遗址地理环境变迁过程。对盘龙湖水下地形进行测绘是开展水下考古遗存探寻工作的基础和前提，2016年11月，武汉大学历史学院与遥感信息工程学院合作，对盘龙湖水下地形进行了测绘。盘龙湖面积约1平方千米，水深约0~4米，本次湖泊地形测绘采用测量船搭载RTK定位系统与单波束测深仪联合作业的方式，选择长约11米，吃水深度0.9米的小型渔船搭载中海达H32型RTK和中海达HD-MAX单波束测深仪对盘龙湖水下地形进行勘测。2016年12月，武汉大学历史学院与中国科学院南京地理与湖泊研究所合作，借助水上平台对盘龙湖开展了首次水下考古勘探，本次工作主要目的在于探明商文化时期遗存在湖面以下的分布范围，同时初步了解盘龙湖湖盆的地层堆积状况。与陆地勘探有所不同，本次水下考古勘探采用了两种新的布孔方式：①沿湖岸以顺时针方法依次布设探孔，孔距50米，其目的在于探寻陆上遗存向水下延伸的范围，若在某处发现古代文化堆积则加密布孔勘探；②在盘龙湖中布设三条"勘探带"，在勘探带上以50米孔距布孔，其目的在于了解湖盆地层分布的整体状况。在图上布设完成探孔后，用RTK指引水上平台到达预设位置开始勘探作业。

2019年，武汉大学历史学院与中国科学院南京地理与湖泊研究所，在2016年度盘龙湖考古勘探工作的基础上，对盘龙湖区域再次开展水下考古勘探及采样工作。本次工作的主要目的在于：①明确盘龙湖湖底地层堆积的基本情况，并从地层中采集到可供^{14}C测年的检测标本，对近万年以来盘龙湖区域的环境变迁获得相对清晰地认识；②从湖底青灰色硬黏土层中采集若干检测样品，并对其开展孢粉、植硅体等方面的检测，复原盘龙城遗址区域自商代前期以来的生态环境。在完成田野采样工作后，山东大学历史文化学院、中国科学院南京地理与湖泊研究所分别对湖底样品开展了植硅体和孢粉的提取和鉴定工作。中国科学院广州地球化学研究所对湖底样品中发现的4枚炭块进行的^{14}C年代测定。

山东大学研究团队根据盘龙湖野外钻探和后期实验室分析及测年结果，在湖泊样品中选取了57个盘龙城湖泊钻孔样品进行植硅体提取工作。称取2克样品[①]，使用30%浓度的过氧化氢（H_2O_2）去除有机质，之后加入规格为10315粒/片的石松孢子片（Lycopodium spore tablets）4片，然后使用10%浓度的稀盐酸（HCl）去除金属离子。将样品烘干至表面没有可流动水分后加入比重为2.2克/毫升的溴化锌（$ZnBr_2$）溶液，3000转/分钟离心15分钟后将浮在上层的植硅体转移至新的离心管中烘干。制片前将管中的植硅体敲散并晃匀，用小勺挖取适量的植硅体放置在载玻片上，使用中性树胶作为介质，用干净的牙签搅拌均匀，安装好盖玻片后进行观察。鉴定使用显微镜的型号为Nikon ECLIPSE E100，放大倍数为400倍。因本次分析的样品普遍只能提取出数量很少的植硅体，所以在鉴定时几乎将每个区域都进行了观察。与植硅体含量不同的是，很多样品里都发现了大量的硅藻和海绵骨针，因此它们的数量也纳入统计之中。不涉及植物种属鉴定的植硅体种类参考ICPN 1.0（International Code for Phytolith Nomenclature 1.0）进行分类。能够鉴定到亚科、属或种的植硅体参考吕厚远等的

---

① 有三份样品例外。A2-125、A3-15和A3-25第一次提取效果不佳，又重新称取2克样品进行了第二次提取，所得结果为两次提取之和，因此样品量为4克，所用孢子片为8片。

研究成果[①]。

中国科学院南京地理与湖泊研究所研究团队在盘龙湖钻探样品中选取了60个盘龙城湖泊钻孔样品进行孢粉分析鉴定工作。孢粉样品使用标准HF方法处理，外加石松孢子计算孢粉浓度。孢粉鉴定参考国内专业的现代孢粉书籍和第四纪孢粉图版，每个样品争取鉴定到300粒以上，但是个别样品由于孢粉含量较少，无法达到。结果：60个样品共鉴定统计了25677粒孢粉和藻类类型，平均约428粒/样，鉴定出131个孢粉类型。样品统计数量能够满足高质量重建古环境的需要。

（四）小嘴岗地典型剖面采样与地貌研究

2014～2016年，武汉大学历史学院与中国社会科学院考古研究所、北京大学考古文博学院组成的环境考古研究团队，根据盘龙城遗址系统性考古勘探所提供的线索。针对盘龙城遗址的地层堆积和典型剖面展开了实地调查和采样分析工作。研究团队将盘龙城遗址目前水面以上地理单元（即岗地）的大面积分布的主要堆积（除商代及其商代以来的各种遗迹和文化层之外），分为四种类型：

（1）网纹红土，是遗址上分布最普遍的自然沉积物，具有南方地区典型网纹红土的特征，颜色上以红色或红棕色为主，间以浅黄、白、灰色的蠕虫或树枝状的条带结构。从少数探孔的情况看，盘龙城遗址的网纹红土应从下部的风化基岩发育而来。从小嘴剖面下部的粒度分析可见，粉砂含量大于50%，因此应属于均质类网纹红土[7]。

（2）黄红土，在部分网纹红土层之上分布有一层黄红土堆积，厚度不均，平均0.3米，多数为土质较为纯净的黄色或黄红色粉砂质黏土。该层黄红土中不见任何人类活动的遗留，应为自然沉积层。我们推测该层黄红土广义上属于李四光等所定义的广泛分布于长江中下游地区丘陵、岗地边缘的"下蜀黄土"。

（3）褐土，在盘龙城楼子湾、江家湾、杨家湾、杨家嘴的高岗地上有广泛的分布，在小嘴也有一定的分布，但并不连续。钻探中所谓褐土只是一个统称，其颜色并不均一，在不同地点，黑色、深灰、黄褐、灰白等色以不同的比例斑杂，土质大体为黏土或粉砂质黏土。

（4）石块堆积，杨家湾岗地北侧和岗地中部集中勘探或于地表发现有被搬运的石块堆砌的遗迹。石块多为不规则形，直径0.3～0.5米，大小不一，由于普遍集中分布在网纹红土或黄红土之上，因此不可能直接源自于风化基岩的侵蚀和自然搬运，而应为人工修筑的遗迹。局部清理证明至少部分石块遗迹的年代不晚于商代。

为深入了解盘龙城遗址的地貌演变过程，研究团队选取了小嘴岗地东南侧一处暴露的典型剖面进行清理和取样，进行沉积物分析。小嘴剖面共采集23个非结构样品用作粒度分析，采样的深度为10～120厘米，采样间隔为5厘米。同时在小嘴剖面共采集了A、B、C三个序列，共12份样品用于土壤微形态分析，基本涵盖了小嘴剖面的完整堆积过程。为了充分了解小嘴剖面不同堆积的年代，研究团队分别在距地表20厘米、60厘米和90厘米的地方取样至贝塔（BETA）实验室进行[14]C年代测定。

---

① 王灿、吕厚远：《水稻扇型植硅体研究进展及相关问题》，《第四纪研究》2012年第2期；王永吉、吕厚远：《植物硅酸体研究及应用》，海洋出版社，1993年。

（五）盘龙城各时期地貌形态数字化复原

2012～2017年，武汉大学历史学院等单位在盘龙城遗址开展了273.6万平方米的考古勘探工作。这项勘探工作除了全面了解地下遗存分布区域与类型之外，在勘探工作开始之初，盘龙城遗址环境考古研究团队就针对性的提出了地质考古钻探的历年，并对探孔信息的坐标及地层信息记录方式进行了设计。

地质考古勘探的主要目的是探明不同性质地层堆积，包括文化堆积和自然沉积物的垂直和水平空间布局的特征。在遗址统一测绘坐标系统的基础上，勘探人员首先使用RTK按照10米的等距间隔预设钻探的精确位置，然后使用传统的方式进行钻探（主要使用洛阳铲，个别探孔使用机械式的地质探具）。钻探过程中，每个探孔在钻到自然生土之后仍然继续向下，直到遇到坚硬的基岩或受探铲长度的限制不能继续钻探为止，以尽量充分地揭示不同地层堆积的埋藏深度和层位关系。所有探孔均在现场记录各层堆积的属性，包括土质、土色、包含物等信息以及各堆积的钻探深度和厚度，并录入WEB版的数字化钻探记录系统，以方便对勘探信息进行实时的管理、展示和分析利用。

按照地质考古钻探的理念，探孔均以10米间距格网式的分布在遗址之上，在RTK测量工具和GIS软件的辅助下，数以万计的探孔的位置和堆积信息被数字化的呈现在地理信息系统之中。结合湖泊区域的勘探和试掘资料，研究团队得以据此复原出商文化时期之前和商文化时期的地貌模型。首先将栅格数据和数字线划图进行编辑，依次去除现代和商代的人工地物，从而获取去除人工地物的商代与商代之前的DEM底图，然后将进行剥离的土层曲面进行拟合，依据探孔数据，研究团队总体上可将盘龙城遗址区域的地层自上而下可分为表土层、商时期文化层和生土层。在复原商时期地貌模型时，需要将去除现代人工地物的DEM底图再将表土层进行剥离，从而获得商时期的盘龙城遗址地形。同理，在还原商时期之前地貌模型时，需要将去除现代和商时期人工地物的DEM底图再将表土层和商代文化层进行剥离，从而获得商时期之前的地貌模型。

三、江汉地区古环境研究简史

长江流域环境史研究兴起于20世纪80年代初，地理学、古生物学、考古学、历史学等领域的学者，分别从历史上长江流域的气候、动植物、水文等诸环境要素的演变入手，采用跨学科的研究方法，探究历史上长江流域人口运动、资源利用、社会变动等人类活动与生态环境之间的联动关系。系统检索江汉地区环境史研究的现有成果，可将纷繁复杂的研究课题大致归纳为以下三个方面：

（一）水环境演变

江汉地区水环境的研究，大多从历史地理学的角度，考察长江中游水系的水文演变，研究对象主要集中于长江荆江段、汉水下游以及分布于江汉平原腹地的主要湖泊，对于长江其他支流及众多小型湖泊则较少关注。20世纪80～90年代，石泉、蔡述明、周凤琴、张修桂等学者对江汉地区古云梦泽的分布地望与形态演变进行了深入的研究。石泉与蔡述明通过考订历史文献和分析大量野外钻孔资料，证明了历史上从未出现过一个"跨江南北"的云梦泽出现，并对先秦时期以来云梦泽的地望和形态演变过程进行了细致的分析[①]。20世纪90年代以来，由于长江荆江段洪灾大规模爆发，使得荆江河道成为了新的研究热点。周凤琴、张修桂从历史地理、地貌学的角度对荆江河道的变迁及阶段性特征进行了研究[②]。李长安则从地貌学角度讨论了桐柏—大别山掀斜隆升对长江中游水环境的影响[③]。林承坤、周魁一则对荆江与沿线湖泊关系进行了讨论[④]。杨果、陈曦则重点考察了宋代以来荆江河道及洲滩的历史演变，认为唐宋至明清以后以修筑堤防为核心的人类活动是影响荆江河道及洪水位的关键因素[⑤]。除长江干流以外，亦有学者对汉水中下游河流形态及入江口进行了研究，早在1952年，中国科学院地理研究所就组织工作队针对汉江流域进行了历时两年的野外调查。并于1957年形成了《汉江流域地理调查报告》，报告中对汉江流域的自然地理和经济地理等情况进行了详尽的报道，同时附有各类地理插图58幅，此项研究成果为研究汉水中下游水系变迁的重要资料[⑥]。鲁西奇、潘晟对汉水中下游干、支流历史变迁过程进行了全面的梳理，同时详细考证了汉水中下游古代堤防的修筑情况，关于汉水中下游河道变迁与堤防建设的时空特征及其制约因素形成了独到的见解[⑦]。张修桂对汉水河口段的历史演变过程进行了分析，并分析了汉水入江口变化对长江汉口段的影响[⑧]。除对单一河段或湖泊进行具体分析以外，亦有相关领域的硕士、博士学位论文对先秦时期以来江汉地区河湖水系演变过程进行全面了分析和梳理，在此基础上对历史时期自然环境变迁对人类活动的影响进行了研究[⑨]。

在对江汉地区水系结构与形态进行研究的同时，亦有学者利用考古学、地球化学、地质学等跨学科技术手段对长江中游历史时期洪水爆发情况进行了大量的研究。朱诚、于世永、卢春成根据长江三峡及江汉平原地区新石器时代文化遗址的分布、埋藏古树和历史文献资料分析了该区域全新世异常洪水爆发频率的变化，并划分出了4个长达千年的洪水频发期[⑩]。周凤琴将荆江地区新石器时代以来古代遗址、堤防、埋藏古树等遗迹的高程与现代洪水位进行比对，分析认为近5000年以来荆江洪水位上升幅度可达13.6米，其中宋

① 石泉、蔡述明：《古云梦泽研究》，湖北教育出版社，1996年；周凤琴：《云梦泽与荆江三角洲的历史变迁》，《湖泊科学》1994年第1期；张修桂：《云梦泽的演变与下荆江河曲的形成》，《复旦学报（社会科学版）》1980年第2期。

② 周凤琴：《荆江历史变迁的阶段性特征》，《历史地理》（第10辑），第273～286页，上海人民出版社，1992年；周凤琴：《湖北沙市地区河道变迁与人类活动中心的转移》；《历史地理》（第13辑），第23～30页，上海人民出版社，1996年；张修桂：《荆江百里洲河段河床的历史演变》，《历史地理》（第8辑），第198～203页，上海人民出版社，1990年。

③ 李长安：《桐柏—大别山掀斜隆升对长江中游环境的影响》，《地球科学——中国地质大学学报》1998年第6期。

④ 林承坤、许定庆、吴小根：《洞庭湖的调节作用对荆江径流的影响》，《湖泊科学》2000年第2期；周魁一：《洞庭湖的历史演变与防洪功能评价》，《黑龙江水专学报》2001年第3期。

⑤ 杨果、陈曦：《经济开发与环境变迁研究——宋元明清时期的江汉平原》，第145、146页，武汉大学出版社，2008年。

⑥ 中国科学院地理研究所、水利部长江水利委员会汉江工作队：《汉江流域地理调查报告》，科学出版社，1957年。

⑦ 鲁西奇、潘晟：《汉水中下游河道变迁与堤防》，第95、97页，武汉大学出版社，2004年。

⑧ 张修桂：《汉水河口段历史演变及其对长江汉口段的影响》，《复旦学报（社会科学版）》1984年第3期。

⑨ 贾敬禹：《近2000年来江汉平原河湖水系演变》，北京大学硕士学位论文，2009年；李可可：《荆湖地区水系演变与人类活动历史研究》，武汉大学博士学位论文，2003年。

⑩ 朱诚、于世永、卢春成：《长江三峡及江汉平原地区全新世环境考古与异常洪涝灾害研究》，《地理学报》1997年第3期。

元时期至今为洪水急剧上升期，上升幅度可达11.1米[①]。吴立等学者运用地球化学方法对江汉平原腹地的钟桥遗址洪水沉积层进行了分析，发现了该遗址层在距今4800～3850年间，经历了三次古洪水。研究者在此基础上，结合江汉平原其他遗址古洪水沉积证据，指出江汉地区在距今4900～4600年和距今4100～3800年间经历了两次大范围的古洪水[②]。王红星通过对两湖平原新石器时代遗址的分布规律和文化中心的转移趋势，比对不同时期人类居址的高程信息推测新石器时代两湖平原存在着四次大的洪水期，分别为彭头山文化晚期（7500～7000aBP）、大溪文化关庙山类型三期阶段（5800～5500aBP）、屈家岭文化中期阶段（5000～4800aBP）、石家河文化晚期后段到肖家屋脊文化早期之际（4100～3800aBP）[③]。郭立新则通过对全新世长江中游地区生态环境、气温、水位、湖群演化研究成果的梳理和总结，分析了区域环境变迁与文化发展进程的耦合关系，并指出石家河文化中晚期（大约4400aBP）洪水频发导致了长江中游史前文化全面衰落[④]。刘辉则重点对长江中游迄今发现的17座史前城址分布的地理环境进行了分析，结合城址的高程提出两湖平原内部30米等高线为聚落分布的"敏感线"，新石器时代的洪水位始终围绕30米等高线波动。研究者从全新世气候变迁的角度对史前城址两轮兴废过程进行了解释，认为河湖水位变迁对史前城址的兴起与衰落有着高度的耦合关系[⑤]。以上王红星、郭立新与刘辉三位研究者均对长江中游新石器时代聚落分布与水环境的关系进行了较为深入的研究，三者均认为石家河文化晚期爆发的特大洪水对史前文化的衰落有着重要影响。

（二）气候变迁

气候作为自然环境的一个重要因子，与人类文明发展关系甚密。20世纪20年代，蒙文通、竺可桢、胡厚宣就注意到历史时期的气候变迁[⑥]。20世纪80年代，《中国自然地理·历史自然地理》对中国八千年以来气候变迁的总趋势进行了阐述[⑦]。20世纪90年代以来，不同学科背景的研究者分别从钻孔沉积物、地质剖面、植硅石、石笋等方面对长江中游地区近万年以来的气候变迁过程进行了分析。朱育新等依据江汉平原沔城M1号钻孔的沉积特征对该区域的古环境进行了重建，认为距今3500～1700年，气温较大暖期有所下降，其中距今3500～2500年温凉偏湿，距今2500～1700年较为温湿[⑧]。谢远云等则通过对江陵地区一处地

① 周凤琴：《荆江近5000年来洪水位变迁的初步研究》，《历史地理》（第4辑），第46～53页，上海人民出版社，1986年。
② 吴立、朱诚、李枫、马春梅、李兰、孟华平、刘辉、王晓翠、谭艳、宋友桂：《江汉平原钟桥遗址地层揭示的史前洪水事件》，《地理学报》2015年第7期。
③ 王红星：《长江中游地区新石器时代遗址分布规律、文化中心的转移与环境变迁的关系》，《江汉考古》1998年第1期；王红星：《长江中游地区新石器时代的人地关系研究》，第49～60页，长江出版社，2015年。
④ 郭立新：《长江中游地区新石器时代自然环境变迁研究》，《中国历史地理论丛》2004年第2期。
⑤ 刘辉：《长江中游新石器时代城址的空间分布和兴废对环境变化的响应》，《环境考古研究》（第五辑），第105～121页，科学出版社，2016年。
⑥ 蒙文通：《中国古代北方气候方略》，《史学杂志》1920年第3、4期合刊；竺可桢：《中国历史上之气候变迁》，《东方杂志》1925年第22卷；竺可桢：《中国近五千年来气候变迁的初步研究》，《考古学报》1972年第1期；胡厚宣：《气候变迁与殷代气候之检讨》，《中国文化研究汇刊》（第4卷），燕京大学国学研究所，1944年。
⑦ 中国科学院《中国自然地理》编辑委员会：《中国自然地理·历史自然地理》，科学出版社，1982年，第20～31页。
⑧ 朱育新、薛滨、羊向东、夏威岚、王苏民：《江汉平原沔城M1孔的沉积特征与古环境重建》，《地质力学学报》1997年第4期。

質剖面沉积物的分析，重建了该地区9千年以来的气候环境演化。文中指出距今3440~2500年江陵地区气候以暖湿为主，处于暖湿与凉干气候的波动阶段，气候频繁波动[1]。谢树成等基于长江中游地区大九湖泥炭沉积和清江和尚洞石笋研究，综合集成4个古水文代用指标，从距今13000年以来长江中游地区水文变化过程中识别出了3个长时间尺度的湿润期：距今13000~11700年、距今8700~6400年和距今3000~1700年[2]。张玉芬等通过对江汉平原湖区周老镇钻孔磁化率和有机碳同位素分析，将距今3万年以来的古气候演化过程划分为三个大的阶段，值得注意的是研究者结合磁化率曲线、有机碳总量、植硅石、孢粉等资料综合分析后，推测距今3530~1780年江汉地区的气候特点为冷与暖、湿润与干旱交替出现，并且波动很大[3]。史威等依据长江三峡地区大九湖和玉溪剖面^{14}C测年数据建立了距今9300~2000年间高分辨率多环境代用指标变化曲线。研究结果表明三峡地区距今4000~2000年气候波动频繁，距今4000年前后出现明显的降温过程，且多发洪水[4]。纵观上述研究成果，不难发现虽然不同学者基于不同的研究资料对长江中游地区全新世气候演变历程所获认识不尽相同，对气候变迁阶段划分的时间尺度也存在明显差异。但是谢远云、李长安、张玉芬、史威、朱诚等研究者均在其研究成果中认为距今3500~1700年左右江汉地区的气候特征为暖湿与干冷交替，波动频繁，表明这一研究结论具有相当的可信度。

亦有学者通过对具体考古遗址地层中的地球化学元素、植硅石等进行分析来对相应区域的全新世气候特征进行研究。顾延生通对湖北省武汉市放鹰台、盘龙城、陈子墩三处遗址采集土壤标本中的植硅石进行了研究，并结合遗址地层的年代，揭示出了武汉地区距今5000~2700年间的气候环境变化信息[5]。此项研究提出的两项研究结论值得注意：①研究者在盘龙城遗址采集的样品中发现了较多水稻壳，表明以水稻种植为主的农耕经济居重要地位；②距今5000~3500年，武汉地区处于温湿期，距今3500~3100年处于降温期，距今3100年左右处于新的升温期，距今2900年左右达到鼎盛阶段，由于气温升高，降水比较充沛，迫使相应时期的人类居址向高地迁移。毛钦对湖北天门谭家岭遗址剖面中的地球化学元素进行了分析，认为距今4850~4300年，气候温暖湿润，距今4300~4124年，该区域气候转变为寒冷干旱。距今4300年左右，气候由暖湿转为干冷的气候背景可能伴随着极端大洪水频繁发生[6]。

---

① 谢远云、李长安、王秋良、殷鸿福：《江汉平原9.0kaBP以来的气候演化：来自江陵剖面的沉积物记录》，《地理科学》2006年第2期。
② 谢树成、胡超涌、顾延生、黄咸雨、朱宗敏、黄俊华：《最近13ka以来长江中游古水文变化》，《地球科学（中国地质大学学报）》2015年第2期。
③ 张玉芬、李长安、陈国金、王小平、肖明远：《江汉平原湖区周老镇钻孔磁化率和有机碳稳定同位素特征及其古气候意义》，《地球科学（中国地质大学学报）》2005年第1期。
④ 史威、朱诚、李世杰、马春梅：《长江三峡地区全新世环境演变及其古文化响应》，《地理学报》2009年第11期。
⑤ 顾延生、蔡述明：《武汉部分先秦遗址考古土壤中的植硅石组合及其环境意义》，《武汉大学学报（人文科学版）》2001年第2期；顾延生、刘金华、魏航空、许志斌：《武汉地区部分先秦遗址土壤标本中植硅石组合及其意义》，《江汉考古》2000年第3期。
⑥ 毛欣、李长安、张玉芬、陈旭、刘辉：《湖北天门谭家岭遗址全新世中晚期气候变化及其对人类活动的影响》，《地球科学》2014年第10期。

（三）人地关系

就研究对象而言，有关人类活动与各类地理环境要素之关系的探究几乎都可以视为人地关系研究的范畴，因此这一领域的研究成果颇为庞杂。但就研究对象的时间范围而言，则基本可以划分为两个时段，史前时期和历史时期的人地关系研究。对于史前时期，由于无历史文献可供参考，研究者多从考古资料入手，运用地理学空间分析方法，对一定区域以内聚落选址、人口密度、生计类型等信息进行长程的观察，并尝试从地理环境的角度对区域文化的兴衰及文明发展进程进行阐释[①]。对于历史时期的人地关系研究而言，研究者则多采用历史文献资料，来对一定时空范围内的人口分布与结构、聚落选址、人类经济活动、疾病分布乃至民间信仰等与地理环境之关系展开研究，研究对象与内容极为广泛，在此仅选取若干具有代表性的研究成果予以罗列[②]。

值得注意的是，有学者以超长程的视野对江汉地区人地关系演变的阶段性进行了总结和概况。张建民、鲁西奇指出以往学术界将人地关系演进历程简单概况为"三阶段论"[③]带有强烈的主观色彩。并指出人与自然关系的主旋律就是冲突与对抗，不同历史阶段冲突与对抗

---

① 朱诚、钟宜顺、郑朝贵、马春梅、李兰：《湖北旧石器至战国时期人类遗址分布与环境的关系》，《地理学报》2007年第3期；史威、朱诚、李世杰、马春梅：《长江三峡地区全新世环境演变及其古文化响应》，《地理学报》2009年第11期；程功弼：《江汉—洞庭湖区新石器遗址分布与河湖演变的联系性》，《安徽师范大学学报（自然科学版）》2005年第2期；朱诚、张强、张之恒、于世永：《长江三峡地区汉代以来人类文明的兴衰与生态环境变迁》，《第四纪研究》2002年第5期；鲁西奇：《新石器时代汉水流域聚落地理的初步考察》，《中国历史地理论丛》1999年第1期；邓辉、陈义勇、贾敬禹、莫多闻、周昆叔：《8500aBP以来长江中游平原地区古文化遗址分布的演变》，《地理学报》2009年第9期；鲁西奇：《青铜时代汉水流域居住地理的初步考察》，《中国历史地理论丛》2000年第4期；陈诚、王宏志、沈雅琼、徐建军：《基于GIS的旧石器时代遗址时空分布规律的研究——以丹江口水库淹没区为例》，《云南地理环境研究》2008年第1期；罗靖波：《新石器时代两湖地区人类活动与环境研究》，《江汉考古》2017年第5期；吴小平：《试论三峡地区大溪文化的经济活动及其与地理环境的关系》，《江汉考古》1998年第2期。

② 龚胜生：《两湖平原城镇发展的空间过程》，《地理学报》1996年第6期；武仙竹：《长江流域环境变化与人类活动的相互影响》，《东南文化》2000年第1期；张迪祥：《春秋、战国时期以来长江流域人口活动对植被变迁的影响》，《植物资源与环境学报》2000年第1期；姚伟钧：《长江流域的地理环境与饮食文化》，《中国文化研究》2002年第1期；刘礼堂：《唐代长江上中游地区的生态环境文化》，《江汉论坛》2007年第4期；蓝勇：《历史时期三峡地区经济开发与生态变迁》，《中国历史地理论丛》1992年第1期；张建民：《清代江汉—洞庭湖区垸堤农田的发展及其综合考察》，《中国农史》1987年第2期；陈曦：《宋代长江中游的环境与社会研究》，科学出版社，2015年；周凤琴：《湖北沙市地区河道变迁与人类活动中心的转移》，《历史地理》（第13辑），第23～30页，上海人民出版社，1996年；王雷：《明清时期江汉平原水患与城镇发展》，《中南民族学院学报（人文社会科学版）》2000年第2期；曾艳红、蔡述明：《地理环境对近代武汉城市经济发展的影响》，《长江流域资源域环境》2002年第4期；方秋梅：《论晚清汉口堤防建设对城市环境变迁的影响》，《江汉论坛》2009年第8期；任放：《明清长江中游市镇经济所依托的自然及人文环境》，《历史地理》（第19辑），第199～205页，上海人民出版社，2003年；龚胜生：《2000年来中国瘴病分布变迁的初步研究》，《地理学报》1993年第4期；龚胜生：《湖北瘟疫灾害的时空分布规律：770BC～AD1911》，《华中师范大学学报（自然科学版）》2003年第3期；周尚兵：《唐代长江流域土地利用形式及自然灾害原因》，《中南民族学院学报（人文社会科学版）》2001年第5期；朱士光：《历史时期江汉平原农业区的形成与农业环境的变迁》，《农业考古》1991年第3期；张国雄：《明清时期两湖平原开发与环境变迁初议》，《中国历史地理论丛》1994年第2期；鲁西奇、蔡述明：《汉江流域开发史上的环境问题》，《长江流域资源域环境》1997年第3期；陈曦：《从江陵"金堤"的变迁看宋代以降江汉平原人地关系的演变》，《江汉论坛》2009年第8期。

③ "三阶段论"认为人地关系演进表现为从和谐、平衡走向冲突、失衡，再回复到和谐、平衡的过程。

的具体形式与内涵不断演变。因此张建民、鲁西奇将距今1万年以来长江中游地区的人地关系演变过程划分为三个阶段[①]，并认为明中叶是长江中游生态环境转变的临界点，从明中叶至民国时期，长江中游人地关系进入全面紧张状态[②]。杨果等在其论著中亦赞同此说[③]。梅莉等亦认为元明清时期伴随着人类对两湖平原大开发的不断深入，该区域农业种植与防洪排涝的矛盾变得愈发尖锐[④]。

四、盘龙城遗址地理环境特征

盘龙城遗址位于江汉平原东北缘，江汉平原是一个自白垩纪以来持续沉降的拗折——断陷盆地。白垩系加新生界的总厚度在盆地中心部位沉降最深处厚达6000～7000米，其中第四系的最大厚度约170米，盆地的平面轮廓近似菱形。东西两端距离约300千米，南北两端距离约200千米。主体地貌形态为平原，西、北、东三面环山，南面丘陵和谷地相间。盆地地貌结构呈环形带状分布；中央是最宽广的冲积湖积平原，海拔大都在50米以下，东部最低处仅20米；边缘过渡为丘陵带，海拔一般在200米以下；外围西、北、东三面都是山地，海拔一般在1000～1200米。

江汉平原拗曲下沉，长江和汉江从山区带出来的泥沙在盆地内大量沉积形成低洼的平原，主要地貌景观为长江沿岸平原和汉江三角洲平原。长江逐渐向南偏移，汉江三角洲则同时向南推进，现代长江平原呈一个弧形条带嵌在平原三角洲的外缘。平原的地势除自北向南、自西向东微微降低的总趋势外，还从河流的近岸处向远处微微降低，河流的洪水位普遍高于两岸平原面，呈地上河，自然堤普遍发育，在自然堤上还加筑了人工堤防。平原边缘靠近丘陵地带以及平原上河与河之间的地带远离河床，接受河流的泛滥沉积较少，地势相对低凹，湖泊发育，星罗棋布[⑤]。

江汉平原外围东北部为淮阳山地，主要由铜柏山、大别山等西北—东南走向的山岭构成，山地南侧为丘陵地貌，丘陵以南至长江干流之间则为垄岗状平原，盘龙城遗址即分布于淮阳山地丘陵以南的垄岗状平原之上。淮阳山地以南地势逐渐降低，向南倾斜，山岭之间形成了多条平行分布的河流，府河、滠河、滠水、倒水等平行南流，径注长江。其中府河自北向南流经孝感，随后向东转折并与滠水合并，共同流经盘龙城遗址南部，汇入长江。淮阳山地南侧分布的多条河流穿行于自然山岭之间，自古以来便是沟通长江中游与中原地区的交通要道。自盘龙城遗址出发，经府河北上经随枣走廊，可进入南阳盆地，连接中原腹地。经滠水、滠水北上穿过大别山隘口，可直抵中原地区。由盘龙城遗址入长江可达长江中下游地区。当前，沿滠水和府河沿线分别分布有（北）京广（州）铁路和（武）汉丹（江口）铁路线。盘龙城遗址位于府河下游的尾闾，沿河道分布有密集的湖泊，包括白水湖、童家湖、马

① 第一阶段，距今1万年至东汉末年；第二阶段，从汉三国至明中叶；第三阶段，明中叶以后至民国时期。
② 张建民、鲁西奇：《长江中游地区人地关系的历史演变及其特点》，《光明日报》2004年9月21日。
③ 杨果、陈曦：《经济开发与环境变迁研究——宋元明清时期的江汉平原》，第355页，武汉大学出版社，2008年。
④ 梅莉、张国雄、晏昌贵：《两湖平原开发探源》，第279页，江西教育出版社，1995年。
⑤ 湖北省地方志编纂委员会：《湖北省志·地理》（上），第257页，湖北人民出版社，1997年。

家湖、后湖以及与盘龙城遗址直接毗邻的仁恺湖、麦家湖、新潵湖、汤仁海、破口湖、盘龙湖、长湖、张斗湖等湖泊。20世纪50年代以前，由于平原湖区地势低洼，江河湖相通，水系紊乱，因此每年汛期山洪汇注，江河倒灌，洪水泛滥。20世纪50年代以后，经过多次围垦治理改造，特别是经过20世纪60～70年代的"围湖造田"运动，绝大多数湖泊被垦殖为农田，洪水泛滥局面得到了明显的改善。但同时也造成了自然湖泊数量与面积的骤减。据统计，盘龙城遗址所在的武汉市黄陂区，建国初期全区有湖泊29处，水面266.67平方千米，至21世纪初期湖泊数量减至21处，水面66平方千米[①]。

查阅地方志及历史地图可知，明清时期以来以筑堤围垦、河道整治为代表的人类活动对盘龙城遗址所在区域的自然地貌改变十分显著。具体而言，主要包括以下几个方面：

第一，府河改道。1959年以前，府河与澴河各分其流，府河原属汉水水系，其下游水系十分紊乱，分流众多，其中干流自武汉新沟镇注入汉江。澴水则为长江支流，下游干流绕孝感市城关，至北泾嘴汇入捷径河后，经滠口最后由谌家矶注入长江。为整治两河下游紊乱的水系，1959年实施府、澴河改道工程，将各自独立的府河、澴水沟通，自卧龙潭以下合而为一，统一由武汉谌家矶注入长江，直接成为长江干流的支流，澴水转为府澴河的最大支流[②]。从当前的水系格局来看，盘龙城遗址所在的府、澴河下游水系错综复杂，河湖密布，先秦时期该区域的水系格局，还有待于进一步讨论辨析。

第二，堤防修筑。为抵御洪水对府河下游沿线居民区的侵袭，当地政府在20世纪50～70年代，沿府河两岸修筑了人工堤防。南侧为东西湖大堤，北侧为府河大堤。两道大堤的修筑，一方面使得府河被困束在堤防以内，河湖不再连通，泄洪孔道大量消失，每年汛期水位陡增，河面大幅拓宽，河床淤塞加剧；另一方面，府河沿线的仁恺湖、麦家湖、新潵湖、汤仁海、破口湖、盘龙湖等小型湖泊面积明显拓宽，水位上升。上述湖泊原本为垄岗间洼地，汛期府河水倒灌而积水成湖，府河大堤修筑以后，湖水被大堤拦截难以外泄，导致湖水常年维持在较高水平，湖泊面积扩大。若将视野稍加拓展，实际上自明清时期以来，当今武汉市汉口城区以北修筑了多道人工堤防，为汉口地区的城市扩张提供了广阔的陆地空间。与此同时，也显著改变了府河南部地势低洼、水网密布的地貌形态，斩断了府河的泄洪孔道，间接加剧了府河、盘龙湖等河湖水位的抬升[③]。

第三，湖泊围垦。江汉平原所在的湖北省素有"千湖之省"的称号。据统计，枝江至武穴之间面积在7平方千米以上的湖泊原为1066个，但因泥沙淤积和盲目围垦，至1977年已只剩下326个[④]。盘龙城遗址周边的童家湖、马家湖、后湖、西湖、东湖、大赛湖等均遭受了不同程度的围垦，其中西湖与大赛湖彻底消失，其余湖泊面积明显萎缩。

总体而言，盘龙城遗址所在的鄂东北平原湖区，地势低平，密集的河湖与低矮的垄岗交错纵横，每至汛期河湖水系紊乱，水系变迁和人工筑堤成为了影响该区域地貌景观的最显著因素。

① 武汉城市建设档案馆：《武汉湖泊》，第85页，武汉出版社，2003年。
② 湖北省地方志编纂委员会：《湖北省志·地理》（上），第552页，湖北人民出版社，1997年。
③ 邹秋实：《盘龙城遗址地貌变迁研究》，《江汉考古》2018年第5期。
④ 中国科学院《中国自然地理》编辑委员会：《中国自然地理·总论》，第265页，科学出版社，1985年。

　　盘龙城遗址主体分部于多条临湖岗地之上，盘龙湖、破口湖分布于遗址之中，自然延展的岗地与湖泊交错分布，构成了低岗与湖汊相间的地貌景观。府澴河自孝感以下向东转折，流经盘龙城遗址南缘直至注入长江。

　　盘龙城遗址区域面积约3.95平方千米，分布有7个自然村落，村落周边被开垦成为农田，局部开挖有人工池塘。依据《盘龙城遗址保护总体规划》，盘龙城遗址被划分为重点保护区和一般保护区，重点保护区以内的自然村落已于2005年前后被全部迁出，农业生产活动随即停止。当前重点保护区以内，除盘龙城遗址博物院以外已无现代建筑物，农田亦已荒芜，地表被野生灌丛和林木覆盖。一般保护区内当前仍分布有自然村落和农田。现代农田水利建设活动，对遗址地貌形态产生了明显的影响。最为显著的即为1954年为加高武汉市东西湖大堤，抵御洪水，盘龙城遗址城垣在取土筑堤过程中遭到严重破坏，至今城垣仅残存基础部分。同时各岗地被开垦成为农田，将自然坡地改变成为"梯田"形态，当地村民还在岗地上在地势低洼的地带开挖了若干小型池塘，村民房舍和农业灌渠亦对遗址地貌造成了一定程度的改变。此外，由于盘龙城遗址区域湖汊众多，湖水季节性涨落使得湖汊区域夏秋季节湖水丰盈，冬春季节几近干涸，当地村民自20世纪60年代起即在湖汊地带修筑小型围堤，同时将淤塞的湖汊下挖一定深度，使湖汊地带由季节性湖区变为稳定的湖区，用于水产养殖，例如小嘴、艾家嘴等。

　　盘龙城遗址中各岗地基本是以当地自然村落命名，遗址中面积最大的一条东西向岗地为杨家湾岗地，其东西两侧分别为杨家嘴和江家湾。杨家湾岗地以南延展出多条南北向狭长型岗地，自东向西依次为李家嘴、王家嘴、小嘴和艾家嘴。上述岗地属商文化遗存分布最为密集的区域，被确定为盘龙城遗址"重点保护区"。当地村民将临湖的半岛型岗地称之为"嘴"、将地势较高离湖相对较远的岗丘顶部称之为"湾"，盘龙城遗址岗地的命名规则亦是当地独特的地貌形态的体现。在杨家湾岗地以北分布有小王家嘴、大邓湾、童家嘴以及盘龙湖东岸的丰家嘴、万家汊、小杨家嘴等岗地，上述区域发现的商文化时期遗存密度较"重点保护区"明显较低，被确定为盘龙城遗址"一般护区"。此外，依据历年调查勘探资料，在当今划定的"一般保护区"以外还零星分布有若干商文化时期遗存：①甲宝山东麓；②盘龙大道南段；③栗子包青铜器出土地点（府河河床）；④郑家嘴。以上四处地点均发现有与盘龙城遗址主体年代相当的商文化遗存，且在空间距离上与盘龙城遗址主体极为邻近，可被视为遗址的边缘地带。

第二章

环境考古工作

第一节　陆地考古勘探

一、勘探分区与布孔方式

由于盘龙城遗址保护区占地面积近4平方千米，地表植被密集，因此在勘探工作中我们以盘龙城遗址分区为单元，采用先布孔再勘探的工作方法。根据盘龙城遗址坐标系统，按100米×100米规格划分勘探区，代号为Q（图2.1）。每个勘探区，以西南角为原点，以10米为一单位，形成坐标系。勘探区编号，以设定的坐标系统编号为本勘探区编号，同时为了方便记录和避开无法勘探的区域，由西至东顺序依次为勘探区编小号，例如"Ⅰ区Q1013"（图2.2）。

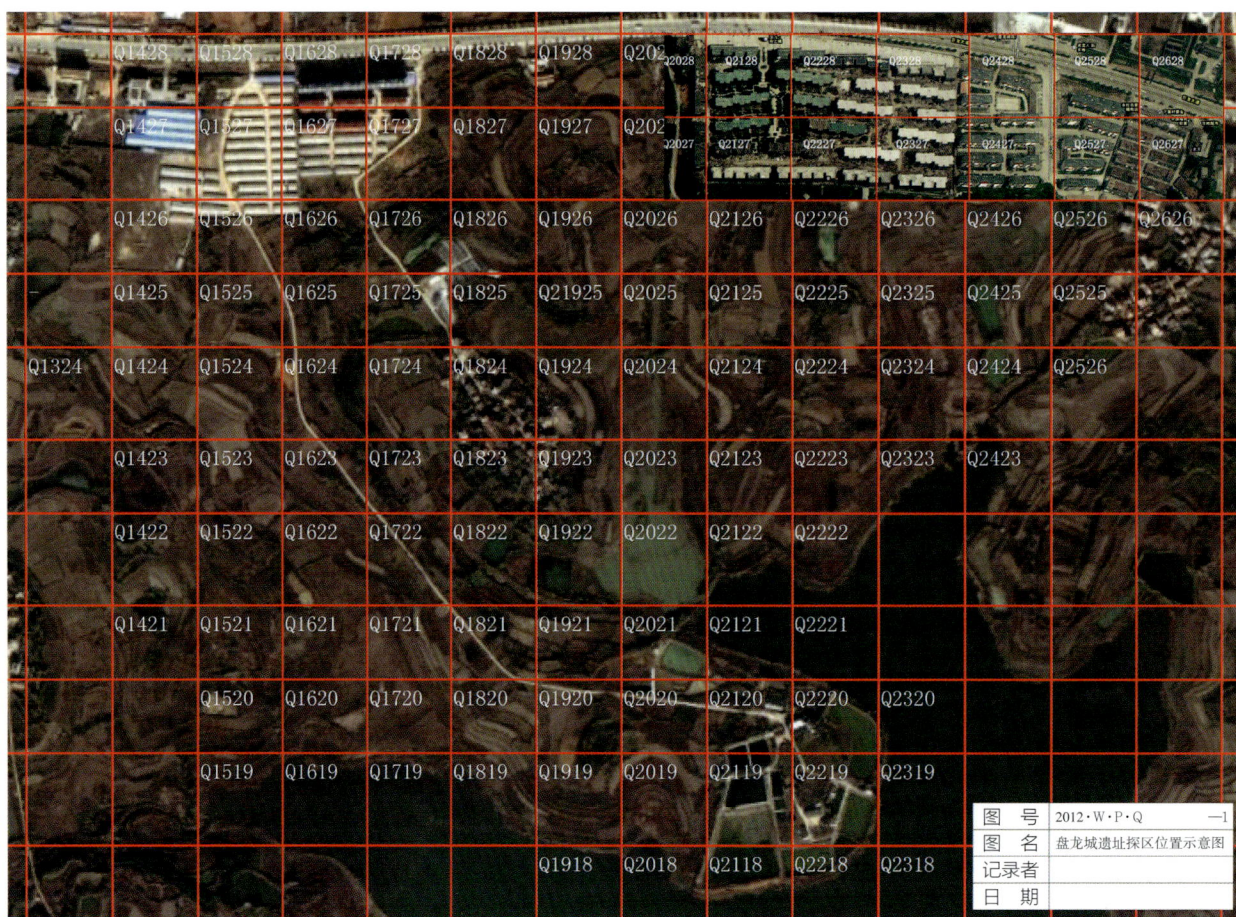

图 2.1　盘龙城遗址考古勘探分区示意图

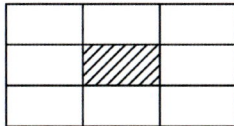

盘龙城勘探 Ⅰ区 Q1013 探孔平面图
0.13—1.18

任意直角坐标系：坐标起点以　　地方　为原点起算。
1985 国家高程基准，等高距为 1 米。

1：500

测量员：
绘图员：陈晖
检查员：

图2.2　盘龙城遗址 Ⅰ区 Q1013 探孔分布平面图

　　勘探区采用平面坐标系布孔法，按顺序依次编探孔编号。在Y轴上先编行号，X轴上编探孔号，每行从1开始编号，排列顺序必须一致，将实际工作中每一个探孔，纳入坐标系，每个勘探区的坐标原点用RTK记录经纬度及高程。勘探时全部依照布孔位置勘探，若发现相关遗迹现象，就以该探孔为基点，向东南西北四个方向以1米为单位进行加密勘探。相关遗迹现象均用RTK记录三维坐标（图2.3）。

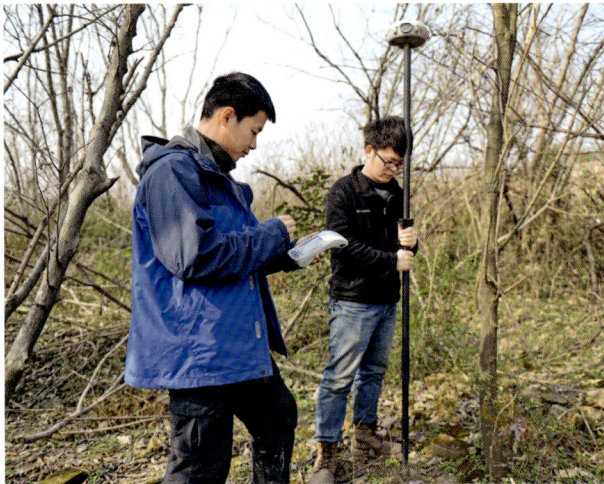

图 2.3　RTK 测量探孔坐标

图 2.4　全站仪测量探孔坐标

对于发现遗迹的区域，采取了2米为孔距加密勘探，对发现的墓葬或其他类型遗迹用全站仪或RTK统一测绘地形图及相应位置（图2.4）。

二、勘探资料记录方式

此外，在田野工作的同时，我们及时做好相关的记录工作。为了适应考古资料的信息化、数字化发展，我们同时备有文本和电子两份档案。同时利用CAD和南方cass等制图软件绘制探孔图，并将探孔图和地形图结合起来。每个勘探区有两份图纸，探孔分层情况、探孔位置、地层堆积情况以及遗迹状况一目了然。

（一）纸质表格

现场记录探孔日记及填好勘探记录表，每小区探孔记录汇总在一个档案袋中并且附一份分区记录以及探孔记录图纸两张（图2.5）。

（二）电子表格与CAD绘图

利用CAD、南方cass制图软件将每个点的勘探情况予以记录。普探时有遗迹再加密勘探并确定遗迹范围，将遗迹分布图和地形图结合起来。

（三）田野考古钻探地理信息系统

2014～2015年，武汉大学历史学院与北京大学考古文博学院等单位合作开发"盘龙城遗址田野考古钻探地理信息系统"（图2.6），记录和管理勘探资料，这些资料在考古工作过程中随时备查和回看，远较纸质资料便利。该系统还可通过对探孔三维坐标的定位，可将不同时期层位探孔数据，以便形成点云来构建遗址不同时期的地貌模型，分析遗址环境及景观变迁。通过勘探基本摸清了盘龙城各地点遗址分布范围，发现和定位了一些重要遗迹。

钻探记录表

年度：2012　　　　遗址名：胡北盘龙城　　　钻探区域：I区Q1019　　　共　页　第　页

探眼编号：K2020　　　　　　　　　　坐标：N_____　N_____　Z_____

[堆积编号] [深度]　　　　　　　　　　　　　　[堆积描述]

堆积编号	深度	堆积描述
①	0cm 10-15cm	堆积性质 ___表土___　　备注 _____
②	15-60cm	土色 ___灰褐___　　土质 ___黏土___　　致密度 ___致密___ 堆积性质 ___熟土___　　包含物 ___无___　　采集遗物 ___无___ 备注 _____
③	60cm 以下	土色 ___黄___　　土质 ___黏土___　　致密度 ___致密___ 堆积性质 ___生土___　　包含物 ___无___　　采集遗物 ___无___ 备注 _____
		土色 _____　　土质 _____　　致密度 _____ 堆积性质 _____　　包含物 _____　　采集遗物 _____ 备注 _____
		土色 _____　　土质 _____　　致密度 _____ 堆积性质 _____　　包含物 _____　　采集遗物 _____ 备注 _____
备注：		

钻探者：　　　　　　　记录者：彭怀波　　　　　　钻探日期：2012.11.13

核对者及意见：

图 2.5　纸质勘探记录表

图2.6　盘龙城遗址田野考古钻探地理信息系统

三、勘探收获

　　盘龙城遗址东、南分别频临盘龙湖、府河，主体分布于杨家湾岗地及其向南沿展的多个低岗之上，包括李家嘴、王家嘴、小嘴、楼子湾、艾家嘴等，岗地海拔为22～34.5米。在杨家湾西北，隔盘龙湖湖汊为大邓湾和小王家嘴，杨家湾东北，隔盘龙湖为童家嘴，而盘龙城东岸的长丰岗一带则见有小杨家嘴、丰家嘴和万家汊等地点。上述各地点因受湖水分割形成了相对独立的地理单元，《盘龙城（1963～1994）》①考古报告中即以上述各岗地名称对遗址进行命名，以下将对各岗地的遗存分布情况予以介绍。

（一）杨家湾

　　杨家湾位于位于盘龙城遗址西北部的一处东西向天然岗地的中段，该岗地西段和东段分别为江家湾和杨家嘴，岗地南与小嘴、楼子湾相连，北隔湖汊与小王家嘴相望。

　　杨家湾岗地东西长约500米，南北宽约300米，海拔27～34米，是盘龙城遗址中地势最高的一处岗地。以岗顶部中脊为界，可将岗地分为南坡、北坡两部分。2005年以前，南坡为杨家湾村民房的集中分布地带，因建设房屋等活动对遗址地表造成了较为明显的破坏。北坡则被开垦成为梯田，同时当地居民亦在低洼处开挖了多处人工池塘，对遗址造成了一定的破坏（图2.7，1）。2005年以后，为保护遗址当地居民整体搬迁，农业种植活动均已停止，随之野生林木自然生长，当前整个岗地已被茂密的树丛覆盖（图2.7，2）。

---

　　① 湖北省文物考古研究所：《盘龙城：一九六三——一九九四年考古发掘报告》，文物出版社，2001年。以下均简称《盘龙城（1963～1994）》。

杨家湾岗地的考古发掘工作主要包括以下几个时期：2000年以前的考古工作由湖北省博物馆主持。1974～1992年，配合当地农业生产活动共清理出墓葬11座。1980年，为配合当地农业灌渠的建设，考古部门在杨家湾南坡进行了发掘，面积950平方米，清理出建筑基址F1～F3，同时发现了一批灰沟、灰坑等遗迹①。

2000年以后，盘龙城考古工作转由武汉市文物考古研究所和盘龙城遗址博物院合作完成，2006年，在杨家湾南坡进行考古发掘，发掘面积1250平方米，发现了大型建筑基址F4及一批灰坑，但因F4保存状况较差，对其结构及周边遗迹分布情况不甚明晰。同年，在F4西南100米处，布设了另外一片发掘区（图2.8中标注为"2006年发掘区Ⅱ"），发掘面积225平方米，发掘者在日记中有如下记录："整个发掘区是一个大型（制陶）作坊遗址。其以分布在T1011、T1012、T1111、T1112四个探

1. 2005年4月6日Google Earth影像

2. 2016年4月18日大疆无人机航拍照片

图2.7 盘龙城遗址杨家湾岗地地表覆盖

方的长条形'龙窑'为核心，可能是一个室内烧造作坊。"②但当时仅揭露出遗迹后即将其保护性回填，关于该遗迹的具体结构和性质还有待于后续考古工作的确认。2006年，还对杨家湾M13～M15三座墓葬进行了清理③。

自2013年起，武汉大学历史学院开始承担盘龙城遗址的考古发掘工作，2013年，即对

---

① 《盘龙城（1963～1994）》，第217页。

② 见于盘龙城遗址博物院提供的《2006年秋盘龙城考古总记录》第48页，记录人为2006年盘龙城遗址考古发掘领队刘森淼。

③ 据发掘者称，M13曾于2001年进行过第一次清理，但当时未能正确辨识出墓葬结构，仅清理了墓室的一部分。2006年对M13残余部分清理完成后，对其墓室结构才得以明确，相关记载见于《2006年秋盘龙城考古总记录》第18页。另外，M15因被F4叠压，因而2006年未对其进行全面清理，仅大致画出了的墓圹范围，也并未发现任何遗物。

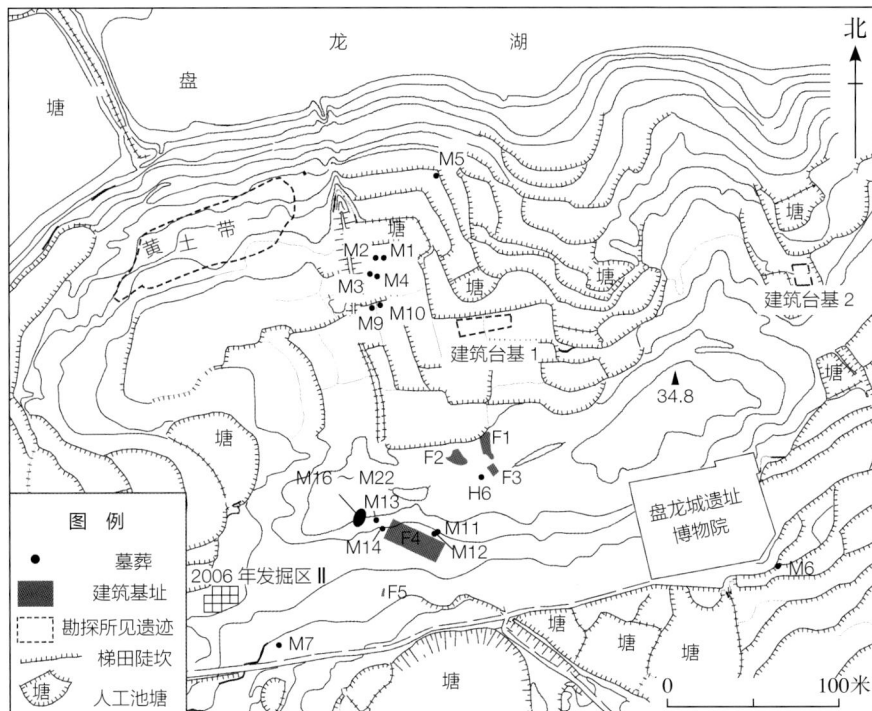

图2.8 杨家湾岗地遗迹分布示意图

F4及其西北部区域进行考古发掘，廓清了F4的基本结构和范围，并在F4西侧发现了7座墓葬M16～M22，此外还清理了一批灰沟和灰坑遗迹。2014年，在F4南侧区域布设发掘区150平方米，以明确F4以南的文化堆积情况，本次发掘发现了建筑基址F5（因发掘面积所限，仅揭露出F5局部），同时在F4南侧发现了厚达1.5米以上的文化堆积（图2.8）。

通过以上的考古发掘工作可知，杨家湾岗地南坡商文化时期的遗存分布十分密集，其中大型建筑基址F4和高等级墓葬M11、M17等暗示出该区域活动着盘龙城遗址最高级别的一类人群。与此同时，通过2014年以来的考古勘探工作显示，除岗地北坡宽约30米的临湖区域分布着生土和砾石外，杨家湾岗地其余区域几乎遍布商时期文化堆积，局部地点文化层厚达2.5米，且在勘探工作中，还在杨家湾北坡发现有黄土带和建筑基址等遗迹。

黄土带 2015年1月，考古人员在对盘龙城Q1614和Q1714两个探区进行考古勘探过程中，发现在杨家湾岗地西北部，分布着东西长约100米，宽约30米的黄土带。该层黄土土质疏松，细腻纯净并夹杂细碎陶片，明显不同于周围的红色生土。依据黄土的性状及包含物特征判断，该黄土层应属商文化时期人工铺垫，未经夯打，鉴于其连续分布区域达3000平方米，推测其应属某种大型建筑类遗迹[1]（图2.9）。

建筑台基1 2014年11月，考古人员在对盘龙城Q1814探区进行考古勘探过程中，在该区南部发现有东西长约35米，南北宽约10米的夯土遗迹。钻探数据显示，该区域地层分层情况如下（图2.9）：

第1层，灰褐色土，土质疏松，夹杂植物根茎，深0～0.5米，为表土层。

第2层，黄色土，土质较硬，纯净细腻，包含极少商文化时期陶片，深0.5～1.25米，为

---

① 该"黄土带"的分布区域与此前学界广泛关注的"盘龙城遗址外城垣"推测分布区域部分吻合，因此该黄土带遗迹的性质变得十分关键，对于其性质的最终确认还有待于后续考古工作的开展。盘龙城"外城垣"的首次提出见于刘森淼：《盘龙城外缘带状夯土遗迹的初步认识》，《武汉城市之根——商代盘龙城与武汉市发展研讨会论文集》，武汉出版社，2002年。

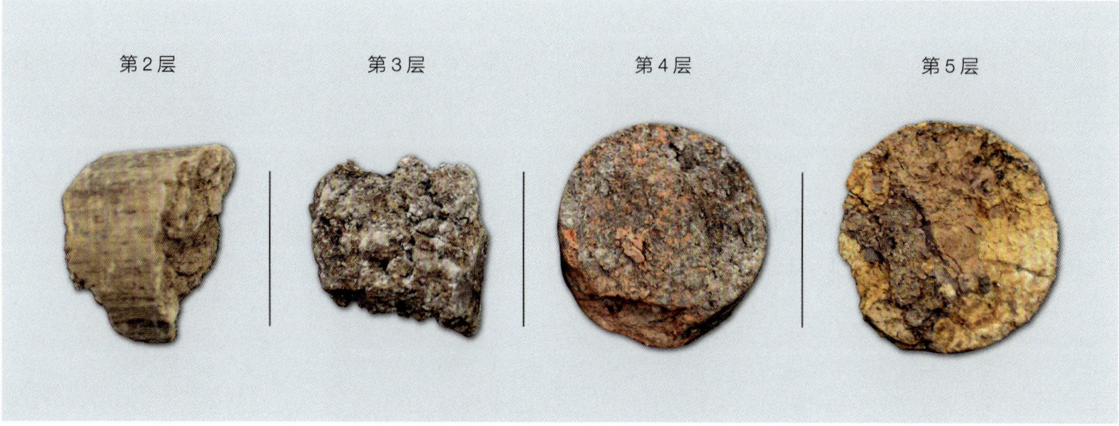

图 2.9　杨家湾建筑台基 1 地层分层土样

商文化时期堆积。

第3层，深褐色土，土质坚硬，包含少量商文化时期陶片，深1.25～1.95米，为商文化时期堆积。

第4层，黑褐色图，土质坚硬，包含较多商文化时期陶片，以及炭屑、烧土颗粒，深1.95～2.65米，为商文化时期堆积。

第5层，2.65米以下即为黄红色生土，无包含物。

建筑台基2　2014年12月，考古人员在对盘龙城Q1914探区进行勘探时，在探区东南部发现有商时期文化层，且在文化层之下勘探到两条带状分布的石块，每条石块南北向延伸5～8米，且两条石块带走向基本保持平行，因此，推测此处可能分布有一处商文化时期建筑基址。该区域地层分布情况如下：

第1层，褐色土，土质疏松，包含有大量植物根茎及现当代生活垃圾，深0～0.4米，为表土层。

第2层，黄褐色土，土质较疏松，包含有少量商时期陶片和炭屑等，深0.4～0.9米，为商时期文化层，本层下分布有大量的石块。

第3层，灰褐色土，包含有少量商时期陶片，深0.9～1.1米，为商时期文化层。1.1米以下即为红色生土。

（二）杨家嘴

杨家嘴与杨家湾共处同一天然岗地，因其位于杨家湾东侧的临湖地带，因而称之为“嘴”①。杨家嘴北、东、南三面环水，东西长约330米，南北宽约360米，海拔21～29米。杨家嘴地表原为农业种植区，主要分布着大片梯田及少量人工开挖池塘，北部临湖坡地因坡度较陡，且分布大量自然砾石，因此该区域原为闲置荒地。东南部临湖区域为地势平缓的滩地，海拔19.5～21米，每年枯水季节，滩地显露地表，曾在此滩地上发掘

① 盘龙城遗址地处滨湖岗丘之上，当地习惯性地将临湖半岛称为“嘴”，杨家嘴、李家嘴、王家嘴等均因此得名。

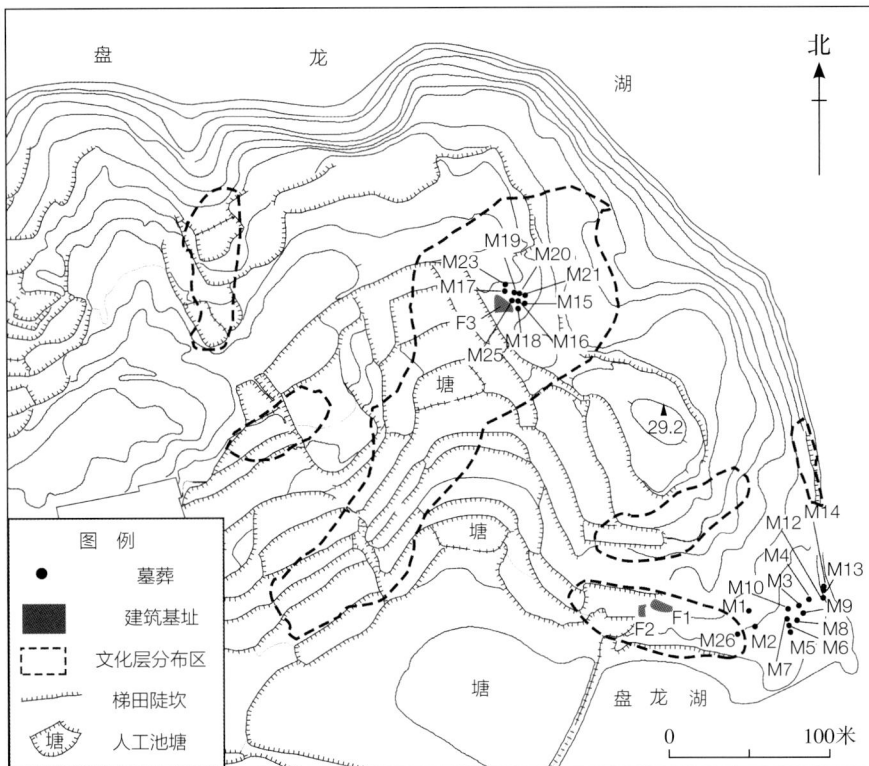

图 2.10　杨家嘴岗地遗迹分布示意图

过10座商文化时期墓葬（图2.10），汛期该区域则淹没于水下。

杨家嘴遗址的考古发掘主要包括以下几个时期：

1980～1983年，当地村民在杨家嘴南坡湖汊地带兴修鱼池，施工中发现大量黑色灰烬土及陶片，盘龙城工作站当即配合工作开展了考古发掘，发掘面积1214平方米，发现了建筑基址F1、F2及一批灰沟、灰坑。同时，在遗址东部的滨湖区域区域发掘了10座墓葬M1～M10[①]（图2.10）。

1998年，武汉市博物馆联合湖北省文物考古研究所，在盘龙湖临湖区域清理了3座商文化时期墓葬，编号为M12～M14[②]。

2006年，盘龙城遗址博物院在杨家嘴顶部布设探方16个，发掘面积400平方米，共发现了10座墓葬（M15～M23、M25），其中除M22为宋代墓葬外，其余9座均为商文化时期墓葬。另外，还发现了商文化时期的建筑基址F3及少量灰坑。本次发掘的详细资料，还有待室内整理工作结束后予以刊布[③]。

2014年，武汉大学历史学院在对杨家嘴进行野外调查过程中，于临湖滩地上发现一座商文化时期墓葬，随葬青铜器部分暴露地表，随即予以清理，编号为M26，并同时清理M26东侧的一座灰坑H14[④]。

2014年，武汉大学历史学院对杨家嘴进行了全面的勘探，以全面了解该区域商时期文化堆积的分布情况，本次勘探在岗地的中部及东南部均发现有集中分布的文化层，在其西北部亦发现有局部分布的文化层（图2.10中虚线所示区域）。

值得注意的是，杨家嘴与其南侧的盘龙城北城垣、李家嘴隔湖相望，直线距离不足百

① 《盘龙城（1963～1994）》，第300页。
② 武汉市博物馆、湖北省文物考古研究所、黄陂县文物管理所：《1997～1998年盘龙城发掘简报》，《江汉考古》1998年第3期。
③ 盘龙城遗址博物院2006年考古发掘资料。
④ 武汉大学历史学院、湖北省文物考古研究所、盘龙城遗址博物馆筹建处：《2014年盘龙城杨家嘴遗址M26、H14发掘简报》，《江汉考古》2016年第2期。

米，每至枯水时节，该湖汊显露出大片滩地，其中心区域水深亦降至0.5～2米（图2.11，2）。滩地上时常可见大量商文化时期的陶片、石器。而前文所述的杨家嘴M1～M13分布区域海拔为20.3～20.5米，每年4～11月均被湖水淹没。由此可见，当代盘龙湖水面高程较之商代应有显著抬升，换言之，当代盘龙湖面以下的区域仍有可能是商文化遗存的分布地带。

1. 2016年8月10日大疆无人机航拍照片

2. 2016年12月4日大疆无人机航拍照片

图2.11 盘龙城遗址杨家嘴岗地干湿季节地貌对比

为进一步了解杨家嘴至李家嘴沿线遗存分布情况，探究盘龙城遗址地理环境变迁过程，2016年12月，武汉大学历史学院与中国科学院南京地理与湖泊研究所合作，对盘龙湖进行水下考古勘探，在李家嘴与杨家嘴之间的湖汊区域，湖底淤泥以下仍有文化层分布。RTK测量数据显示，2016年12月10日，盘龙湖水面高程为19.3米，处于当年内水位最低值，在该湖汊区域50、52、56、60、62、63号探孔均发现有商时期文化层分布，其中56号探孔中文化层底部高程为17.8米，比盘龙湖2016年最低水位还要低1.5米，属目前已知的盘龙湖中海拔最低的文化层分布地点。

与此同时，武汉大学历史学院与武汉大学遥感信息工程学院合作，对盘龙湖湖盆地形进行了测绘，测绘地形图显示，杨家嘴至李家嘴之间的区域湖盆地形平缓，湖底最低点海拔约17.2米，如前所述，湖底商时期文化层可布至17.8米的区域。由此可知，在商文化时期李家嘴与杨家嘴之间的最大水深不会超过0.6米，两处岗地之间几乎以陆地相连，且商时期文化堆积在两处岗地之间连续分布，以至于在当代湖面以下仍有遗存分布。

（三）李家嘴

李家嘴与杨家嘴隔湖相望，岗地呈西北—东南走向，长约500米，宽140～200米，海拔20～28.5米。岗地北端与盘龙城城垣东北角相连，南端直抵府河北岸的河漫滩。因李家嘴地处府河与盘龙湖的结合地带，是防御盘龙城杨家湾一带水患的前沿地带，因此当代修筑堤防的工程对李家嘴原始地貌的破坏十分明显。

首先，1974年修筑的府河防洪堤穿过李家嘴南部，使其东南一角沦为府河河漫滩。同时，因府河堤的拦截，使得李家嘴与东城垣之间的低平区域，积水成湖。从1970年拍摄的航片可以看出，在府河堤修筑之前，东城垣与李家嘴南坡之间水域面积很小。至今，每至旱季湖水回落，该区域则显露出大片陆地，水深不足1米（图2.12）。其次，李家嘴东北段约100米的狭长地带也是防御盘龙湖水患的重要地点，因此近40年来在此反复多次加高筑堤。上述

1. 1970年12月4日　　　　　　　　2. 2007年11月27日　　　　　　　　3. 2017年7月29日

图2.12　李家嘴不同时期遥感影像

图 2.13　李家嘴东北侧河滩
（2016年12月4日拍摄）

工程建设活动，使得李家嘴南坡地表遭受严重破坏，以至于李家嘴M1、M3、M4三座高等级墓葬均遭受严重破坏，仅M2保存相对完整[①]。

李家嘴南坡较陡，1974年前后，盘龙城考古工作站配合筑堤取土工程在南坡顶部清理了M1～M4，四座高等级贵族墓葬。2015年，武汉市文物考古研究所又对李家嘴南坡进行了大面积的考古勘探，并在M1与M2之间发现一座较大规模的墓葬，编号为M6，并布设探方对其进行了清理。该墓早年被破坏的十分严重，墓内仅出土有青铜残渣、陶片、玻璃碎片等。除M6以外，此次发掘工作还在M6北部发现了建筑基址一座，编号为F1[②]。除此以外，李家嘴南坡大面积分布生土，未发现其他遗迹或文化堆积。

李家嘴北坡滨临盘龙湖，坡度和缓，每年枯水期湖水回落后北坡呈现出大面积滩地，汛期则被淹没于水下（图2.13）。1985年，盘龙城考古工作站在北坡清理了30座灰坑（图2.14）。2016年，武汉大学历史学院对李家嘴进行了全面的考古调查，在北坡临湖滩地上发现密集散布的商文化时期陶片，局部还可见灰坑遗迹，上述陶片和灰坑因常年受湖水涨落侵蚀，故而显露地表（图2.15）。通过对盘龙湖的水下考古钻探可知，李家嘴北坡临湖地带的陶片还可延伸至当代湖面以下的区域，再次证明了当代湖面高度应明显高于商代。

① 《盘龙城（1963～1994）》，第147页。
② 武汉市文物考古研究所、盘龙城遗址博物院：《盘龙城遗址宫城区2014至2016年考古勘探简报》，《江汉考古》2017年第3期。

1. 2016年3月21日拍摄

2. 2016年8月10日拍摄

图 2.16　王家嘴岗地航拍影像

图2.17 王家嘴与府河河床

均分布有厚0.6～0.9米的淤泥层。以王家嘴9号孔为例（图2.19）：

第1层，青灰色淤泥，夹杂植物根茎及螺蛳壳，深0～0.9米，属河床淤泥。

第2层，灰褐色土，土质疏松，夹杂部分陶片及炭屑，深0.9～1.46米，为商时期文化层。

第3层，黑色土，土质疏松，夹杂大量的炭屑及烧土颗粒，深1.46～2.2米，为商时期文化层。

第4层，2.2米以下出水无法继续钻探，但探孔泥土中仍可见炭屑，未到生土。

王家嘴9号孔所在地面的海拔为20.2米，根据钻探数据显示，王家嘴商时期文化堆积的分布区域可至海拔18米的区域。而栗子包残墓的海拔亦为18米

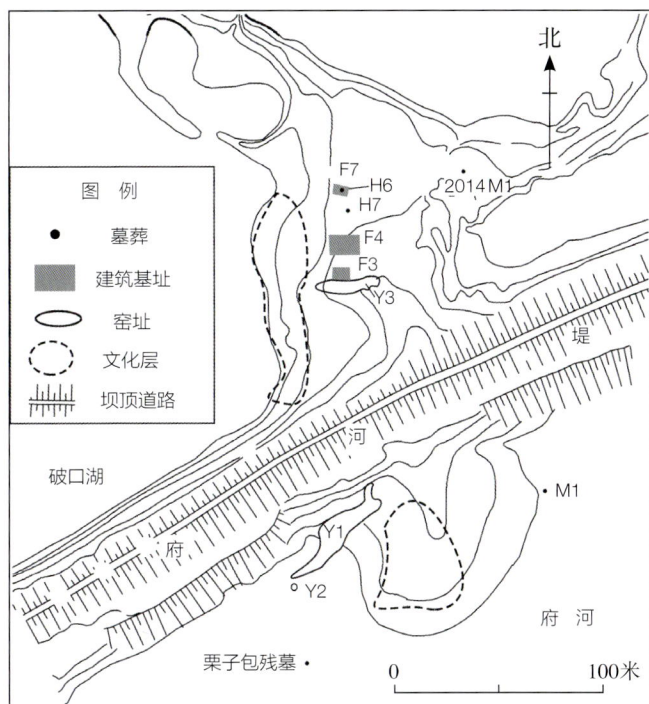

图2.18 王家嘴岗地遗迹分布示意图

左右，由此可见，当代王家嘴虽濒临府河，每年汛期还被洪水淹没，但在商文化时期，府河的最高水位应不高于18米，而当代府河丰水期水位则维持在27～30米，如此显著的水位变化导致了王家嘴一带的古代遗存淹没于河水以下。

图 2.19　钻探所见王家嘴文化层

（五）小嘴

小嘴是杨家湾岗地向南延展出来的一条狭长型岗地，北面与杨家湾相连，西北为楼子湾岗地，东面、西面分别与盘龙城西城垣和艾家嘴隔湖相望。小嘴岗地南北长约520米，东西宽约90～120米，海拔20～27米。岗地地表原为大片梯田，近10余年以来，因农业活动停止，野生林木迅速生长，当前岗地主体部分已被茂密的植被覆盖。小嘴东西东、西、南三面被破口湖环绕，临湖滩地地势平缓，每年枯水期大片滩地显露地表，汛期则淹没于湖水以下，这一景观变化过程与杨家嘴、李家嘴等临湖岗地类似。

相较于盘龙城遗址中其他地点，小嘴遗址的考古工作开始时间相对较晚，因此在《盘龙城（1963～1994）》报告中未曾报道该地点的考古工作情况。2003年，因湖水回落，小嘴东坡河滩上暴露出青铜器残片，盘龙城遗址博物院随即对其进行了现场勘查和清理，确定此处为一座商文化时期墓葬，编号为小嘴M1[①]。2013年，考古人员在对小嘴岗地东坡中段河滩进行巡查时，发现河滩上分布有几处灰坑遗迹，同时采集到一件石范残件，石范采集处位于

---

① 　小嘴M1发掘材料尚未公开发表，清理出土的遗物存放于盘龙城遗址博物院。

M1东南约20米处[①]。同年，武汉大学历史学院利用枯水时节对小嘴岗地进行实地踏查，发现小嘴东坡中段河滩上暴露出大面积散落的陶片、石器等遗物。随即布设探方，对这批遗物进行了部分采集。以上线索表明，小嘴岗地东坡遗存分布较为丰富，且首次发现有石范在此分布（图2.20）。

为全面了解小嘴岗地的遗存分布情况，武汉大学历史学院于2015年3月，对小嘴岗地进行了全面勘探。勘探数据表明：小嘴岗地中部，即海拔在23米以上的区域，表土层以下即为生土，几乎未见古代遗存分布。而在岗地东、西两侧的临湖坡地上则分布着较为密集的文化层。然而，由于临湖滩地常年受湖水侵蚀，地下遗存遭受到严重破坏，文化层厚度仅0.3～0.1米，局部区域陶片及其他遗物直接暴露于地表（图2.21）。相对而言，小嘴岗地东北部因受湖水侵蚀程度较轻，尚保留有厚约0.5～1米的文化堆积。

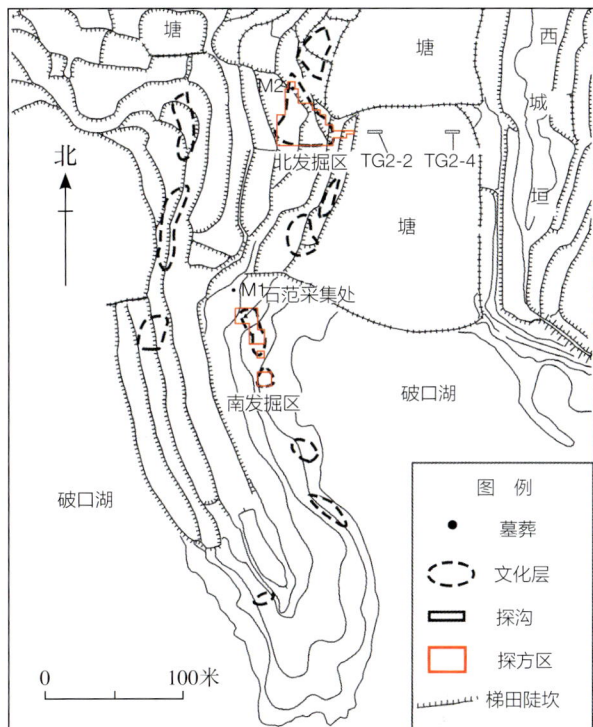

图2.20　小嘴岗地遗迹分布图

2015年11月至2017年3月，武汉大学历史学院对小嘴遗址开展了考古发掘工作，第一阶段，2015～2016年对小嘴东北部进行发掘（图2.20所示北发掘区），发掘面积1125平方米，发现了大型灰沟及陶范、铜渣、孔雀石等一批与铸铜活动密切相关的遗迹遗物。第二阶段，2017年，针对小嘴东坡河滩上暴露出的大面积陶片、石器等遗物，布设探方13个，基本确定了这批遗迹的范围和结构并选择其中部分遗迹进行了发掘。

因小嘴北发掘区中揭露出的大型灰沟遗迹仍在向东侧湖区延伸，故利用初春湖水干涸的时机，在小嘴与西城垣之间的湖区布设了两段2米×10米的探沟，标号为TG2-2和TG2-4。探沟的发掘表明，湖底厚达1米的淤泥之下，仍分布有0.9～1.2米的商时期文化层，文化层底部的海拔为18.4米。这一发现表明，在商文化时期小嘴与西城垣之间的水域（现为养鱼塘）应为大面积陆地（图2.22）[②]。

（六）艾家嘴及楼子湾

艾家嘴是位于盘龙城遗址西侧的一处狭长岗地，东与小嘴毗邻，北接江家湾、杨家湾，府河大堤穿过岗地南端。艾家嘴南北长约710米，东西宽约200米，海拔20～26米，岗地分布有大面积梯田，后因当地村民搬迁农田荒芜，当前岗地表明已经被茂密的林木覆盖。小嘴与

---

① 韩用祥：《盘龙城遗址首次发现铸造遗物及遗迹》，《江汉考古》2016年第2期。
② 通过对当地村民的寻访得知，西城垣与小嘴岗地间共有三处池塘，均为1960至1970年之间，当地村民将天然洼地深挖后，筑堤分段拦截，用作养鱼池。

1. 布方清理前

2. 布方清理后

图2.21　小嘴东侧河滩遗迹分布图

　　艾家嘴分别位于破口湖的东、西两侧，每至枯水期艾家嘴岗地的临湖坡地则显露出大面积陆地，汛期则淹没于水（图2.23）。

　　在艾家嘴岗地开展的考古工作较为有限，2002年，盘龙城遗址博物院考古队对杨家湾至艾家嘴一带进行了考古勘探，在艾家嘴发现有呈带状分布的夯土遗迹①。2016年，武汉大学历史学院对艾家嘴岗地进行了全面的勘探，在岗地的北部发现了集中分布的商时期文

----

① 刘森淼：《盘龙城外缘带状夯土遗迹的初步认识》，《武汉城市之根——商代盘龙城与武汉城市发展研讨会论文集》，武汉出版社，2002年。

1. 2016年12月30日拍摄

2. 2017年6月20日拍摄

图 2.22　小嘴岗地干湿季节地貌对比图

1. 2016年4月30日拍摄

2. 2017年2月12日拍摄

图2.23　艾家嘴与小嘴岗地干湿季节地貌对比

化层，这处文化层分布区域东西延伸85米，堆积厚度达1～1.5米。但由于该区域分布着一处当代人工开挖的池塘，因此文化层遭到了较为严重的破坏。除此以外，仅在岗地西南部的临湖区域发现了零星分布的商时期文化堆积，面积仅30～50平方米，堆积厚度约0.1～0.3米（图2.24）。

考古勘探数据表明，艾家嘴商时期文化堆积分布面积十分有限，堆积厚度也较薄，表明此处已经接近盘龙城遗址的西部边界。

楼子湾是位于艾家嘴、小嘴与杨家湾交界处的一处小型岗地，南北长约140米，东西宽约100米，海拔24～31米。1963年曾在此发掘过10座商文化时期墓葬及少量灰坑和建筑遗迹。楼子湾原本分布有少量的自然村舍，其余区域为农田，同时当地村民在1960～1980年，在楼子湾人工挖掘了两个池塘。据挖掘池塘的村民介绍，当时挖塘过程中发现了大量黑灰色泥土，且泥土中包含许多陶片。

2016年，武汉大学历史学院通过考古勘探在楼子湾发现了有集中分布的商时期的文化堆积，这些堆积分布于楼子湾两处人工池塘的周边。结合村民介绍的信息，可以推测这两处人工池塘很有可能也是商时期文化堆积的分布范围。由此可见，小嘴与艾家嘴之间分布着连续成片的文化堆积，并未中断。

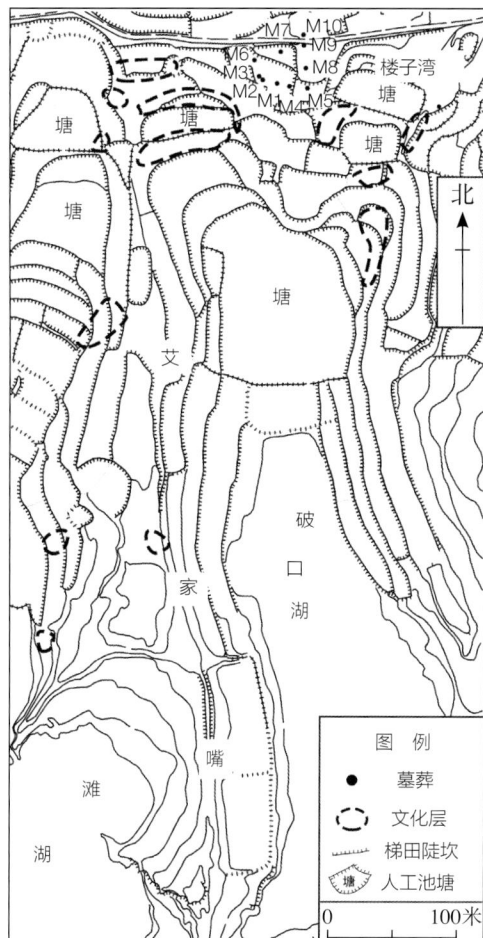

图2.24 艾家嘴岗地遗迹分布图

（七）江家湾

江家湾位于杨家湾岗地西侧，南与艾家嘴相连，该区域原分布有一处自然村落，村舍周边即为梯田。当地村民搬迁后，地表荒芜，当前地表已经被茂密的植被覆盖。江家湾南北长400米，东西宽350米，海拔24～27米。在该区域未开展过正式的考古发掘，仅在1980～2000年，曾有村民在建房掘土过程中发现过青铜器，盘龙城遗址博物院对其进行了清理，确定有3座商文化时期墓葬，出土有一批青铜器及陶器，并这三座墓葬编号为M1～M3[①]。在此期间，还曾在江家湾采集过一件石臼，类似的石臼在杨家湾也有出土（图2.25）。

2014年，武汉大学历史学院曾对江家湾进行了全面的考古勘探，在江家湾的东侧与杨家湾相连的区域发现了大片集中分布的文化层，分布面积约15000平方米，堆积厚度0.5～1.5米与杨家湾岗地的文化层接续不断。同时在江家湾南侧发现了局部分布的文化层，面积约3000平方米，堆积厚度0.3～0.6米，钻探发现文化层中包含有十分密集的陶片。

---

① 这批墓葬资料未发表，出土遗物现藏于盘龙城遗址博物院。

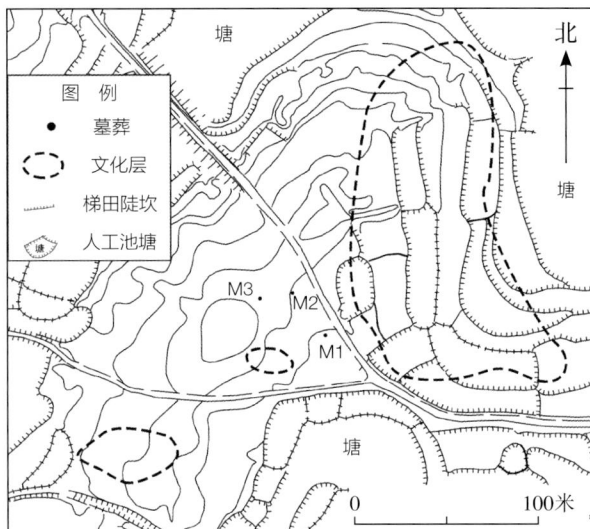

图2.25　江家湾岗地遗迹分布图

以上对盘龙城遗址重点保护区以内各处遗址点的遗存分布情况进行了介绍，然而，长期以来，在盘龙城遗址重点保护区之外的邻近区域仍不时发现有商文化时期遗物。因此，2012年，由武汉市文物考古研究所、湖北省文物考古研究所和武汉大学历史学院组成联合考古队，对盘龙城遗址重点保护区外围的一般保护区进行了全面的考古勘探，基本明确了一般保护区内的遗存分布情况。本次考古勘探面积为220万平方米，发现或复查遗址点17处，其中商文化时期遗址点6处（图2.26）。

1. 大邓湾遗址

2005年，盘龙城遗址博物馆筹建处在进行调查勘探时在该区域采集到商文化时期陶片并勘探到同时期文化层，2012年进行勘探时，因文化层分布区被居民房屋覆盖，无法钻探，仅对该遗址点进行了复查。

2. 小王家嘴墓地

小王家嘴位于大邓湾村以东，东、南、北三面被盘龙湖环绕，南部与杨家湾岗地隔湖相望。本次勘探在小王家嘴岗地顶部一处相对平坦的台地上勘探出20余座商代墓葬，这批墓葬呈西北—东南走向成排分布于长约80米，宽约50米的区域内，分布面积约4000平方米。为配合盘龙城遗址博物院新馆建设，该区域已于2015年进行了考古发掘，发掘面积600平方米，发现了商文化时期墓葬19座，灰坑3座，具体发掘情况将另行撰文报道。

3. 童家嘴遗址

2005年，盘龙城遗址博物馆筹建处在此进行考古勘探时首次发现了该遗址点，2012年重新对该区域进行考古勘探，探明该遗址分布面积约18000平方米，文化层厚0.35～1米，探孔中出土有少量夹砂褐色陶片、雷纹硬陶尊残片等，同时还在地面采集到铜爵足一枚。《盘龙城（1963～1994）》报告中提及的童家嘴残墓亦分布于该遗址点范围内[①]。该地点的地层堆积情况如下：

第1层，浅褐色土，土质疏松，夹杂植物根茎，深0～0.2米，为表土层。

第2层，灰黄色土，土质较为致密，夹杂少量瓷片及瓦片，深0.2～0.35米，为宋—明清文化层。

第3层，灰褐色土，土质疏松，夹杂红烧土颗粒和褐色陶片，深0.35～1.25米，为商时期文化层。

第4层，黄红色土，土质致密，无包含物，次生土，深1.25～1.75米，其下为红色生土。

---

① 《盘龙城（1963～1994）》，第397页。

4. 小尖嘴遗址

该遗址点位于盘龙湖东北岸边，与盘龙湖西岸的杨家嘴遗址相距430米。本次勘探发现该地点文化层分布范围残存250平方米，遗址中部被一当代鱼池破坏，西部延伸至盘龙湖水下，文化层厚度为0.2～0.3米，其地层堆积情况为：

第1层，浅黄色土，土质疏松，夹杂植物根茎，深0～0.5米，为表土层。

第2层，黄褐色土，土质疏松，包含瓷片及砖块，深0.5～0.9米，为唐宋时期文化层。

第3层，灰褐色土，土质致密，包含夹砂陶片、鬲足及残石锛1件，深0.9～1.1米，为商时期文化层。该层以下为红色生土。

5. 小杨家嘴遗址

该遗址点位于盘龙湖东岸，现为盘龙湖渔场所在地，与杨家嘴遗址隔湖相望，直线距离620米。本次勘探工作在此发现了有商时期文化堆积分布，分布范围南北长340米，东西宽80～100米，面积约30000平方米，文化层厚0.1～0.5米，地层堆积情况如下：

第1层，灰黄色土，土质疏松，夹杂植物根茎，深0～0.25米，为表土层。

第2层，灰褐色土，土质疏松，包含红烧土颗粒、木炭灰烬、鬲足及其他夹砂陶片，深0.25～0.75米，为商时期文化层，以下为红色生土。

6. 郑家嘴遗址

郑家嘴位于小盘龙湖东岸，因府河大堤穿过，因此郑家嘴被分为南、北二区，北区地势

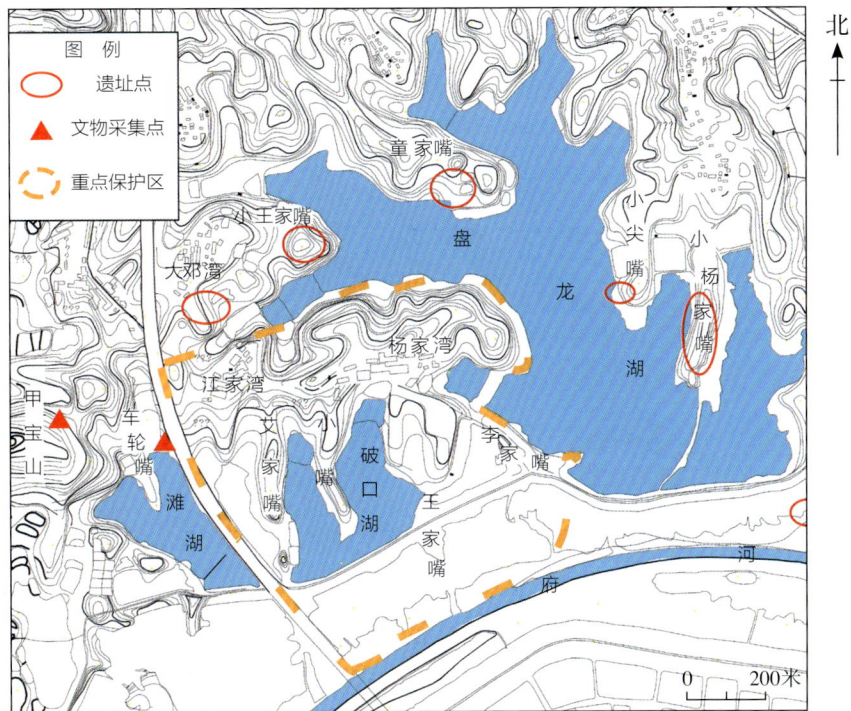

图 2.26　盘龙城遗址遗迹分布图

稍高，而南区因筑堤取土而形成了低洼地带，涨水时节南区为府河河床，枯水期则显露地表。在北区勘探过程中发现有明清时期的文化堆积，在南区的勘探过程中发现了商时期文化层。探明文化层分布区域东西宽15米，因地势低洼，探孔出水严重，无法探明其南北边界，因此遗存分布范围不详，该区域地层堆积情况如下：

第1层，灰褐色土，土质疏松，夹杂植物根茎，深0～0.14米，为表土层。

第2层，青灰色淤土，包含大量螺蛳壳，深0.14～0.75米，为淤积层。

第3层，黄灰色土，土质致密，深0.75～0.85米，较纯净无包含物。

第4层，灰褐土，土质疏松，夹杂木炭颗粒和陶片，深0.85～1.75米，为周代文化层。

第5层，深褐色土，土质疏松，包含木炭屑、夹砂红陶片、残石锛及鬲足等，深1.75～2.25米，为商时期文化层[①]。该层以下为红色生土。

除上述6处遗址点外，在盘龙城艾家嘴岗地以西还有2处地点曾采集到商文化时期遗物：

1. 甲宝山东麓

甲宝山是位于盘龙城遗址西侧的一处小型山丘，东西长约620米，南北宽约400米，海拔30～58米。2002年，在当地工程建设过程中发现有商文化时期陶片出土，盘龙城遗址博物院随即对其进行了清理，发现此处分布有商文化时期灰坑，出土的陶片、石器形制特征与盘龙城遗址内出土的几乎一致。此处为目前已知，最西侧的遗址分布地点。

2. 车轮嘴

车轮嘴位于滩湖北岸，紧邻艾家嘴，2002年，盘龙城遗址博物馆筹建处在车轮嘴发现一座商文化时期灰坑，出土有鬲足、大口尊、硬陶尊等陶片，依据陶片形制判断，该出土遗物的年代应与盘龙城遗址所处年代相当。

通过对盘龙城遗址开展全面的考古调查和勘探工作，使我们对于遗址中遗存分布的范围基本明确，同时对于盘龙城区域古今地理环境变迁过程形成了相对清晰的认识。

以往的田野考古工作表明，盘龙城遗址是一处由多个地点组成的大型遗址群，遗存集中分布于约1.1平方千米以内的区域，即西至艾家嘴—江家湾，东至杨家嘴，北达童家嘴，南至王家嘴。因此遗址规划部门依据遗存的密集程度将盘龙城遗址划分为"重点保护区"和"一般保护区"两个层级。然而，通过本次的考古调查和勘探工作可知，盘龙城遗址重点保护区以内的各处地点并非孤立存在，商时期文化堆积接续成片的分布于各个岗丘之间。换言之，商时期人类的活动空间几乎遍布遗址重点保护区内的所有陆上区域，甚至包括岗地之间的湖汊区域，此时盘龙城聚落中人类活动的密集程度可见一斑。与此同时，盘龙城聚落的外围还分布着诸如小王家嘴、童家嘴、小尖嘴、小王家嘴等小型遗址点。而这些外围遗址点之间往往分布着大片生土，遗存难以连接成片，上述遗存分布的疏密变化正体现出了从聚落中心到聚落边缘人类活动密集程度的差异，同时也大致勾勒出了盘龙城遗址的边界范围。

在对盘龙城遗址进行大面积勘探和调查的过程中，遗存分布区的海拔与当代水位线的关

---

① 勘探者称郑家嘴南区出土的商文化时期陶片具有晚商时期风格，因此郑家嘴遗址商文化时期遗存的年代可能要稍晚于盘龙城遗址的主体年代。

系成为了另外一项重点关注内容。由于盘龙城遗址地处丘陵与湖泊交错分布的地带，水位涨落对于遗址陆地面积的影响十分显著，加之盘龙城地处长江中游地区，在历史上该区域水陆变化十分频繁。通过本次考古调查勘探工作可知：①当代盘龙湖水位保持在19.3～22.6米（近10年数据），而在盘龙湖底发现的商时期文化层最低可分布于17.8米的区域；②当代府河（盘龙城段）水位维持在17.5～29米，而府河北岸发现的商时期墓葬及文化层海拔均可低至18米。

盘龙湖与府河水面以下分布的商时期遗存表明，盘龙城作为一处聚落的使用时期其所处的水陆格局与今日所见差异甚大。盘龙湖的水位应不超过17.5米，府河的水位则不应突破18米。通过对盘龙湖湖盆地形的测量可知，在上述水位条件下，盘龙城遗址区域中的水域面积将大幅缩减，各个岗地隔湖相望的地理景观也将变成大片陆地相连，局部洼地积水。

由上述分析可知，盘龙城遗址地理环境变迁显著影响着遗址布局及遗存分布范围，而遗址地理环境的改变与人类活动密切相关。就盘龙城而言，近1000年以来，当地人口数量的增加和以筑堤围垦为核心的人类活动深刻地影响着遗址及周边区域的地理环境，导致当代的盘龙城遗址景观与其使用时期相去甚远。因此，加强关于遗址景观原貌的研究则成为了其他各项研究的重要前提。

第二节　水下考古勘探与试掘

盘龙城遗址主体分布于多处临湖岗丘之上。自1954年遗址被发现以来，文物部门已在遗址内多处地点开展过考古工作并取得了诸多重要成果[1]。然而以往的考古工作基本局限于陆地区域，自20世纪70年代以来，考古人员曾多次在盘龙城遗址内的临湖滩地上发现商文化时期的遗存。由于盘龙湖及破口湖水位季节性涨落，多年以来盘龙城遗址临湖区域受到湖水严重侵蚀，每至枯水期，临湖滩地上即显露出成片分布的商文化时期陶片及其他人工制品（图2.27）。尤其是1980～1998年，考古人员在杨家嘴东南角季节性淹没区内，先后发掘了商文化时期墓葬14座[2]。2003～2013年，考古人员又在小嘴东侧河滩清理了商文化时期墓葬1座，随后在附近区域采集到同时期石范[3]。上述线索表明，盘龙城遗址商文化遗存的分布范围可能不仅限于目前所见的陆地区域，而很有可能向当代湖面以下区域延展。而盘龙城遗址在水下区域的分布范围则关系到聚落布局形态以及遗址环境变迁等重要学术问题。

基于上述背景，武汉大学历史学院联合武汉大学遥感信息工程学院、中国科学院南京地理与湖泊研究所等单位，于2016年11月至2017年3月对盘龙湖、破口湖区域开展了水下地形测绘、考古勘探与发掘工作，其主要目的在于明确盘龙城遗址在当代水面以下的分布范围。

① 《盘龙城（1963～1994）》，第6～13页。
② 《盘龙城（1963～1994）》，第300页；武汉市博物馆、湖北省文物考古研究所、黄陂县文物管理所：《1997～1998年盘龙城发掘简报》，《江汉考古》1998年第3期。
③ 韩用祥、余才山、梅笛：《盘龙城遗址首次发现铸造遗物及遗迹》，《江汉考古》2016年第2期。

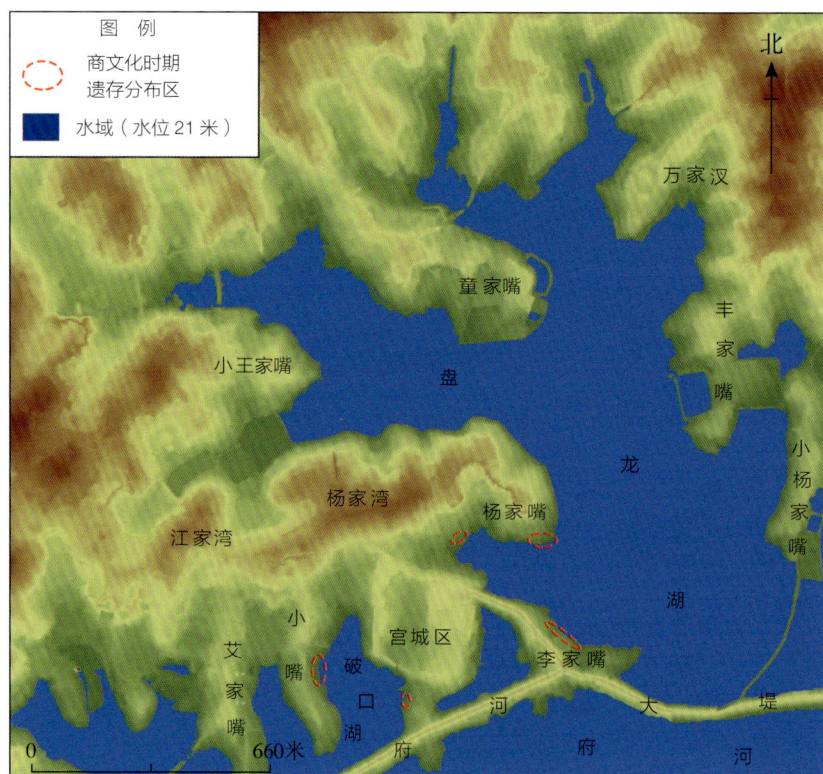

图 2.27　盘龙城遗址临湖滩地遗存分布图

一、盘龙湖勘探

盘龙湖沿岸岗地上分布有大量商文化时期遗存，并呈现出向水下延展的趋势，因此有必要对湖底古代文化遗存的分布范围进行勘探。2016年12月，武汉大学历史学院与中国科学院南京地理与湖泊研究所合作，借助水上平台对盘龙湖开展了首次水下考古勘探，本次工作主要目的在于廓清商时期文化遗存在湖面以下的分布范围，同时初步了解盘龙湖湖盆的地层堆积状况。

参与本次勘探工作的成员由中国科学院南京地理与湖泊研究所人员与盘龙城遗址考古人员共同构成，中国科学院南京地理与湖泊研究所3名人员负责操纵水上平台及钻探取样，盘龙城考古队2名人员负责现场观察探孔内的地层分布情况及信息记录工作（图2.28）。2016年12月4～5日，勘探工作组对盘龙湖进行了尝试性勘探，对盘龙湖的勘探环境形成了一些初步认识：①在盘龙湖西岸附近区域水面以下发现有商文化时期遗存，以杨家嘴和李家嘴之间的湖区最为集中；②盘龙湖底部较为平坦，普遍分布有厚约2米的淤泥。

基于以上两点认识，同时考虑到水上平台工作效率（平均一个工作日可以完成5～6个探孔）明显低于陆地考古勘探，我们放弃了在盘龙城遗址陆地考古勘探中采用的以坐标法布孔方式。针对本次水下考古勘探，我们采用了两种新的布孔方式：①沿湖岸以顺时针方法依次布设探孔，孔距50米，其目的在于探寻陆上遗存向水下延伸的范围，若在某处发现古代文化堆积则加密布孔勘探；②在盘龙湖中布设三条"勘探带"，在勘探带上以50米孔距布孔，其目的在于了解湖盆地层分布的整体状况。在图上布设完成探孔后，用RTK指引水上平台到达预设位置开始勘探作业（图2.29）。

水上勘探探平台主要由橡胶浮筒、碳纤维板平台、铝合金钻架及钻具组成。钻具由钻杆

图 2.28　盘龙湖水下勘探作业

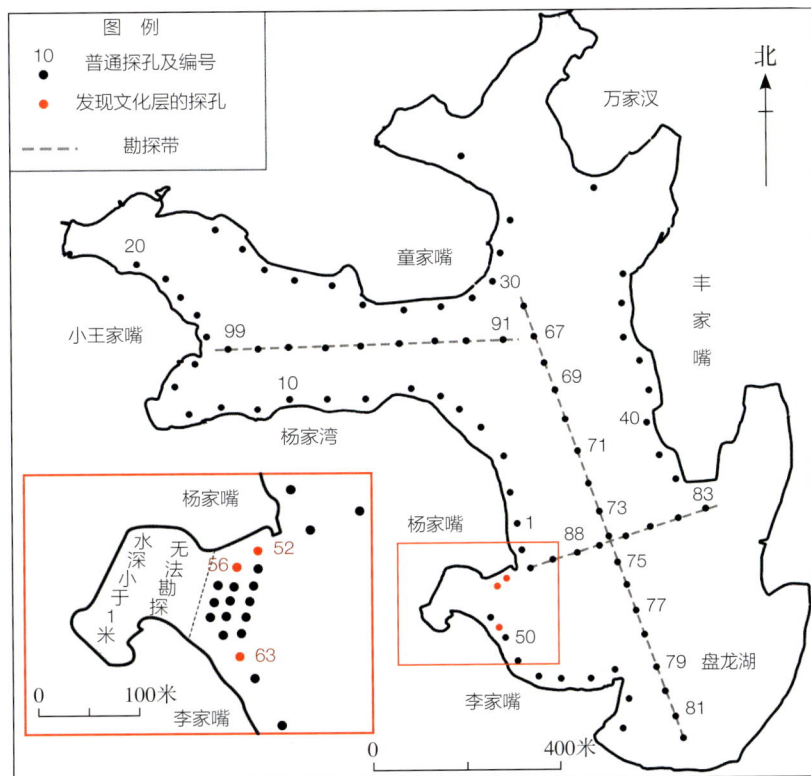

图 2.29　盘龙湖水下勘探探孔分布图

和采样器套接而成，本次勘探选用的采样器可分为"半圆形"采样器和"活塞"采样器两种，其中"半圆形"采样器与考古探铲形状类似，其优势在于能在现场直接观察采样器内的包含物的形态。而"活塞"采样器内置PVC采样管，能在采样过程中将样品封存于PVC管中，便于将样品运回实验室进行相关检测分析（图2.30）。

2016年12月7～26日，勘探人员以"半圆形"采样器在盘龙湖区进行勘探，盘龙湖沿岸共布设探孔53个，依次编号为1～53。由于在杨家湾与李家嘴之间的探孔中发现有商文化时期陶片，因此对这一区域进行了加密勘探，孔距10米，加密探孔共12个，编号为54～65。随后，勘探人员对三条"勘探带"上的探孔进行勘探，探孔共计34个，依次编号为66～99（图2.29）。12月27～30日，勘探工作组选择了盘龙湖湖心、杨家嘴和李家嘴附近区域共3处地点，使用"圆形"采样器进行取样，以备后续实验室分析检测（图2.30）。

通过水下勘探工作可知，盘龙湖底地层可分为两层，在此以67～81号探孔为例对盘龙湖地层分布情况予以介绍（图2.31、图2.32）：

第1层，灰褐色淤泥，土质松软，厚0.3～2.1米，包含有现代垃圾、杂草、树根、螺丝壳等。

第2层，青灰色硬黏土，土质致密，因其硬度较大，本次勘探未能将其钻透，厚度未知。该层包含物较少，仅在部分探孔中发现该层中包含有少量陶片碎块，从陶片纹饰及形制判断其为商文化时期陶片。

此外，在距离李家嘴湖岸10米左右的探孔底部发现了网纹红土，而未见湖相堆积，该网纹红土与盘龙城遗址陆地区域考古勘探中所见的生土完全一致，表明该区域原本即为李家嘴岗地的组成部分，后因湖水上涨而淹没（图2.32）。

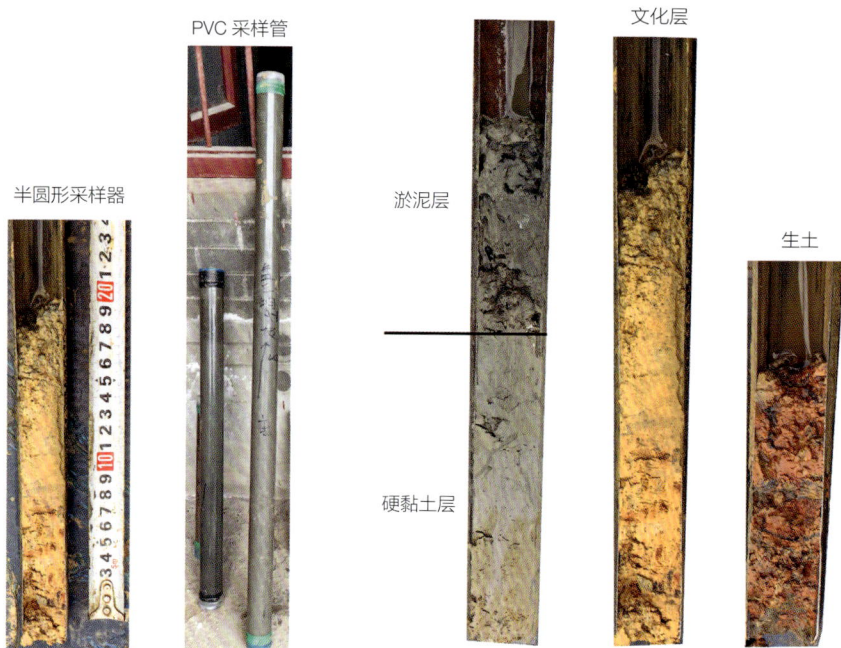

图 2.30　水下钻探采样器

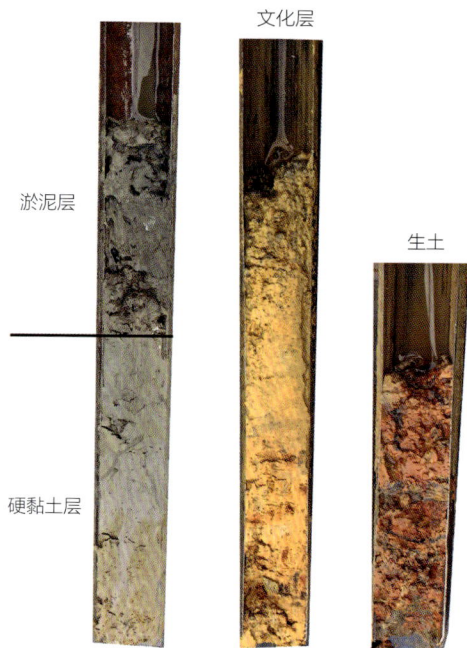

图 2.31　盘龙湖地层堆积

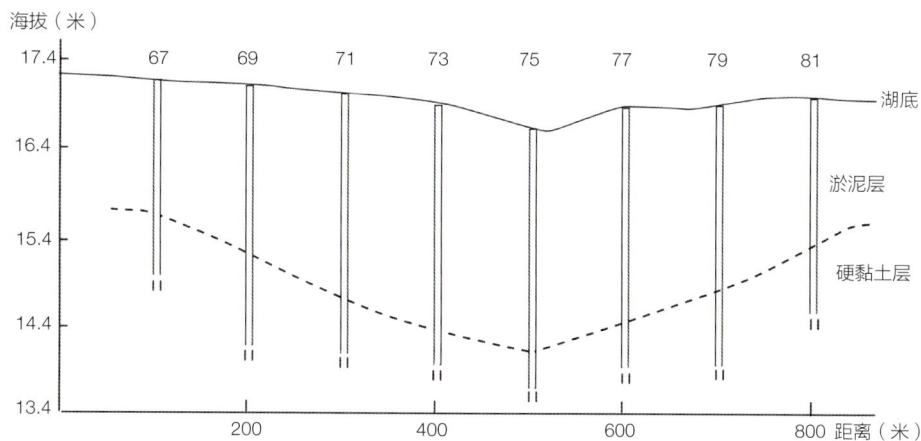

图 2.32　盘龙湖 67～81 号探孔剖面图

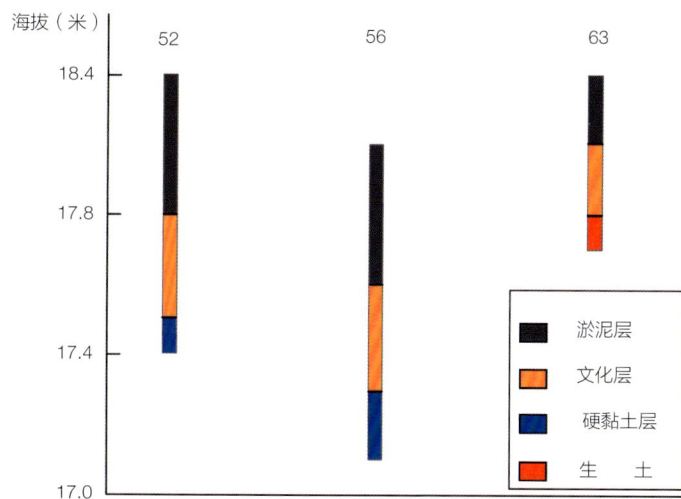

图 2.33　盘龙湖第 52、56、63 号探孔剖面图

　　值得注意的是，本次钻探在位于杨家嘴与李家嘴之间的3个探孔（52、56和63号）中发现了商文化时期堆积。结合RTK测量数据可知，上述探孔中发现的商文化时期堆积底部最低海拔为17.5米，而此前在盘龙城遗址陆地区域发现的商文化时期遗存最低海拔为19.5米。52、56及63号探孔的地层分布情况如下（图2.33、表2.1）。

　　第二阶段勘探工作所采集的样品被密封于PVC采样管内，现已送至中国科学院南京地理与湖泊研究所湖泊与环境国家重点实验室进行分样，后续将对采集样品中可能发现的孢粉、植硅石等进行鉴定和分析，并选取植物残体进行^{14}C测年。湖泊与环境国家重点实验室李春海副研究员通过对样品的初步观察指出，盘龙湖第3层堆积青灰色硬黏土与南方稻田中的沼泽土十分相似，且包含有少量商文化时期的陶片，推测这层青灰色硬黏土可能与商文化时期人类活动有关，具体的研究结论还有待于进一步的采样和分析检测工作。

表2.1　盘龙湖第52、56、63号探孔登记表

探孔编号	层位	厚度（米）	土质	土色	堆积性质	备注
52	1	0.4	松软	灰褐色	淤泥层	
	2	0.3	疏赓	棕褐色	商文化时期堆积	
	3	未知	致密	青灰色	硬黏土层	硬度大，未能钻穿
56	1	0.4	松软	灰褐色	淤泥层	
	2	0.3	疏松	棕褐色	商文化时期堆积	
	3	未知	致密	青灰色	硬黏土层	硬度大，未能钻穿
63	1	0.2	松软	灰褐色	淤泥层	
	2	0.2	疏松	棕褐色	商文化时期堆积	
	3	未知	致密	红色	生土	

二、破口湖试掘

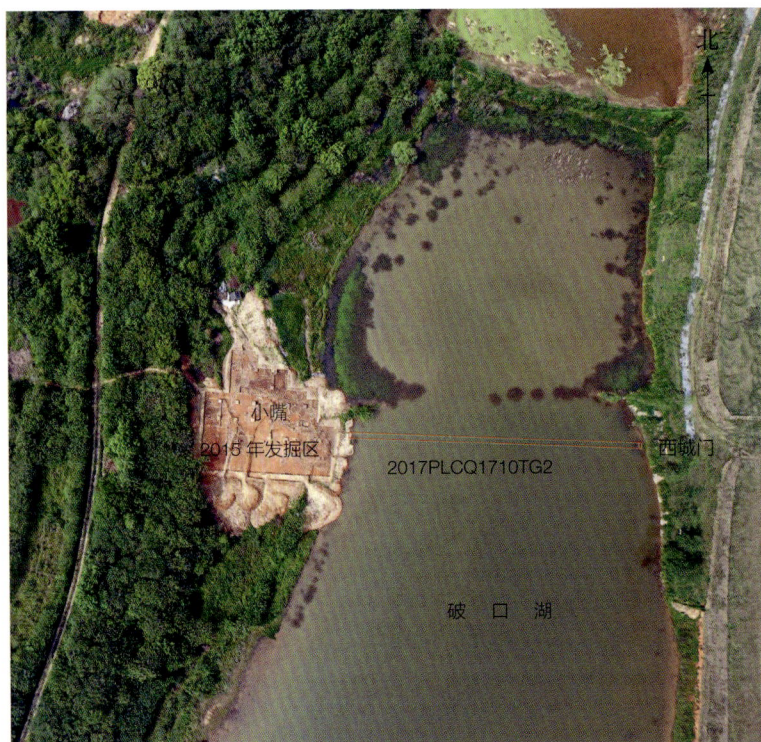

图 2.34　2017PLCQ1710TG2 位置示意图

破口湖是位于艾家嘴、小嘴与西城垣之间的一处小型湖泊，该湖原本与府河联通，1974年府河大堤的修建使得破口湖与府河分离成为了相对独立的水域（图2.34）。自1974年以来该湖被当地村民用于水产养殖，湖泊南端建有排水闸，湖泊水位受人工调蓄，据2014～2017年观测数据显示，破口湖水深约0～3米，水位常年保持在20.8～22.3米。

破口湖西侧为小嘴遗址、东侧为盘龙城宫城区西城垣。小嘴岗地东侧受湖水侵蚀严重，每至枯水期河滩上即可见成片分布的商文化时期陶片及石制品。如前所述，考古人员曾在小嘴岗地东侧清理过商文化时期墓葬并采集到石范，上述遗存均属被湖水长期侵蚀破坏，导致遗物显露于地表直至被人发现。2015年，武汉大学历史学院等单位在小嘴岗地东北侧开展了大规模考古发掘，发现探方内遗迹继续向破口湖内延伸，因湖水阻隔而停止了

图 2.35　TG2-2 与 TG2-4 位置示意图

发掘[①]。

　　鉴于小嘴2015年发掘区与盘龙城宫城区西城门隔湖相望，且小嘴岗地上遗迹呈现出向水下延伸的趋势，武汉大学历史学院计划利用春季枯水期对小嘴发掘区与西城门之间的湖区开展考古试掘（该区域丰水期湖水深度约1.5米），以确定陆上遗存向水下区域延伸的范围（图2.34）。2017年3月，武汉大学历史学院利用抽水泵将破口湖水位控制在17.5米以下，小嘴岗地与西城垣之间随即暴露出大片滩涂，考古人员在小嘴岗地与西城门之间布设了一条东西长157米，南北宽2米的探沟，编号为2017PLCQ1710TG2（以下简称TG2）。若全面发掘TG2需要耗时1个月以上，由于本次发掘地点位于湖盆，湖底淤泥含水量极大，地下水位较高，且时值初春，一旦进入雨季则会给发掘工作造成极大不便。鉴于上述情况，考古人员最终在TG2中部选择了两段东西长10米，南北宽2米的探沟进行试掘，以在有限的时间内尽快获取湖底地层堆积的剖面信息，两条探沟分别编号为TG2-2和TG2-4（图2.35）。

　　如图2.36、图2.37所示，探沟TG2-2地层堆积情况如下：

　　第1层，灰褐色淤泥，土质极为松软，厚0.7～1.5米，包含有瓷片、陶片、植物根茎、螺丝壳、现代垃圾等。

　　第2层，灰白色淤泥，土质疏松，厚0.5～0.6米，包含有瓷片、陶片、螺丝壳、植物根茎、近现代垃圾等。

① 武汉大学历史学院、湖北省文物考古研究所、盘龙城遗址博物院：《武汉市盘龙城遗址小嘴2015～2017年考古发掘简报》，《考古》2019年第6期。

第3层，褐土层，土质致密，厚0.3～0.4米，地层中夹杂棕褐色铁锰结核颗粒，仅出土有大量商文化时期的陶片，可辨器形有鬲、缸、豆、罐等，此外未见其他类别的包含物。

第4层，深褐土层，土质致密，厚0.6米，地层中夹杂棕褐色铁锰结核颗粒，仅出土有大量商文化时期陶片，可辨器形有缸、鬲、罐、盆等，此外未见其他类别的包含物。第4层中包含物与第3层十分相似，区别在于该层土质更为致密，土色亦较深。此层以下即为红色生土。

探沟TG2-2中第1、2层中包含有近现代遗物，显然系近现代以来湖泊淤积所形成的堆积。而TG2-2第3、4层中仅出土有商文化时期陶片，但考虑到破口湖沿岸分布有密集的商文化时期陶片，判断TG2-2第3、4层堆积属"原生堆积"还是流水搬运等自然营力所致的"二次堆积"对我们研究破口湖区域的环境变迁过程显得尤为关键。

需要说明的是，因探沟位于湖底，TG2-2发掘过程中出水严重且沟内淤泥黏稠，因此在整个发掘过程中未能在探沟中辨识出任何遗迹，亦未能在探沟中获取可用于^{14}C测年的标本，这些因素均为我们判断TG2-2第3、4层堆积的形成年代增加了难度。但该地层中包含物的若干特征为我们分析地层的形成年代提供了线索，在此作简要分析。

首先，TG2-2第1～4层均出土有商文化时期陶片，但比较各层出土陶片的形态则不难发现，与第1、2层相比，第3、4层出土陶片的磨圆度和破损程度明显较低（图2.37）。在室内整理过程中，笔者亦对各层陶片的拼合率进行了初步统计，第1～4层陶片的拼合率分别为0、1.3%、3.7%、4.2%（拼合率=可拼合的陶片数/陶片总数）。就陶片形态而言，第1、2层

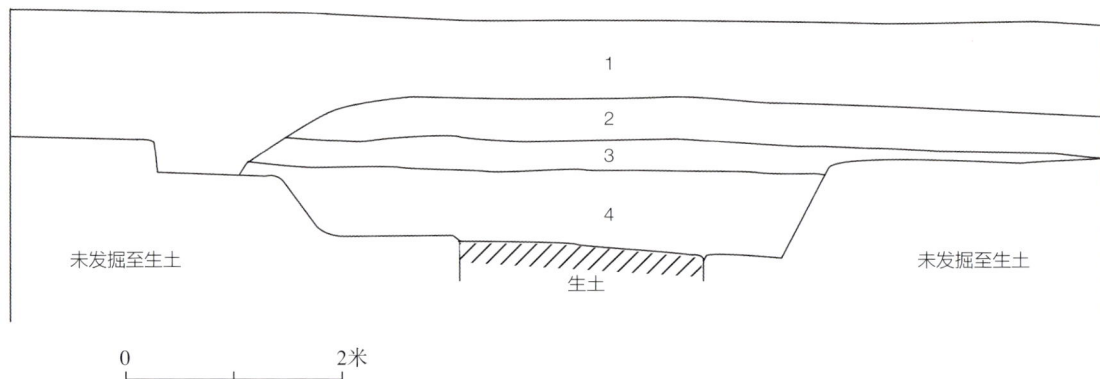

图 2.36　TG2-2 北壁剖面图

图 2.37　TG2-2 北壁照片

中出土陶片磨圆度较高，拼合率极低，更有可能是流水搬运所致的"二次堆积"，而第3、4层中出土陶片棱角尖锐，拼合率相对较高，且第3、4层仅出土有商文化时期陶片，并未与其他历史时期遗物伴生，因此第3、4层极有可能是商文化时期形成原生堆积。

其次，TG2-2第3、4层堆积中夹杂了大量棕褐色铁锰结核，土质致密，这一现象在盘龙城遗址商文化时期地层中十分罕见。但检索发掘资料可知，在盘龙城遗址杨家湾岗地2014年发掘探方Q1712T1014内，曾于商时期文化层底部发现有夹杂大量黄褐色铁锰结核的地层，该地层与探沟TG-2第3、4层中夹杂铁锰结核颗粒的形态十分相似，而杨家湾岗地2014年发掘区与破口湖探沟TG2-2直线距离仅230米[①]。

综合上述线索，笔者认为破口湖探沟TG2-2第3、4层当属商文化时期形成的原生堆积。据RTK测量数据可知，探沟TG2-2开口海拔为20.2～20.1米，第4层底部海拔为18.05米，这表明破口湖中商文化时期堆积最低可分布至18.05米的区域，而以往在破口湖沿岸发现的商文化时期遗存的最低海拔为20.8米。

探沟TG2-2各地层中出土有鬲、缸、盆、罐等陶器残片（图2.38），现将部分陶器标本予以介绍：

陶鬲 2件。TG2-2④：1，夹砂灰陶，肩部以下残。圆唇，平折沿，束颈。肩部饰绳纹。口径14.8、残高4.6厘米（图2.39，1）。TG2-2④：3，夹砂灰陶，肩部以下残。方唇，平折沿，沿面带一周凹槽。颈部以下饰一周附加堆纹，肩部饰绳纹。口径17.2、残高5.6厘米（图2.39，2）。

陶盆 1件。TG2-2③：3，泥质红胎黑皮陶。尖圆唇，侈口，束颈。肩部饰绳纹，肩部以下残。口径27.9、残高3.4厘米（图2.39，3）。

印纹硬陶折肩尊 1件。TG2-2④：7，口沿及下腹部均残，仅存折肩部分。器表饰方格纹。残高10.8厘米（图2.39，4）。

陶缸 3件。TG2-2④：4，夹砂红陶，口沿及上腹部残。下腹斜收，矮圈足。器表饰绳纹，内壁可见泥条盘筑痕迹。残高18.4厘米（图2.38，5）。TG2-2③：6，夹砂灰陶。敞口，直腹，下腹部残。器表饰绳纹，颈部饰一周附加堆纹。口径36.1、残高15.2厘米（图2.38，6）。TG2-2③：2，夹砂灰陶。敞口，直腹，下腹部残。器表饰绳纹，颈部饰一周附加堆纹。口径32.2、残高14.1厘米（图2.38，7）。

探沟TG2-4临近盘龙城宫城西城门，沟内上层堆积与探沟TG2-2相似，但未发现商文化时期堆积，因探沟西段出水十分严重，未能继续向下发掘，TG2-4地层堆积情况如下（图2.40）：

第1层，灰褐色淤泥，土质极为松软，厚0.8～1.4米，包含有瓷片、陶片、植物根茎、螺丝壳、现代垃圾等。

第2层，灰白色淤泥，土质疏松，厚0.7～0.1米，包含有螺丝壳、植物根茎、近现代垃圾等，探沟东段，其下即为红色生土。探沟西段出水严重，无法继续发掘，该层厚度未知。

通过本次水下考古工作，我们在盘龙湖和破口湖中均发现有商文化时期遗存分布，拓

---

① 武汉大学历史学院、湖北省文物考古研究所、盘龙城遗址博物院、武汉大学考古系：《武汉市盘龙城遗址杨家湾2014年考古发掘简报》，《考古》2018年第11期。

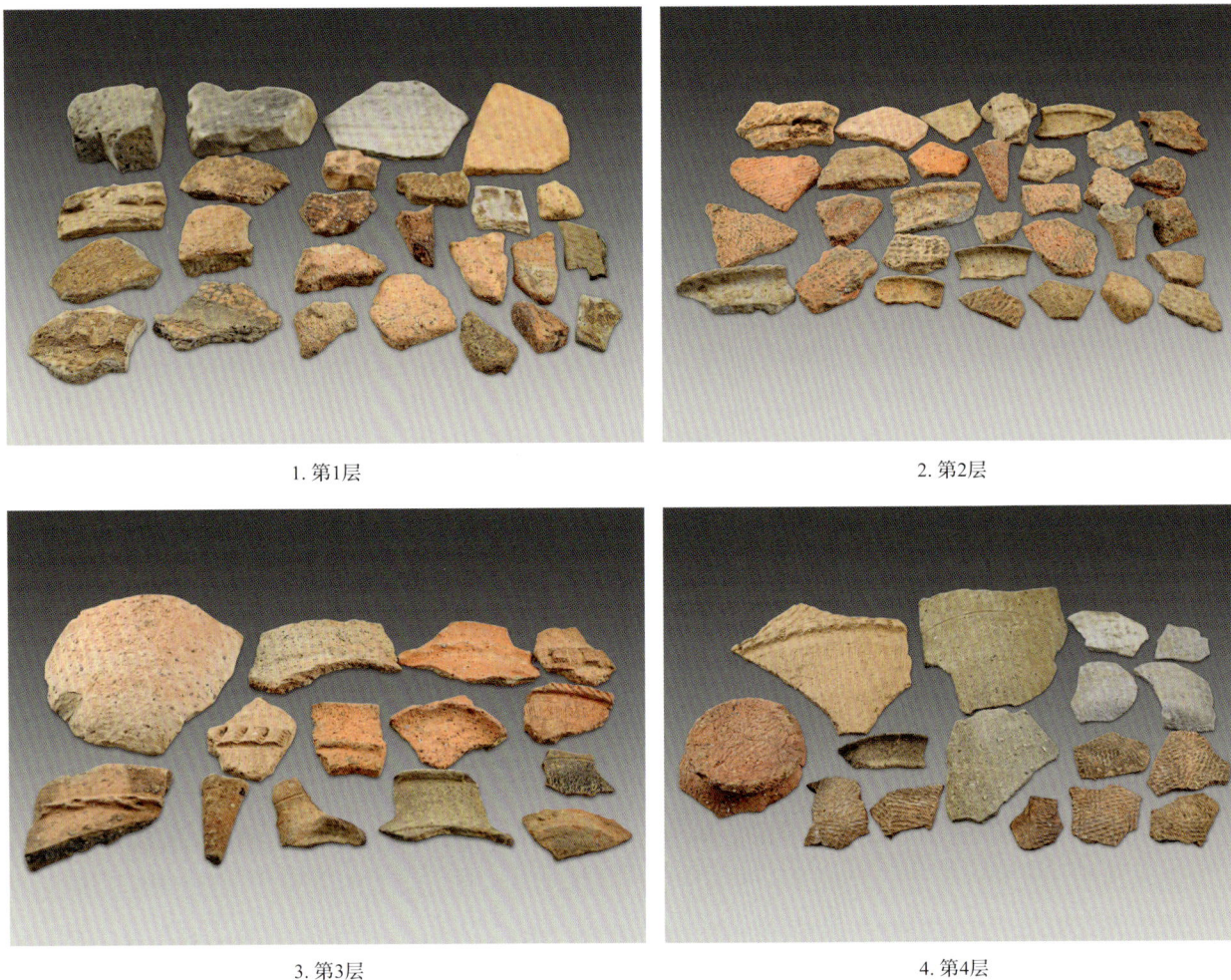

1. 第1层

2. 第2层

3. 第3层

4. 第4层

图 2.38　TG2-2 各地层出土陶片标本

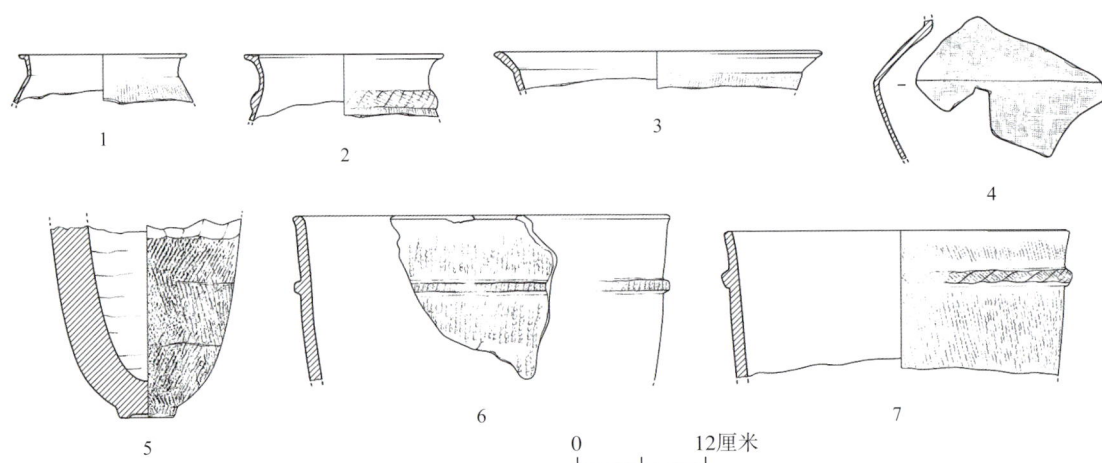

图 2.39　TG2-2 出土陶器

1、2. 陶鬲（TG2-2④：1、TG2-2④：3）　3. 陶盆（TG2-2③：3）　4. 印纹硬陶折肩尊（TG2-2④：7）

5～7. 陶缸（TG2-2④：4、TG2-2③：6、TG2-2③：2）

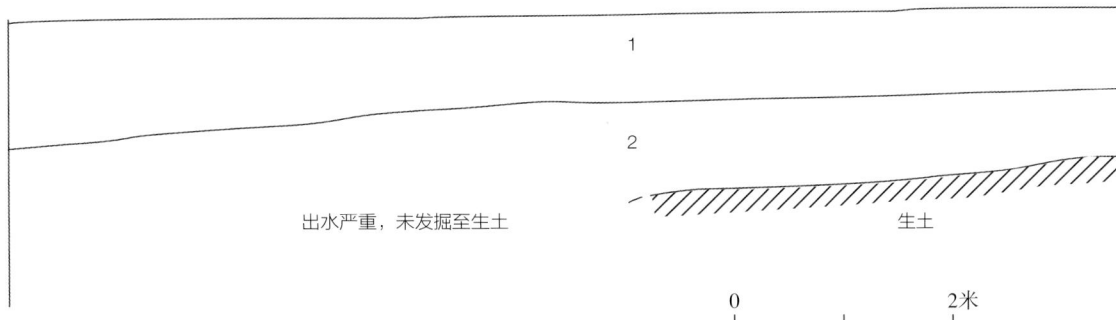

图 2.40　TG2-4 北壁剖面图

（图中）1　2　出水严重，未发掘至生土　生土　0　2米

展了学界此前对于盘龙城遗址分布范围的认知。其中破口湖探沟TG2-2中出土的折沿鬲标本
TG2-2④：3为方唇平折沿，沿面有一周凹槽，颈部饰附加堆纹，具有盘龙城发掘报告中所
分第四、五期陶鬲口沿的特征[1]，TG2-2中出土陶器的年代表明破口湖湖底所见商代文化堆
积的年代与盘龙城城垣的修建时间基本相当[2]。

　　就本次工作而言，盘龙湖和破口湖内商文化时期遗存最低可分布至17.5米和18.05米的区
域，鉴于盘龙湖与破口湖1974年以前均处于自然连通状态，因此可依据上述高程估测商文化
时期盘龙湖与破口湖的水位上限值应为17.5米，这一高程值比当代盘龙湖丰水期水位（22.6
米）低5.1米（此高程值低于当代湖泊枯水期水位2米左右）。由此可见，在商文化时期盘龙
城的聚落形态与当今盘龙城遗址存在明显差异，依据湖泊地形测绘数据可知，当上述湖泊水
位降至17～18米时，沿湖各岗地之间将呈现出大面积陆地，盘龙城的聚落布局将与当前形态
大相径庭。本次工作展现出了河湖水位变迁对于遗址景观的深刻影响，因此对地理环境变迁
过程的深入研究将成为盘龙城遗址未来考古工作的重点之一。

第三节　湖泊地形测绘

　　盘龙湖位于府河北岸，湖岸曲折，湖盆平面形状不规则。盘龙湖西岸自南而北分布有李
家嘴、杨家嘴、小王家嘴等天然岗地，岗地上均分布有密集的商时期文化遗存，依据《盘龙
城遗址保护总体规划》，上述岗地即被划入盘龙城遗址重点保护区（小王家嘴被划入一般保
护区），当地居民现已被统一迁出，该区域内除盘龙城遗址博物院外已不存在现代建筑[3]。
而盘龙湖东岸自北而南分布有童家嘴、万家汊、丰家嘴、小杨家嘴等天然岗地，岗地上零星

①　《盘龙城（1963～1994）》，第472页。
②　武汉大学历史学院、湖北省文物考古研究所、盘龙城遗址博物馆：《武汉市盘龙城遗址小嘴2015～2017年考古发掘简报》，《考古》2019年第6期；《盘龙城（1963～1994）》，第31页。
③　同济大学建筑设计研究院：《盘龙城国家考古遗址公园规划设计》，2014年8月。

可见商文化时期遗存，被划定为盘龙城遗址一般保护区，目前盘龙湖东岸各岗地上分布有自然村落和小型厂房。

府河大堤穿盘龙湖南缘而过，将盘龙湖与府河分隔开来。1974年以前，府河大堤（盘龙城段）尚未修建，盘龙湖与府河自然联通，河湖水位随季节变化而涨落。目前盘龙湖被当地渔场承包用于水产养殖，在湖泊南缘修建有排水闸一处，盘龙湖水位受人工控制而涨落。据2014～2017年观测资料显示，当代盘龙湖水位保持在19.5～22.6米。

一、野外测量

对盘龙湖水下地形进行测绘是开展水下考古遗存探寻工作的基础和前提，2016年11月，武汉大学历史学院与遥感信息工程学院合作，对盘龙湖水下地形进行了勘测。盘龙湖面积约1平方千米，水深约0～4米，本次湖泊地形测绘采用测量船搭载RTK定位系统与单波束超声波测深仪联合作业的方式，选择长约11米，吃水深度0.9米的小型渔船搭载中海达H32型RTK和中海达HD-MAX单波束超声波测深仪对盘龙湖水下地形进行勘测。HD-MAX测深仪测深精度为±1厘米，测深范围为0.15～300米，考虑到测量船的吃水深度，本次工作对于水深小于1米的水域未能开展测绘工作（图2.41）。

图2.41　单波束超声波测深仪

图2.42　盘龙湖地形测绘作业

盘龙城遗址现已建立三维测绘坐标系统，并在遗址上设立了多个永久性测量控制点，本次测量工作采用盘龙城遗址三维测绘坐标系统。将所测湖泊的湖岸线坐标输入测深仪自带的测量软件中。数据采测时，按25米间距布设测线，每隔7米测记点深，测量船沿布置好的航线进行航行，测深仪在RTK的配合下按测图要求采集测点的平面坐标与海拔数据，并将数据存储于测深仪内，对采集到的三维坐标数据进行检查校核后，完成湖底地形数据野外采集工作（图2.42）。

二、室内绘图

室内数据处理工作主要是借助地形图绘制软件和地理信息系统软件制作盘龙城全遗址区域的数字高程模型（DEM）。具体工作流程为在AutoCAD软件中对盘龙城遗址已有的1：2000地形图和外业采集的野外采集的盘龙湖水下三维坐标数据进行联合编辑，特别是处理好水崖线附近的高程冲突和平滑，绘制出覆盖全遗址区域、水上水下一体的盘龙城遗址1∶2000数字线划图（DLG）；然后，从全遗址区域1∶2000地形图中提取出等高线和水上水下离散分布的高程点数据一并导入ArcMap软件，生成不规则三角网（TIN）；最后，将矢量模式的不规则三角网（TIN）转化成栅格模式的数字高程模型（DEM），完成数据处理工作（图2.43）。

测绘数据显示，盘龙湖湖岸曲折，湖盆底部较为平坦，具有江汉地区湖泊的共同特征[1]。湖盆西南侧相对陡直，其余区域均较平缓，湖底最低点海拔为16.4米。当代盘龙湖

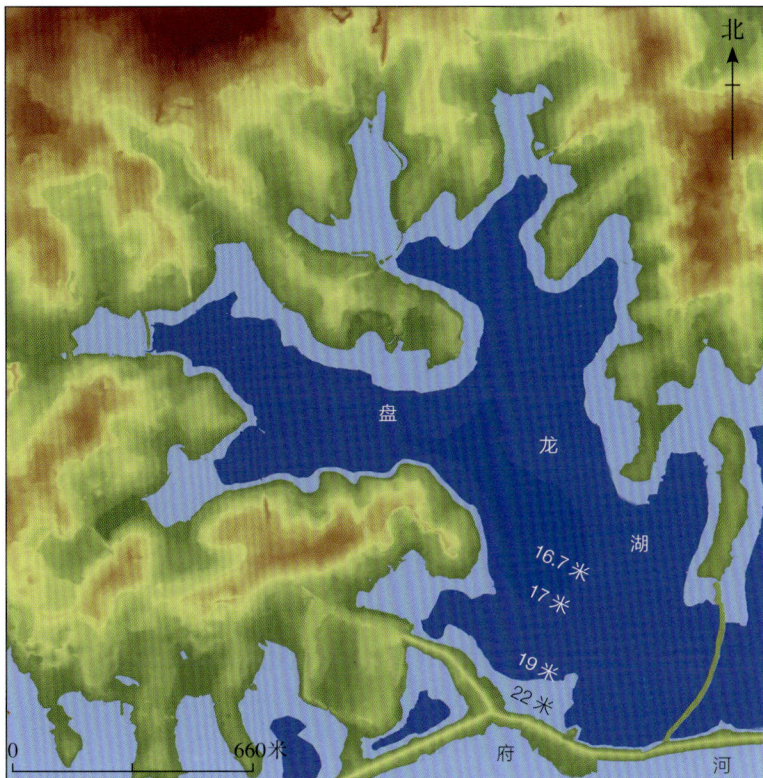

图 2.43　盘龙湖湖盆地形图

丰水期水位峰值为22.6米，此时湖泊面积为1.52平方千米，而枯水期盘龙湖水位最低可降至19.5米，此时湖泊面积缩减为0.99平方千米。

第四节　沉积物分析

新世纪以来，在武汉大学历史学院主持下的盘龙城遗址田野考古围绕着聚落[2]和环境开展了大量工作，其中重点是复原盘龙城遗址商代及商代以来的地貌景观，以此作为探讨盘龙城遗址的聚落及其演变特征的重要依据。在此背景之下，武汉大学历史学院联合北京大学考古文博学院和中国社会科学院考古研究所等多家单位在盘龙城遗址开展了大规模的地质考古勘探和环境考古研究。

为深入了解盘龙城遗址的地貌演变过程，我们选取了一处暴露的典型剖面进行清理和取样，进行沉积物分析。该剖面位于小嘴的东南，邻近盘龙湖，仅在枯水季节可进行取样

---

① 何报寅：《江汉平原湖泊的成因类型及其特征》，《华中师范大学学报（自然科学版）》2002年第2期。

② 张昌平、孙卓：《盘龙城聚落布局研究》，《考古学报》2017年第4期。

（图2.44，1～3）。

清理后现场观察，小嘴剖面共分4层（图2.44，3），自上而下为：

第1层，表土层，0～26厘米，土质松软，土色7.5YR6/6（门赛尔土壤色卡颜色编号）。

第2层，文化层，25～56厘米，夹有陶片和红烧土块，质地坚硬。地层中有植物根系的痕迹，且有铁锰淋滤的现象，但尚未发展成为结核。该层接近于钻探的褐土层，土色7.5YR5/4。

第3层，过渡层，56～80厘米，其中的黏土呈斑块状，有明显的铁锰胶膜积淀，土色7.5YR4/6。

第4层，生土层，80～150厘米，有青灰色的网纹，可能是白色网纹经过水的浸泡之后产生的现象。颜色比原生的红土略浅，或经过搬运混合，土色7.5YR3/4—4/4。

一、粒度分析

小嘴剖面共采集23个非结构样品用作粒度分析，标号分别为XZ01～XZ22，采样的深度为10～120厘米，采样间隔为5厘米（图2.44，3）。XZ-RD是单独采集的附近底部的典型网纹红土样品。

1. 小嘴剖面取样

2. 小嘴剖面取样

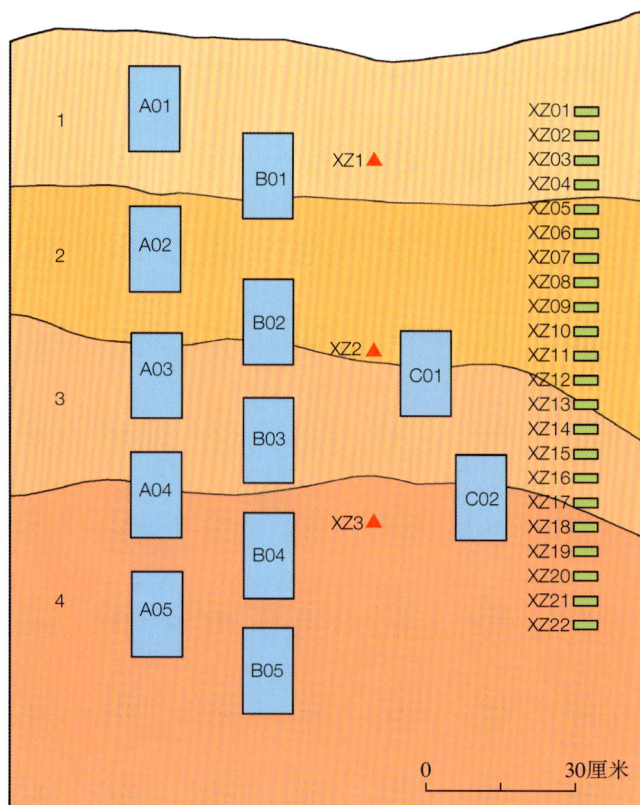

3. 小嘴剖面采样位置示意图

图 2.44 小嘴剖面

粒度分析的结果见表2.2和图2.45：

整体来看，小嘴剖面的沉积物以粉砂为主，为典型的泛滥平原沉积物的特征。总体而言，盘龙城周边的水文条件比较稳定，遗址与主河道的距离较远，没有受到大规模洪水事件的影响。无论是从按体积平均粒径（图2.45，1）计算的粒度曲线还是粒度组成曲线来看，第3层阶段的砂含量降至最低，表现为更加稳定的水文条件，说明晚更新世以来的地貌环境已经相当稳定，暗示了遗址形成前阶段的水文动力条件更弱，水位已经很低。第2层，即褐土层，属于文化层，包含有陶片等遗物，其沉积物应为人工搬运，可能来自海拔位置更低的河湖相沉积物，变

表2.2　小嘴剖面土壤粒度分析

样品编号	中值粒径 D（0.5）	平均粒径 D（4,3）	黏土 （0.1～5微米）	粉砂 （5～50微米）	砂 （50～1000微米）
XZ01	17.202	31.635	23.395	64.596	12.011
XZ02	15.233	24.144	25.569	66.138	8.292
XZ03	14.843	33.653	25.904	62.592	11.505
XZ04	13.331	29.85	27.109	63.483	9.407
XZ05	13.423	32.165	27.295	62.184	10.519
XZ06	14.915	36.695	25.385	61.115	13.5
XZ07	13.549	33.153	27.072	62.827	10.102
XZ08	15.732	55.396	24.67	57.557	17.774
XZ09	12.161	31.081	29.494	61.827	8.68
XZ10	11.961	28.182	28.869	64.212	6.919
XZ11	13.139	51.428	28.533	55.809	15.658
XZ12	14.119	69.103	26.047	54.83	19.122
XZ13	11.148	32.615	30.182	62.158	7.659
XZ14	10.519	28.872	32.057	60.909	7.034
XZ15	10.302	26.685	32.599	61.597	5.804
XZ16	11.024	24.028	30.337	63.639	6.025
XZ17	10.122	18.676	32.824	63.072	4.104
XZ18	11.642	42.211	30.724	57.164	12.112
XZ19	12.713	44.3	27.749	59.527	12.726
XZ20	12.605	52.172	29.117	55.889	14.995
XZ21	14.142	68.744	27.079	53.669	19.252
XZ22	11.588	37.667	30.587	59.659	9.754
XZ-RD	11.119	71.747	33.011	47.908	19.081

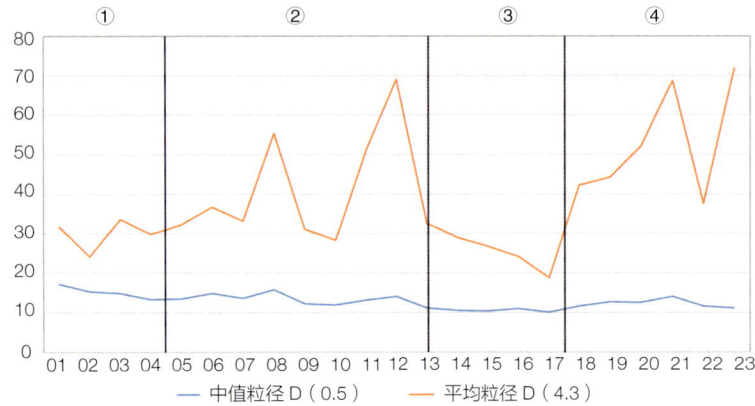

1. 小嘴剖面中值粒径/平均粒径

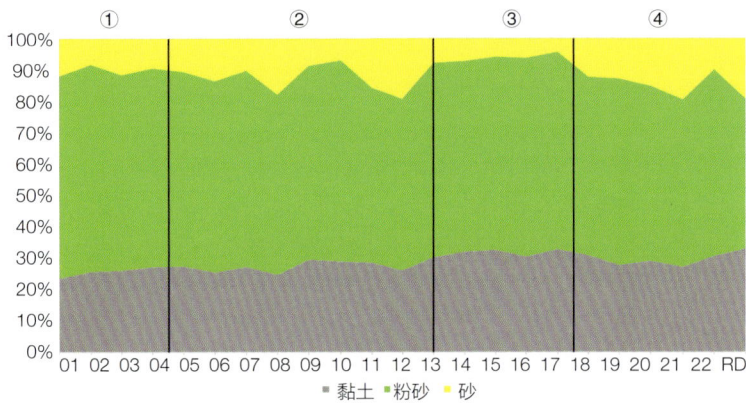

2. 小嘴剖面粒度组成

图 2.45　小嘴剖面土壤粒度分析

化略复杂，但也不见显著的强水动力，比如洪水事件影响的情况。第1层，即现代表土层，水文条件再度变得稳定，这一阶段虽然水位显著上升，而水文条件的稳定可能与近代以来大规模修筑河堤有关。

二、土壤微形态分析

小嘴剖面共采集了A、B、C三个序列，共12份样品用于土壤微形态分析，基本涵盖了小嘴剖面的完整堆积过程，样品编号分别为A01～A05、B01～B05、C01、C02（图2.44，3）。

采集到的土壤样品均保持了原始结构，并采用Murphy提供的方法[①]进行灌胶处理，再制作成30微米的土壤薄片，利用偏光显微镜在平面偏振光（plane polarized，PPL）和正交偏振光（cross polarized，XPL）下进行观察和记录，显微镜放大倍数为10×（图2.46、图2.47）。

从包含物和土壤微结构特征看，小嘴剖面的样品大致代表了两个大的发展阶段：

第一阶段：包括样品A03～A05、B03～B05、C02和B02、C01下部。从图2.46，1～6看，土壤薄片的基质中石英的分选度极好，代表了土壤的母质以早期河流泛滥形成的分选较好的黏土和亚黏土为主，这与粒度分析的结果一致。较强的土壤化作用可见于大量的植物根系或昆虫活动形成的条状孔隙（channel void），以及在水的淋滤作用下沿这些毛细孔隙的边缘形成的黏土胶膜（clay coating）或亚黏土胶膜（hyper coating）。这些胶膜中所沉积的黏土多数呈层状节理分布，显微镜下具有显著的光学特性（图2.46，1、2、6），是季节性干湿转换的直接证据。而相当数量的铁、锰结核（图2.46，3、5）以及沿着部分孔隙形成的锰结核（图2.46，4）表明当时的气候应整体比较湿润。该阶段的晚期出现气候转干凉的迹象，土壤母质中的一些铁元素被淋滤严重（图2.46，8），同时由于土壤的干裂造成的碎片和再沉积形成了多种样式的土壤聚合物（pedo-feature）也时有发现（图2.46，7）。总之，

①　Murphy, C P. *Thin Section Preparation of Soils and Sediments*. Berkhamsted: A B Academic Publishers，1986.

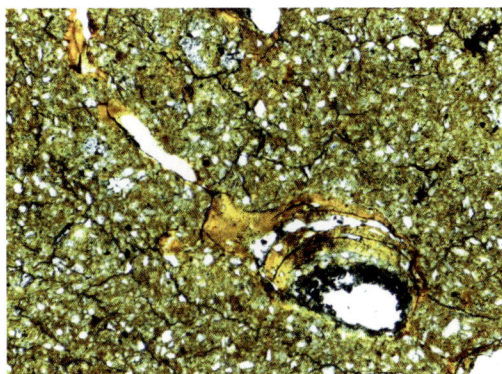
1. A05下部（PPL）

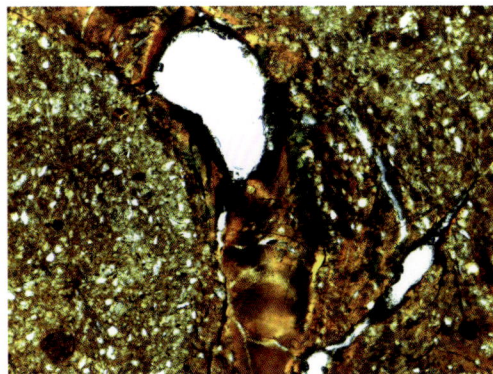
2. A05下部（PPL）

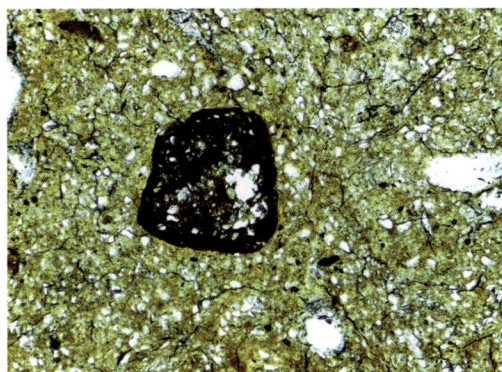
3. A05上部（PPL）

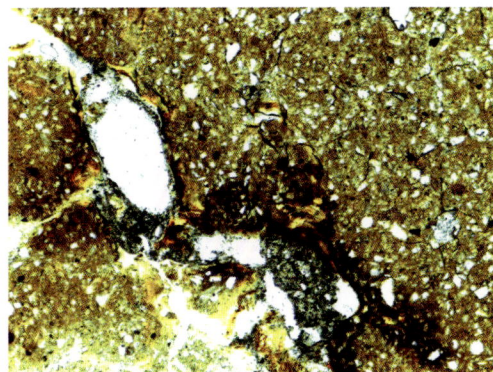
4. A04下部（PPL）

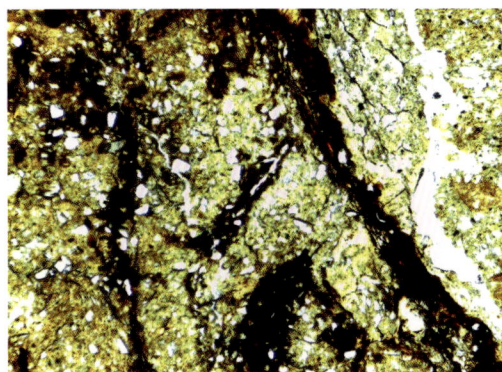
5. A04下部（PPL）

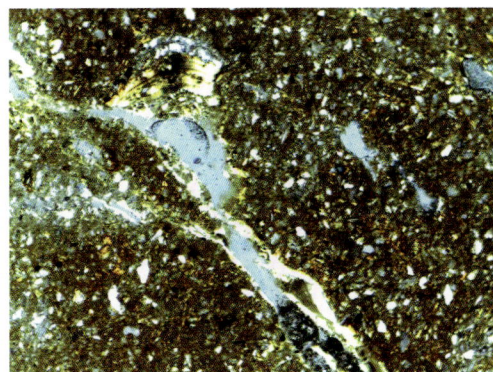
6. A04上部（XPL）

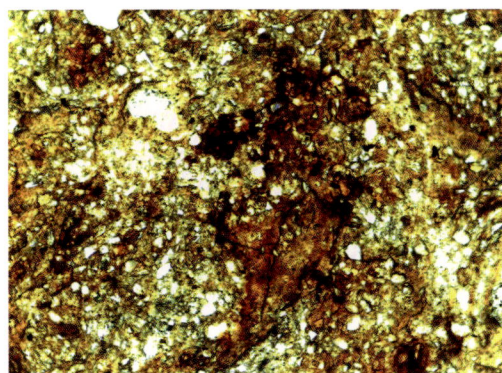
7. A03中部（PPL）

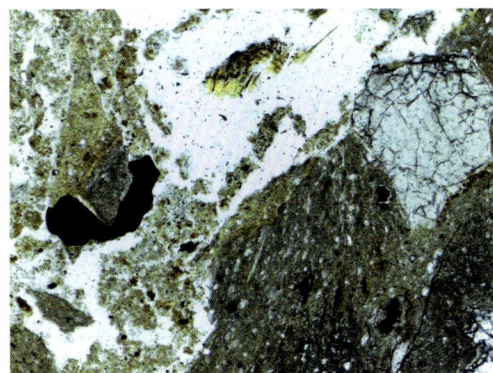
8. A03下部（XPL）

图 2.46　小嘴剖面土壤微观形态照片

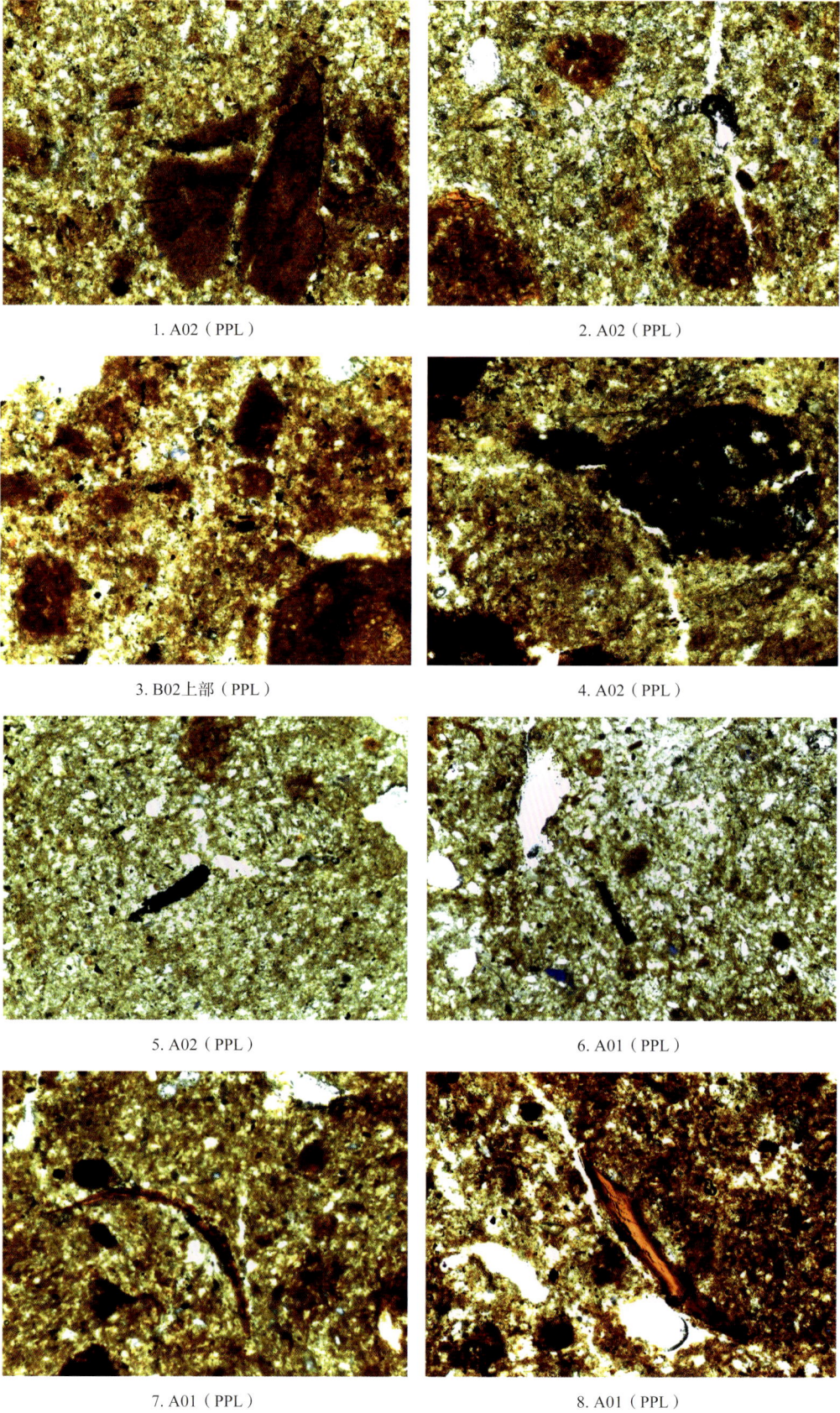

1. A02（PPL）　　　　　　　　　2. A02（PPL）

3. B02上部（PPL）　　　　　　　4. A02（PPL）

5. A02（PPL）　　　　　　　　　6. A01（PPL）

7. A01（PPL）　　　　　　　　　8. A01（PPL）

图 2.47　小嘴剖面土壤微观形态照片

这一阶段为网纹红土发育的末期，属于自然状态下气候季节性变化时期，整体气候温暖湿润，土壤化过程显著，晚期气候转为干凉，土壤化程度也减弱。

第二阶段：包括样品A01、A02、B01和B02、C01上部。图2.47，1～3表现出显著的人类活动特征，原始的土壤结构因搬运等活动被打散后重新堆积，形成薄片上不同形状、不同大小的土壤团块镶嵌在母质上的特征。与此同时，很多木炭（图2.47，5、6）和骨骼残片（图2.47，7、8）的出现表现出频繁的人类活动迹象。值得注意的是，该阶段下部显著缺乏土壤化的证据，以及同时大量的锰铁结核物（图2.47，4），说明被人类搬运的土壤相当部分可能来自非暴露地表的河湖相堆积，而上部薄片中土壤化的证据有所加强，出现一定数量的枝状孔隙，很可能与接近现代地表有关。总之，这一阶段表现出强烈的人类活动的特征，属于盘龙城遗址被人类深度开发、利用和废弃的阶段。

三、年代分析

为了充分了解小嘴剖面不同堆积的年代，我们分别在距地表20厘米、60厘米和90厘米的地方取样进行^{14}C年代测定（图2.44，3），样品编号为XZ1～XZ3。

从测年结果来看（表2.3），底部第4层网纹红土上部XZ3样品的年代在晚更新世，与本文的估计一致；第2层底部XZ2样品的年代测定为全新世早期，该层主体为人工搬运的铺垫堆积，包含大量的人类活动痕迹，因此不排除所测碳样源自年代更早的有机物；第1层堆积年代较晚，为历史时期，应属于盘龙城商代遗址废弃之后的堆积。

表2.3　小嘴剖面^{14}C测年数据

样品编号	实验室编号	测定年代	经树轮校正日历年代（校正曲线 INTCAL 13）
XZ1	Beta-407690	1680±30 BP	Cal BP 1730～1575 95% 概率区间 Cal BP 1710～1620 68% 概率区间
XZ2	Beta-407691	8680±30 BP	Cal BP 10130～9740 95% 概率区间 Cal BP 10110～9795 68% 概率区间
XZ3	Beta-407692	17140±50 BP	Cal BP 20985～20730 95% 概率区间 Cal BP 20925～20805 68% 概率区间

第五节　湖泊钻孔植物遗存分析

一、孢粉

2016年，武汉大学历史学院与中国科学院南京地理与湖泊研究所合作，首次利用水上勘探平台对武汉市盘龙城遗址以内的盘龙湖区域开展了水下考古勘探工作，对盘龙湖湖底商文

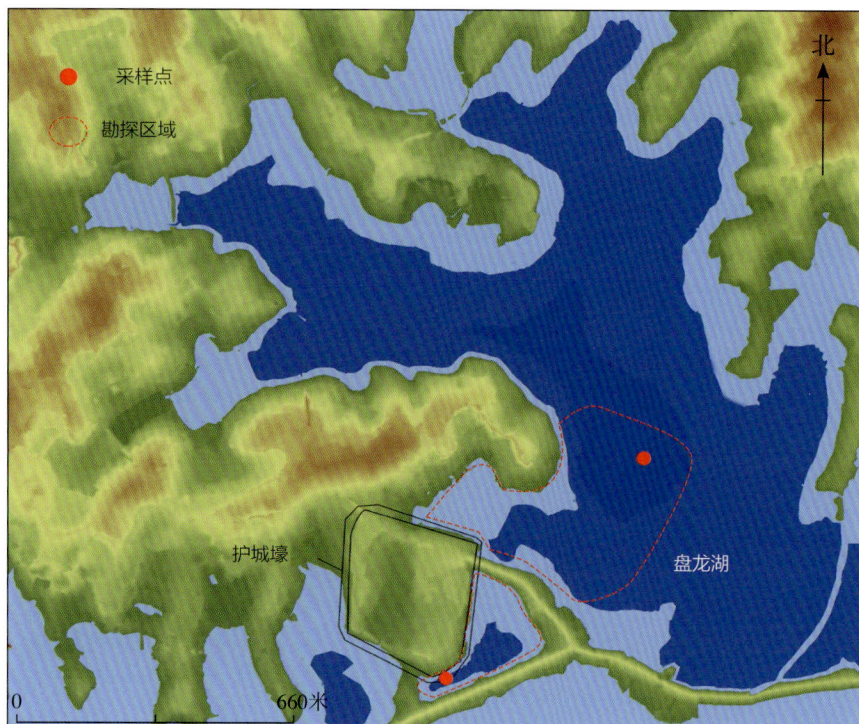

图 2.48　2019 年盘龙城遗址水下考古勘探与采样区域

化时期遗存的分布情况形成了若干初步认识，但是，2016年度的勘探工作未能在青灰色硬黏土层中获得可用于¹⁴C测年的检测样本，也未对该地层进行孢粉、植硅体等方面的检测，因此关于该地层的形成年代及该地层是否与古代农业种植活动有关等学术问题均尚未展开深入的研究。2019年，武汉大学历史学院在前期工作的基础上，再次与中国科学院南京地理与湖泊研究所合作对盘龙湖区域开展水下考古勘探及采样工作（图2.48）。本次工作的主要目的在于：①明确盘龙湖湖底地层堆积的基本情况，并从地层中采集到可供¹⁴C测年的检测标本，对近万年以来盘龙湖区域的环境变迁获得相对清晰地认识；②从湖底青灰色硬黏土层中采集若干检测样品，并对其开展孢粉、植硅体等方面的检测。

根据野外钻探和后期实验室分析及测年结果，中国科学院南京地理与湖泊研究所研究团队，选取了60个盘龙城湖泊钻孔样品进行孢粉分析鉴定工作。具体鉴定报告如下：

孢粉样品使用标准HF方法处理，外加石松孢子计算孢粉浓度。孢粉鉴定参考国内专业的现代孢粉书籍和第四纪孢粉图版，每个样品争取鉴定到300粒以上，但是个别样品由于孢粉含量较少，无法达到。

60个样品共鉴定统计了25677粒孢粉和藻类类型，平均约428粒/样，鉴定出131个孢粉类型。样品统计数量能够满足高质量重建古环境的需要。

主要的木本植物花粉有：松属（*Pinus*）、青冈属（*Cyclobalanopsis*）、栎属（*Quercus*，包括常绿和落叶两个类型）、栗属（*Castanea*）、蔷薇科（Rosaceae）、榆科（Ulmaceae）、青檀属（*Pteroceltis*）、桦属（*Betula*）、枫香属（*Liquidambar*）和胡桃属（*Juglans*）等。主要的草本植物花粉有：禾本科（Poaceae，分为<38微米、48～38微米、68～48微米和>68微米四个类型，分别

对应野生、水稻类型、小麦类型和玉米类型)、毛茛科(Ranunculaceae)、唐松草属(*Thalictrum*)、蒲公英属(*Taraxacum*)、蒿属(*Artemisia*)、藜科(*Chenopodiaceae*)、唇形科(Labiatae)、十字花科(Cruciferae)、伞形科(Umbelleraceae)和莎草科(Cyperaceae)等。主要的蕨类孢子有：里白属(*Hicriopteris*)、卷柏属(*Selaginella*)、铁线蕨属(*Adiantum*)等。主要的藻类有：双星藻属(*Zygnema*)、环纹藻属(*Concentricystes*)和十字藻属(*Crucigenia*)。

孢粉的百分含量计算方法为：对于陆生木本和草本，按照其两者的和作为分母进行计算，其他按照所有花粉和蕨类孢子的和作为分母计算。孢粉作图使用Tillia软件，使用Tillia的CONISS进行孢粉的聚类，以此作为划带依据。根据孢粉数据的聚类结果，结合孢粉类型的生态学特征，将盘龙城湖泊钻孔(PLCA)孢粉谱划分为5个带(图2.49)。

带Ⅰ(651～521厘米) 本带的总体特征是木本植物花粉含量逐步降低，而草本植物花粉含量逐步上升，蕨类植物孢粉含量变化不大。木本植物花粉占优势(40.4%～70.3%，平均54.2%)，主要有落叶栎(12%～41.2%)、松属(4.4%～14.8%)、枫香属(0.5%～13.5%)、常绿栎(1%～12.1%)和青冈属(1.6%～8.7%)等。草本含量为29.7%～59.6%(平均45.8%)，其中主要有毛茛科(1.6%～16.1%)、禾本科(0～14.3%)、水稻类型

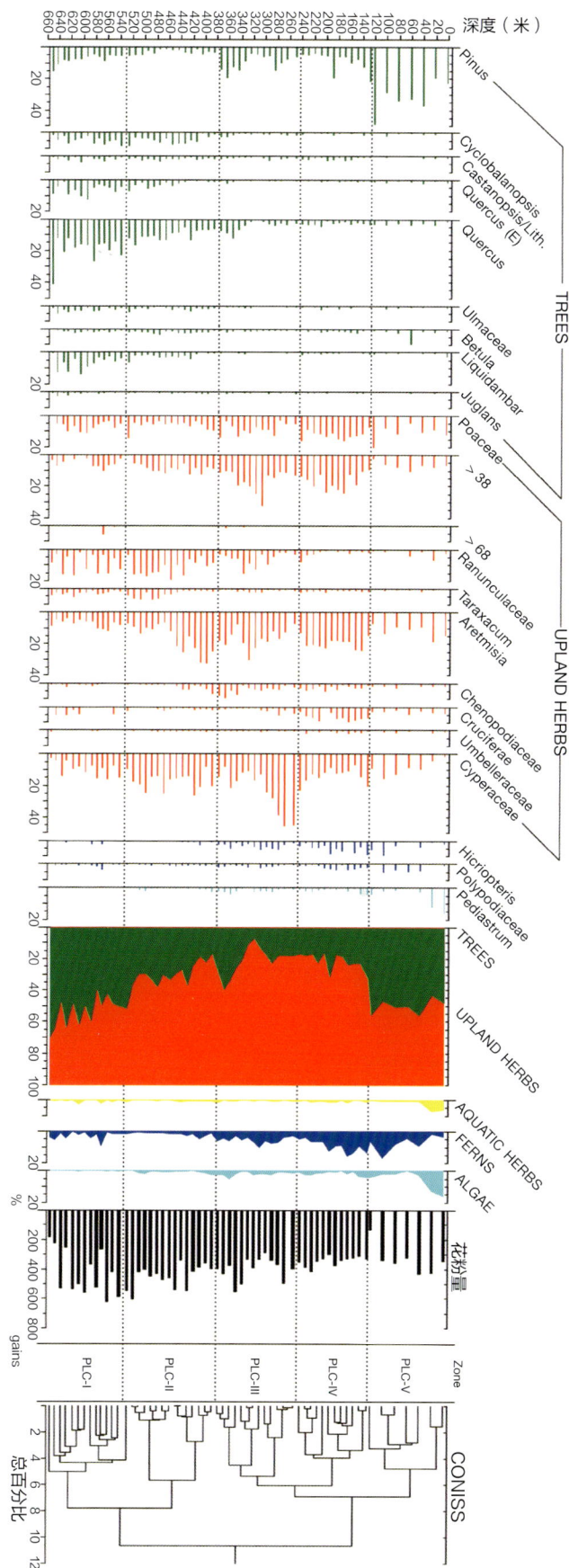

图 2.49 盘龙湖钻孔 PLCA 花粉百分含量图

（0～10.1%）、蒿属（3.5%～11.8%）、唇形科（0～7.6%）和十字花科（0～5.1%）。湿生花粉以莎草科为主（2.7%～16%），蕨类含量较低（0.2%～9%）。

带Ⅱ（521～378厘米） 本带特征是木本花粉含量显著下降（17.2%～38.7%，平均29.6%），而草本植物花粉显著上升（61.3%～82.8%，平均70.4%）。木本植物花粉主要有落叶栎含量（平均9.8%）、常绿栎（0～5.2%，平均2%）青冈属（0.3%～7.2%）、枫香属（0～4.1%）和松（0～5%）等，这些花粉类型和上一带相比都显著下降。草本花粉显著上升的类型主要有蒿属（6.4%～32.4%）、禾本科（3.2%～9.1%）、水稻类型（5.3%～12.5%）和藜科（最高6.8%）。毛茛科花粉含量较高，但是在本带上部略微逐步下降（3.8%～19.2%）。本带莎草科花粉含量与上带相比，显著上升（8.1%～26.4%）。蕨类含量略微下降，藻类含量较少且变化较小。

带Ⅲ（378～243厘米） 本带特征是木本花粉含量进一步下降，而耕作类型或者伴人类型的草本植物花粉含量显著上升。陆生草本植物花粉含量最高达92.6%（平均78.4%），木本植物花粉平均含量为21.6%（7.4%～40.6%）。水稻类型花粉为10%～32.4%、蒿属为7%～30.1%、毛茛科为1.6%～15.1%、藜科1%～9%、十字花科为4.9%～5.1%。松属花粉较上带含量增加（3.9%～19.3%），其他木本植物花粉含量显著下降。本带莎草科花粉含量达到整个花粉谱最高（8.1%～45.7%，平均22.5%）。蕨类植物孢子含量略微增加（最高10.4%），盘星藻含量增加（最高4%）。

带Ⅳ（243～125厘米） 与上一带相比，本带特征是松属花粉含量在本带上部上升（3.4%～21.3%），而莎草科花粉含量逐步下降（6.9%～23%，平均13.6%），蕨类植物孢子含量逐步上升（4%～15.5%），陆生草本植物花粉和大部分木本植物花粉变化很小。

带Ⅴ（125～0厘米） 与上一带相比，木本植物花粉含量显著上升（43.5%～56.6%，平均50.6%），草本植物花粉（43.4%～56.5%）和湿生花粉（0～6.8%）含量显著降低。木本植物中主要是松属（19.3%～48.9%）和柏科（0～9.9%）含量显著升高，其他木本植物含量变化较小。草本植物含量较高的主要有禾本科（4.3%～19.8%）、蒿属（6.9%～18.4%）、水稻类型（2.3%～10%）等，这些类型与上带相比都显著降低。蕨类孢子和莎草科花粉含量逐步降低，盘星藻含量在本带顶部（湖泊表层）显著升高。

二、植硅体

根据野外钻探和后期实验室分析及测年结果，山东大学文化遗产研究院团队和武汉大学历史学院团队经过认真讨论和协商，选取了57个盘龙城湖泊钻孔样品进行植硅体提取工作。具体鉴定报告如下：

1. 植硅体提取与鉴定方法

称取2克样品①，使用30%浓度的过氧化氢（H_2O_2）去除有机质，之后加入规格为10315粒/片

---

① 有三份样品例外，A2-125、A3-15和A3-25第一次提取效果不佳，又重新称取2克样品进行了第二次提取，所得结果为两次提取之和，因此样品量为4克，所用孢子片为8片。

的石松孢子片（Lycopodium Spore Tablets）4片，然后使用10%浓度的稀盐酸（HCl）去除金属离子。将样品烘干至表面没有可流动水分后加入比重为2.2克/毫升的溴化锌（ZnBr₂）溶液，3000转/分钟离心15分钟后将浮在上层的植硅体转移至新的离心管中烘干。制片前将管中的植硅体敲散并晃匀，用小勺挖取适量的植硅体放置在载玻片上，使用中性树胶作为介质，用干净的牙签搅拌均匀，安装好盖玻片后进行观察。

鉴定使用显微镜的型号为Nikon ECLIPSE E100，放大倍数为400倍。因本次分析的样品普遍只能提取出数量很少的植硅体，所以在鉴定时几乎将每个区域都进行了观察。与植硅体含量不同的是，很多样品里都发现了大量的硅藻和海绵骨针，因此它们的数量也纳入统计之中。

不涉及植物种属鉴定的植硅体种类参考ICPN 1.0（International Code for Phytolith Nomenclature 1.0）进行分类。能够鉴定到亚科、属或种的植硅体参考吕厚远等的研究成果[①]。

2. 鉴定结果

此次共统计了2128个植硅体、5224个海绵骨针以及4932个硅藻，合计12284个个体。鉴定出的植硅体类型有27种，有植物分类意义的有9种，属于禾本科的有6种，其余3种为莎草科。具体类型如下：

来自禾本科的植硅体类型：黍亚科竖排哑铃型、稻亚科横排哑铃型、稻壳双峰型、稻叶扇型、芦苇扇型、竹亚科扇型。

来自莎草科的植硅体类型：莎草科帽型、莎草科硅质突起、莎草科多面表皮。

无植物分类意义的植硅体类型：长柄扇型、短柄扇型、长方型、方型、平滑棒型、刺状棒型、帽型、塔型、齿型、十字型、哑铃型、三铃型、多铃型、短鞍型、长鞍型、尖型、硅化导管、硅化气孔。

需要指出的是，虽然第3类植硅体不是某类植物所特有的（即无鉴定分类意义），但是不同种类的植物所产的该类植硅体组合也有各自的特点。比如，早熟禾亚科多产帽型和齿型，黍亚科多产十字型、哑铃型和多铃型，竹亚科多产长鞍型，画眉草亚科多产短鞍型。不同亚科的植物具有不同的生态指示意义，例如，早熟禾亚科属于C3植物，多适应温凉的气候环境，画眉草亚科属于C4植物，适应温暖、干旱的环境，而同属C4植物的黍亚科则适应温暖、湿润的气候。因此，根据这些类型植硅体的相对含量，我们可以进行古植被或古气候半定量分析[②]。常用的两个指数为Iph[③]（画眉草亚科植硅体/画眉草亚科+黍亚科植硅体，指数越高说明气候越干）和Ic[④]（早熟禾亚科植硅体/早熟禾亚科+黍亚科+画眉草亚科植硅体，指数越高说明气候越冷）。

植硅体浓度（即每克样品中所含植硅体的个数）可以反映各类型植硅体绝对数量的多少，因此鉴定统计数量被换算成浓度以做下一步分析。植硅体浓度的计算方式如下：

---

① 王灿、吕厚远：《水稻扇型植硅体研究进展及相关问题》，《第四纪研究》2012年第2期；王永吉、吕厚远：《植物硅酸体研究及应用》，海洋出版社，1993年。

② 李仁成、樊俊、高崇辉：《植硅体现代过程研究进展》，《地球科学进展》2013年第12期。

③ Lieselotte Diester-Haass, Hans-Jürgen Schrader, Jörn Thiede. Sedimentological and Paleoclimatological Investigation of Two Sediment Cores off Cape Barbas, North-West Africa. *PANGAEA*, 1973, 14.

④ Page Twiss. Predicted World Distribution of C3 and C4 Grass Phytoliths. *Advanus in Archaeological ard Museum Science*, 1992, 1.

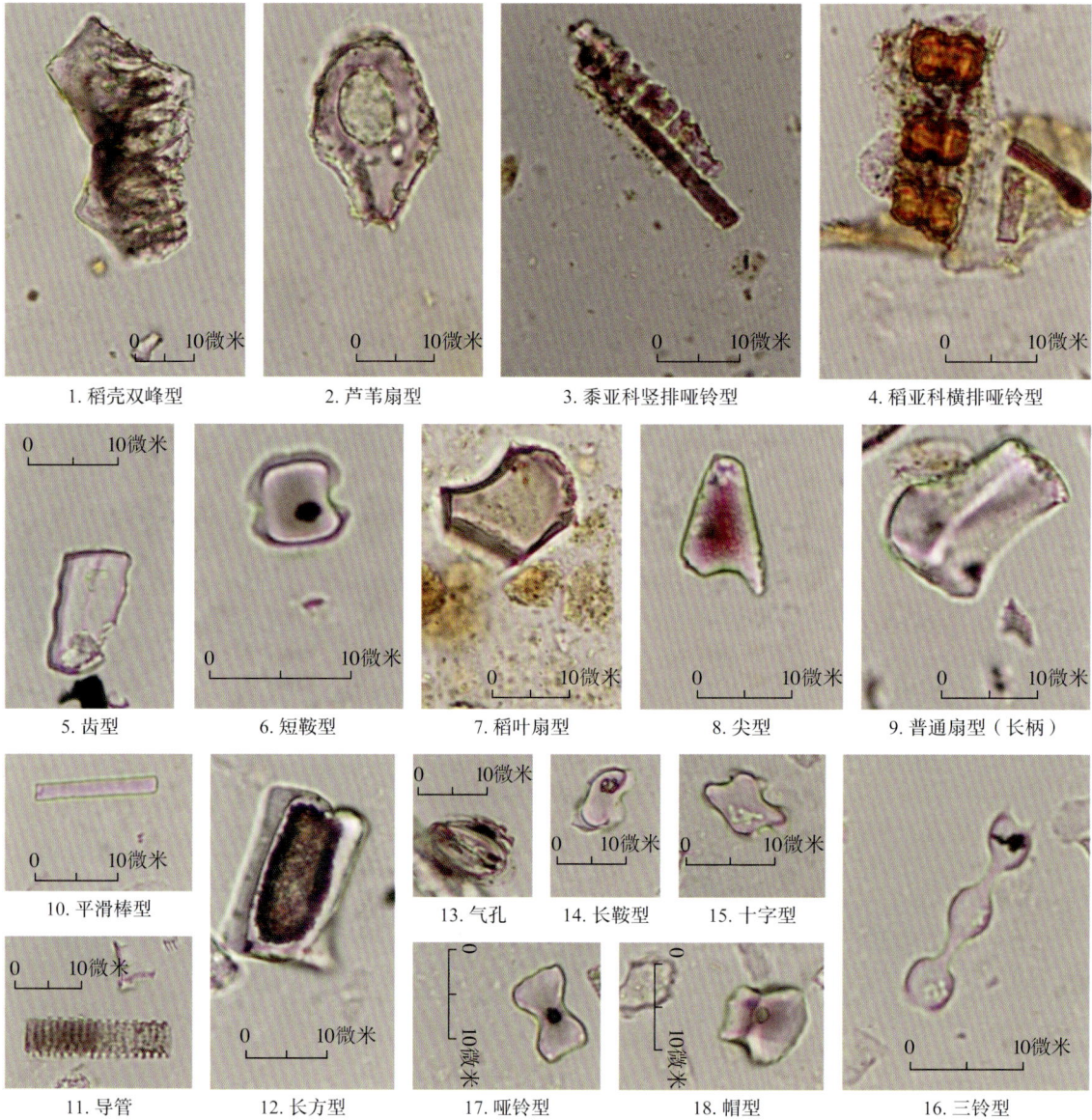

图 2.50　盘龙城样品中的植硅体

1. 稻壳双峰型　　2. 芦苇扇型　　3. 黍亚科竖排哑铃型　　4. 稻亚科横排哑铃型
5. 齿型　　6. 短鞍型　　7. 稻叶扇型　　8. 尖型　　9. 普通扇型（长柄）
10. 平滑棒型　　11. 导管　　12. 长方型　　13. 气孔　　14. 长鞍型　　15. 十字型
16. 三铃型　　17. 哑铃型　　18. 帽型

某类型植硅体浓度 = 该类植硅体数量*20630[①]/石松孢子数量

根据植硅体的浓度变化，参考样品本来的编号（A1～A7），可以划分出以下几个时期（图2.50）：

带1　沉积物分布在650～630厘米，包含A7的3个样品。该期的主要特征是几乎没有植硅体、海绵骨针及硅藻发现，只有少量来自莎草科的植硅体类型以及哑铃型等不具备植物分类学意义的植硅体类型。Ic指数在这一期比较高，Iph指数无体现（图2.51）。

带2　沉积物分布在620～535厘米，包含A6的10个样品。该期植硅体和海绵骨针的数量都有明显的增加，并且出现了稻壳双峰型和芦苇扇型植硅体。Iph指数和Ic指数呈相反的变动趋势，前者升高，后者降低。

_____

① 20630是每克样品中所含的石松孢子数量。公式中的"该类植硅体数量"和"石松孢子数量"指的是鉴定数量。

带3　沉积物分布在530～360厘米，包含A5的7个样品、A4的8个样品，以及A3的3个样品。该期是植硅体、海绵骨针和硅藻数量最多的一期，并且唯一的黍亚科和竹亚科植硅体也来自本期的A5-55（520厘米）样品。A5-45（510厘米）是个异常样本，它是57个样品中植硅体和海绵骨针浓度最高的，并且也有相当多的硅藻。如果排除这一样本，可以发现该期的趋势是植硅体含量逐渐降低，海绵骨针和硅藻含量逐渐上升。Iph指数和Ic指数在这一时期都比较高。

带4　沉积物分布在350～195厘米，包含A3的7个样品和A2的9个样品。该期的植硅体浓度较上一期呈断崖式下跌，又回到了第2期的水平，海绵骨针和硅藻的浓度甚至不如第2期。但本期同样出现了来自栽培稻的植硅体类型，莎草科植硅体的浓度也较第二期高。Iph和Ic指数的变化趋势与上一时期相似，但绝对数值没有上一时期高。

带5　沉积物分布在185～40厘米，包含A2的3个样品和A1的7个样品。该期的植硅体浓度又有上升，是整个五期中第二高的。海绵骨针和硅藻的浓度也较上期有明显增加。本期中，来自栽培稻的植硅体是所有时期中最多的，莎草科植硅体浓度也较高。Iph指数与上一期比略有降低，Ic指数则有极大升高（图2.52）。

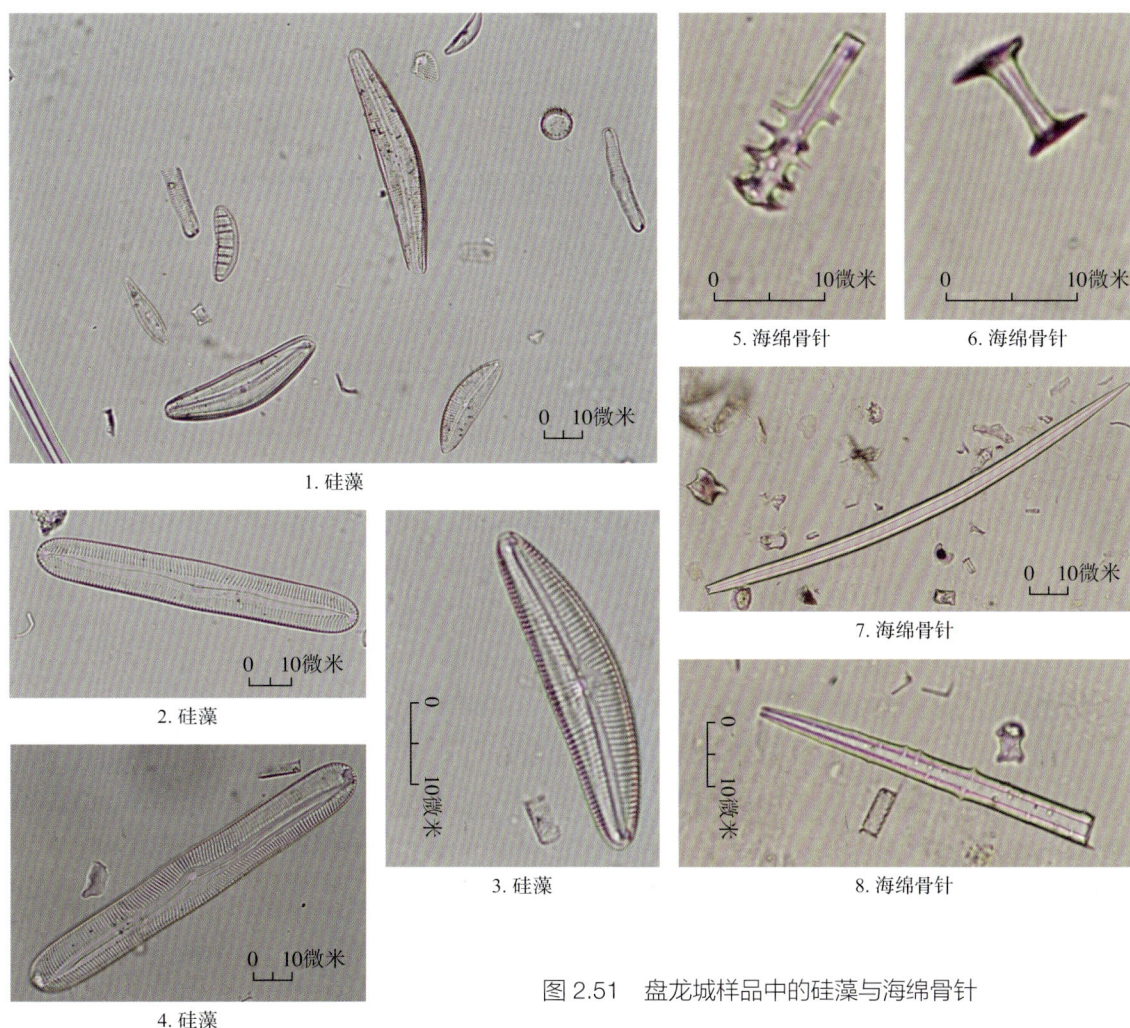

图 2.51　盘龙城样品中的硅藻与海绵骨针

1. 硅藻　2. 硅藻　3. 硅藻　4. 硅藻　5. 海绵骨针　6. 海绵骨针　7. 海绵骨针　8. 海绵骨针

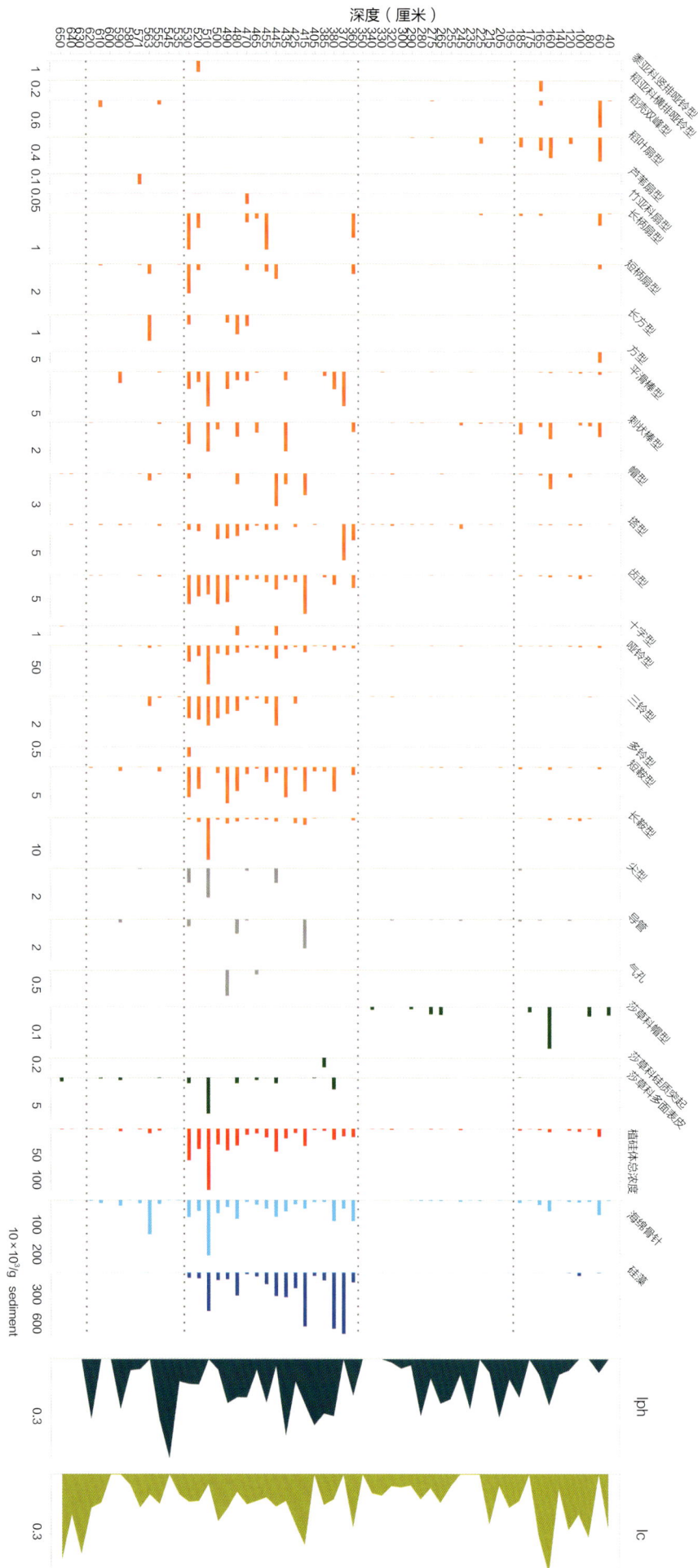

图 2.52　盘龙湖钻孔 PLCA 植硅体浓度图

第三章

各地点遗存分布

第一节　商代遗存

一、杨家湾

1.地貌

　　鉴于杨家湾与杨家嘴岗地本属自然延伸的同一条岗地，并无明确的地理分界，且两处地点的地貌又存在密切的关联性，因此在此将二者的地貌特征一并论述。杨家湾—杨家嘴岗地东西长约850米，南北宽约330米，海拔19.5～34.8米，岗地整体呈缓坡状起伏，地形较破碎，少见有面积超过1000平方米以上的平地。岗地中南部有一处地势相对平坦的高地，海拔31.5～34.8米，为杨家湾岗地的顶部。以岗地顶部为界，杨家湾南坡宽约100米，坡度约8°，遗址公园建设以前南坡为杨家湾自然村的所在地。杨家湾北坡宽约230米，当地村民搬迁之前原本分布有"斑块状"梯田，由于平整土地开垦梯田的缘故，北坡整体坡度约4°。然而，由于北坡临湖地带宽15～20米的区域，局部坡度陡增，可达12°左右。北坡直抵盘龙湖南岸，当代湖水水位在19.5～22.6米涨落（季节性涨落），因此北坡海拔22.6米以下的临湖地带长期受湖水侵蚀，地表因受湖水侵蚀土壤已十分稀薄，基本为裸露的大型石块和细小的砂砾。我们在调查中注意到，杨家湾—杨家嘴岗地北坡临湖地带大石块与细小砂砾的分布呈现出一定的规律性，随着北坡地势的曲折延伸，地势向湖泊突出的区域往往为大型石块的分布区，而地势向岗地内凹的区域往往为细小砂砾的分布区，这种自然景观的差异应该与该岗地的自然走势有关（图3.1～图3.4）。而值得讨论的是这些大型石块与细小砂砾的来源，从目前石块的产状来看，其分布杂乱，石块大小各异，棱角分明，且局部可见大石块嵌入生土之中，推测此类大型石块应属于杨家湾岗地自然形成的岩石，非人工搬运或铺设。而细小砂砾的来源则不甚明确，调查人员注意到盘龙城区域内所见的生土中时常夹杂有铁锰结核颗粒，曾推测临湖地带的砂砾是否系生土中的铁锰结核，但经过对当地生土的淘洗发现生土内铁锰结核颗粒直径约3～5毫米，颜色普遍呈深褐色。而临湖地带大量出现的砂砾直径达2～18毫米，大小、颜色各异，因此关于临湖地带砂砾的来源还有待进一步研究。

　　杨家湾—杨家嘴岗地中部隆起一道南北向的山脊，这道山脊与其东、西两侧山谷高差为4～6米。山脊与山谷交错分布造成了杨家湾—杨家嘴北坡湖岸曲折蜿蜒的走势。山脊线东侧与盘龙湖之间地带即为半岛型的岗地——杨家嘴。杨家嘴北、东、南三面被盘龙湖环绕，滨湖地带亦长期受到湖水侵蚀。

　　本次调查发现，杨家湾—杨家嘴岗地在商时期以后出现的人类活动对该区域地貌形态有着十分明显的影响。由考古材料和地方族谱可知，杨家湾岗地在商文化时期以后相当长的时期内均无明显的人类活动迹象，直至宋代该区域才出现小规模的人类活动，明清时期该区域

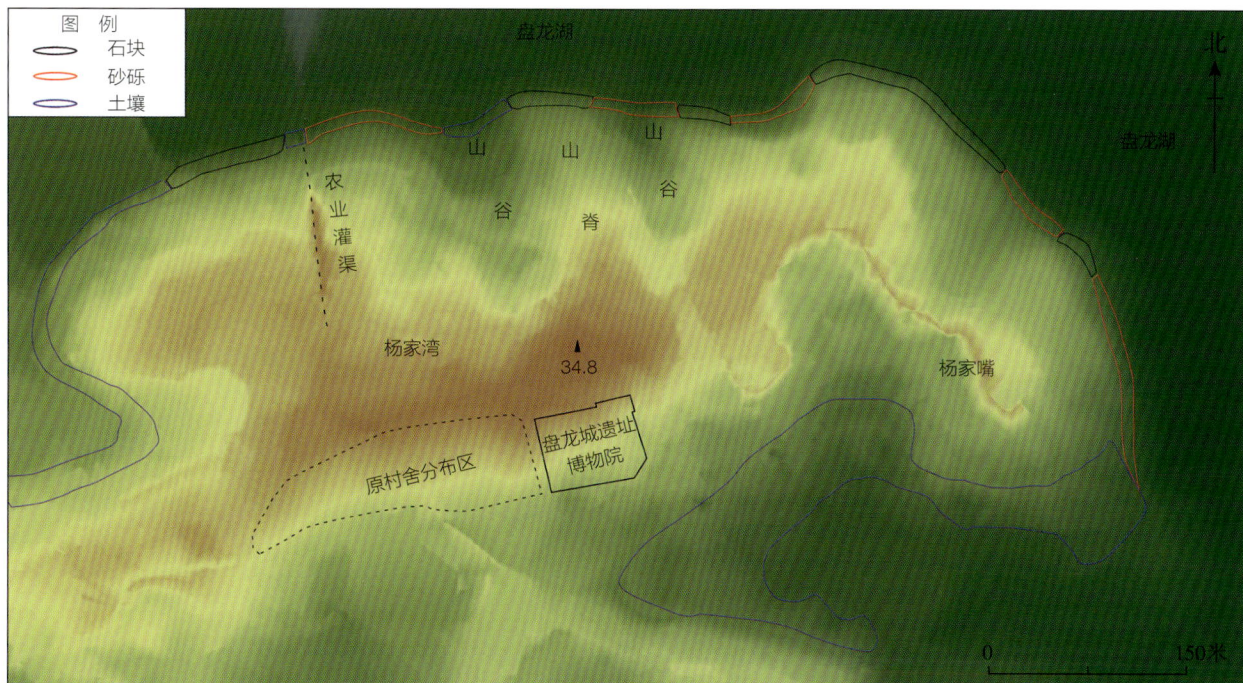

图 3.1　杨家湾岗地高程模型与地貌

的人口逐渐增多直至现代杨家湾村的形成。而杨家嘴一带宋元明清时期均无人类活动迹象，现代杨家嘴一带临近湖水，在府河大堤修筑之前，府河水汛期极易倒灌盘龙湖，淹没杨家嘴，因此该区域亦无人定居，仅分布有耕地和鱼塘。通过查阅文献和走访当地村民获知，杨家湾岗地大规模的人类活动主要发生在20世纪50年代，包括平整土地、营建村舍、修建灌渠道和开挖鱼塘等活动。

　　1950～1960年前后，当地村民将杨家湾—杨家嘴岗地大规模开垦成为多级梯田，种植水稻、小麦、大豆等农作物。目前可查的资料表明，1931年杨家湾南坡即出现了自然村落，近百年间村舍数量由10多户增加至40户左右，村落的分布区域一直沿南坡呈条带状分布，20世纪60～70年代出于躲避南部府河洪水的缘故，自然村向北迁移了30米左右，由海拔25～26米的地带迁移至28～30米的区域。1975年，湖北省博物馆还在杨家湾村东侧修建了盘龙城考古工作站，该建筑沿用至今。1980年，当地村民在杨家湾岗地中部修建了一条长约150米的农业灌渠，修建过程中从渠道两侧取土，对遗址造成了明显的破坏，同时也在杨家湾渠道施工区域发现了多座商代墓葬杨家湾（如前所述）。随着2005年当地村民的整体搬迁，杨家湾村建筑被完全拆除，农田随之荒芜，目前杨家湾岗地已被茂密的野生林木覆盖，由斑块状梯田景观变成了自然林地。

2. 考古遗存

（1）已发掘的遗存

　　杨家湾岗地位于盘龙城遗址重点保护区内，遗存分布十分密集。自1974年起，多家考古单位先后在杨家湾岗地开展了考古发掘工作（图3.5）。

1. 石块

2. 砂砾

3. 土壤

图 3.2　杨家湾岗地北坡地表石块、砂砾与土壤

图 3.3　杨家湾岗地北坡细沙与石块空间分布

图 3.4　杨家湾北坡各类地表覆盖物空间分布

　　1980年，湖北省博物馆为配合杨家湾中部农业灌渠的修筑工程，在杨家湾南坡布设了5米×5米探方38个，发掘面积950平方米。发现了建筑基址3座（F1～F3）以及灰烬沟、灰坑、祭祀坑等遗迹。此外，1974～1992年，湖北省博物馆在配合杨家湾当地农田水利建设过程中陆续清理了墓葬11座，上述墓葬均为当地农民发现后由考古人员进行了现场清理，并未布设探方。

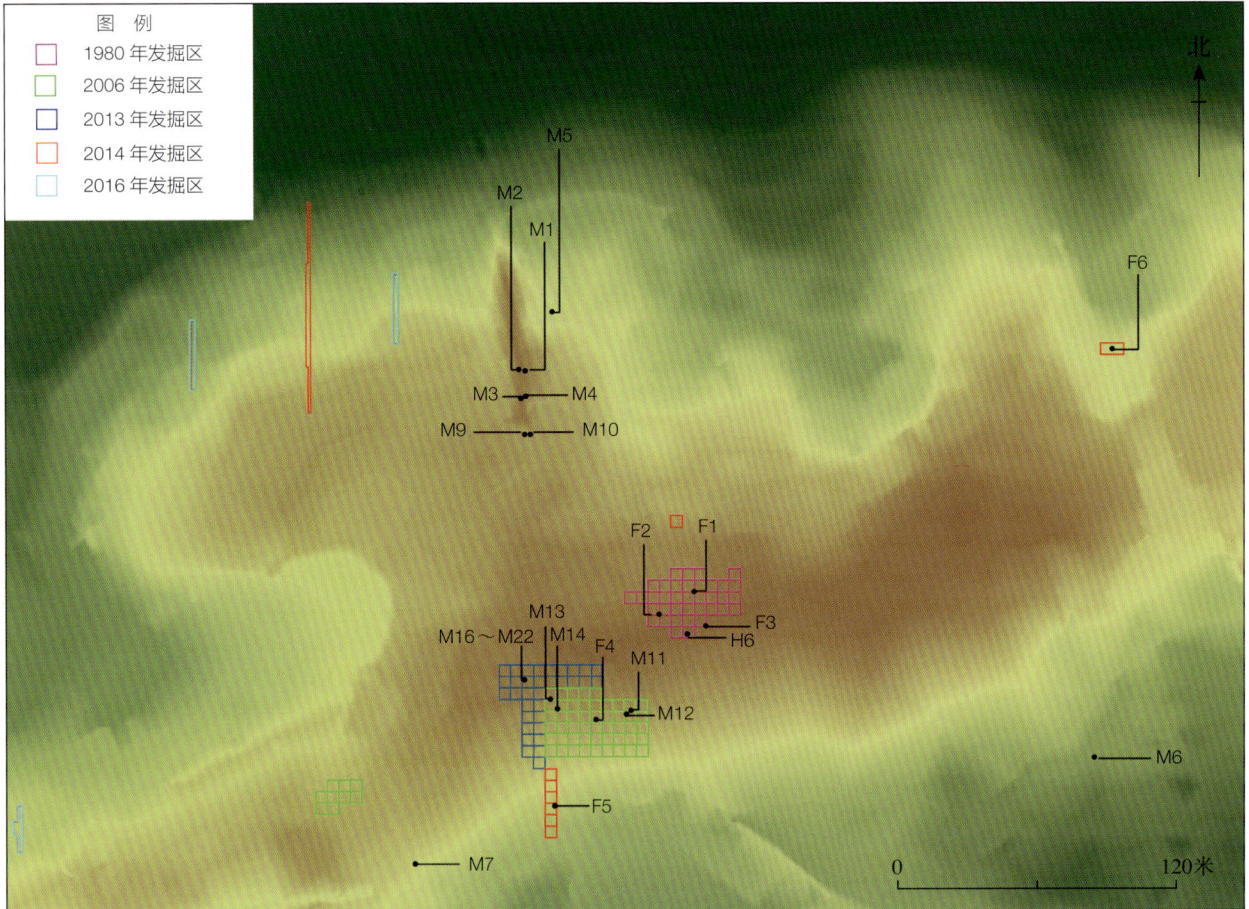

图 3.5　杨家湾岗地考古发掘区域位置示意图

　　2001年，杨家湾村民房屋附近排水沟中发现有商文化时期青铜器，武汉市文物考古研究所据此进行了考古发掘，发现了大型墓葬M13。2006年，武汉市文物考古研究所在此对该区域进行发掘，后经确认，两次发掘分别发掘了M13的北部和南部，该墓面积仅次于李家嘴M2，出土遗物十分丰富，属于盘龙城遗址晚期的高等级墓葬。

　　2006年，武汉市文物考古研究所、盘龙城遗址博物馆在杨家湾自然村整体搬迁后，对原村舍分布区进行了考古发掘，发掘面积1250平方米，在杨家湾南坡发现了大型建筑基址F4，并在随后的2008、2011年对F4进行了大规模发掘。同年，上述单位还在建筑基址F4西侧发现墓葬M14，发掘资料尚未刊布。2006年，上述两家单位还在杨家湾岗地西南部进行了考古发掘，发掘面积225平方米，发现该区域分布有较多保存完好的陶器，考古发掘人员推测该区域可能存在"制陶作坊"类遗存（资料尚未公开发表，见于《2006年盘龙城遗址考古总记录》）。

　　2013年，武汉大学历史学院为进一步了解F4及其周边遗迹的分布情况，在杨家湾南坡2006年发掘区的西面和北面继续开展考古发掘，发掘面积825平方米，在建筑基址F4周边发现了7座墓葬（M16～M22）以及一批灰坑、灰沟和窑址等遗迹。

　　2014年，为探明大型建筑基址F4南侧堆积状况及性质，武汉大学历史学院在2013年发掘区以南展开考古发掘，发掘面积150平方米，在F4以南约20米处发现了小型建筑基址F5以及少量灰坑遗迹。同年，武汉大学历史学院通过考古勘探在杨家湾东北坡和杨家湾岗地顶部分别发现有大量"黑灰土"分布，且堆积厚度最大可达2.6米，遂在北坡和岗地顶部分别展开小规模考古发掘。此次发掘在杨家湾北坡发现了小型建筑基址F6，同时在杨家湾坡顶发现了密集分布的灰坑遗迹，并首次在杨家湾坡顶发现了年代早至夏商之际的遗存。2017年，武汉大学历史学院继续在2014年杨家湾坡顶发掘区南侧和东侧扩方，两个年度累计发掘面积83平方米，发掘灰坑17座，发现了大量陶器、石器及一批动物骨骼。

除上述发掘工作以外，2014～2016年，武汉大学历史学院还在杨家湾岗地开展了系统性地考古勘探，在杨家湾西北部发现了大面积分布的"纯净黄土"，在杨家湾西南部发现了成片分布的"褐土"。因此，在这两类堆积的分布区域布设两套探沟进行了发掘。2014年，武汉大学历史学院在杨家湾西北部布设了一条东西宽1～2米，南北长达90米的探沟，对"纯净黄土"分布区进行解剖，2016年又在该探沟东西两侧分别布设了两条探沟，继续对"纯净黄土"分布区进行发掘。两个年度的发掘表明此类"纯净黄土"确系商文化时期的人工遗迹，且在黄土地层中发现了条状分布的石头带，石头带的性质目前正在继续探索中。2016年，武汉大学历史学院在杨家湾西南部，布设了一条东西宽2～4米、南北长20米的探沟，发掘表明成片分布的"褐土"被一处商文化时期的水井打破，环境考古专家对"褐土"进行了土壤微结构分析，成片分布的"褐土"应该来自于人工的搬运，推测为人工垫土。

杨家湾南坡是目前考古发掘面积最大的区域，考古人员在杨家湾南坡约3000平方米的区域内发现有体量与盘龙城一号宫殿建筑接近的大型建筑基址F4和高等级墓葬M11、M13、M17等，因此已有研究者指出，杨家湾南坡应为盘龙城遗址最晚阶段的聚落中心（图3.6）。同时，在杨家湾北坡还分布有数量较多的墓葬和规模相对较小的建筑基址。在杨家湾岗地的西北部还发现有大规模的人工堆筑的"黄土带"遗迹（依据目前的勘探和解剖发掘资料，该黄土带分布面积为90×20平方米）。

（2）遗存的分布范围

杨家湾岗地是盘龙城遗址开展考古发掘次数最多，发掘面积最大的区域，即便如此已开展考古发掘工作的区域相对于杨家湾岗地整体而言也是非常有限的，因此要全面了解杨家湾岗地的遗存分布情况还仰赖于考古勘探与地面调查等技术手段。如前所述，杨家湾岗地目前已被茂密的林木和荆棘覆盖，地表能见度极低，因此在本次调查工作中我们以考古勘探为主，同时对于岗地临湖地带宽15～20米的区域，采取地面调查的方式对遗存分布情况进行记录和分析。为进一步探寻杨家湾以北盘龙湖区域内的遗存分布情况，我们还借助相关设备对盘龙湖区域开展了地形测绘和水下考古勘探。

本次考古勘探和地面调查均是以10米×10米的格网为基本单元，因此我们可以将勘探和调查的数据加以整合，在同一张地图内以不同颜色的点分别展现勘探和调查工作中发现文化层的地点。在此，我们将勘探发现商时期文化堆积的探孔以蓝色圆点表示，将在地表采集到商时期陶片的采集区以红色三角符号予以表示，如图3.7所示。由于杨家湾与杨家嘴本属同

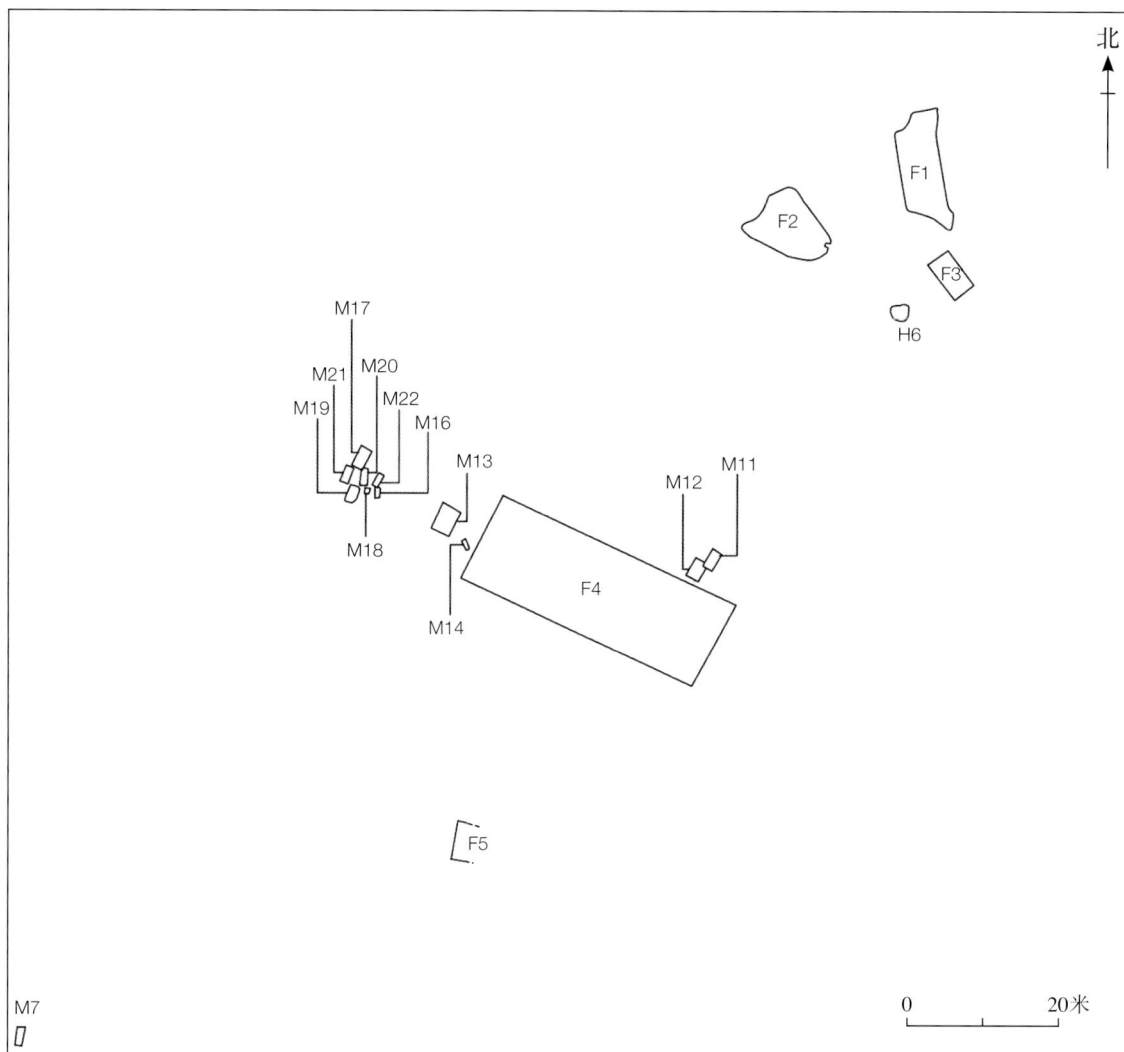

图 3.6　杨家湾南坡遗迹分布图

一处自然延伸的天然岗地，并无明确的地理界限，故在此我们将杨家湾与杨家嘴的勘探和调查数据在同一张图中予以呈现。

由系统性的考古勘探和调查工作可知，杨家湾岗地南坡与北坡均可见文化层连续分布，且杨家湾岗地商时期堆积最厚处可达2.6米，地表散布的陶片最低可分布至海拔19.5米（当代盘龙湖枯水期最低水位）以下的区域。历年的考古发掘表明，杨家湾发现的遗存以盘龙城偏晚阶段为主，遗迹类型复杂多样。由此可以推知，在盘龙城晚期杨家湾一带人口密度达到了一个峰值，且人群的构成复杂多元，其在遗迹方面的表现则是既出现了大型建筑F4及M11、M13、M17等高等级墓葬，同时发现有规模较小的建筑基址、墓葬以及普通灰坑、灰沟等遗迹。综合分析考古发掘、勘探与地面调查三方面的资料可以推知，杨家湾岗地在盘龙城晚期出现了人口稠密、功能区多样的社会景象。

然而，在杨家湾坡顶和岗地中部山脊线等地势明显高耸的区域则基本不见文化层分布。一方面，就地理特征而言，坡顶、山脊等地带不具备近水、避风等宜居的自然条件；另一方

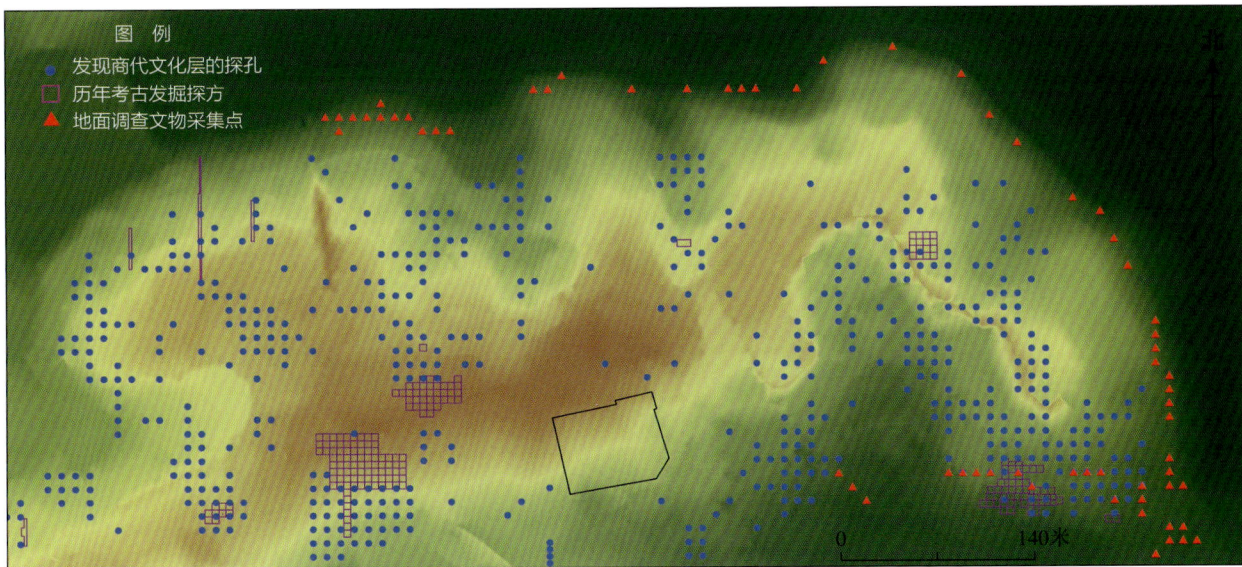

图3.7 杨家湾遗存分布范围示意图

面，地势明显高耸的区域很有可能在20世纪50～60年代间当地开展的平整土地活动中被人工整平，对可能存在的古代遗存造成了明显破坏。以上两方面的原因，可能造成了上述区域文化遗存十分罕见。

在本次调查过程中，我们发现，商文化时期遗存不仅分布于地势较高的岗坡地带，在杨家湾北坡海拔19.5～22.6米的临湖区域（此海拔区间汛期被湖水淹没、枯水期显露地表）亦可见商时期遗存分布。而与杨家湾北坡隔湖相望的童家嘴岗地南侧亦曾发现过商时期墓葬（墓葬海拔20.3米），并出土有青铜容器。杨家湾北坡与童家嘴南侧临湖区域均出现商时期遗存（尤其是墓葬类遗迹），暗示盘龙湖水位在商文化时期可能低于当今水位。通过在盘龙湖开展水下地形测绘和考古勘探，我们获知商文化时期杨家湾与童家嘴之间的湖面宽度小于40米，最大水深小于1米（目前盘龙湖汛期时，杨家湾与童家嘴之间湖面宽度220米，水深5.6米）。可见，在商时期杨家湾与童家嘴之间以大片陆地为主，水域面积十分有限，由此也就不难理解在杨家湾与童家嘴临湖地带出现的商时期遗存了（图3.8、图3.9）。

二、杨家嘴

1. 地貌

杨家嘴是杨家湾岗地东侧的一处半岛型岗地，三面环湖，其自然地貌特征与杨家湾有很大程度的相似性，此方面已在杨家湾岗地地貌特征的论述中提及。

杨家嘴岗地东西长约250米，南北宽约340米，海拔19.5～30.6米，岗地制高点位于中部偏北，以坡顶部为界，南坡坡度较缓，整体坡度约3°，北坡坡度约6°。南坡与杨家湾岗地交界处附近地势向北内凹，形成一处微型谷地地貌，杨家嘴东南侧与李家嘴岗地隔湖相望，该区域地势尤为低平，坡度约1°。

人工土堤

1. 盘龙湖枯水期

2. 盘龙湖汛期

图 3.10　杨家嘴岗地航拍图

　　2014年，武汉大学历史学院在对杨家嘴进行地形测绘的过程中，于临湖滩地上发现了青铜容器残片，后确认该地点分布有1座商文化时期墓葬，随即予以清理，墓葬编号为M26，同时在M26东侧清理了1座灰坑，编号为H14[①]。

──────────

① 武汉大学历史学院、湖北省文物考古研究所、盘龙城遗址博物馆筹建处：《2014年盘龙城杨家嘴遗址M26、H14发掘简报》，《江汉考古》2016年第2期。

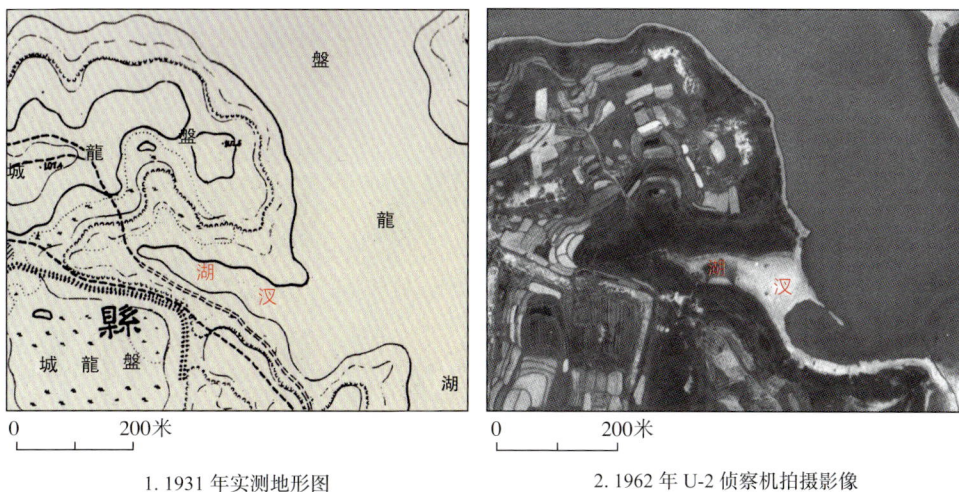

1. 1931 年实测地形图

2. 1962 年 U-2 侦察机拍摄影像

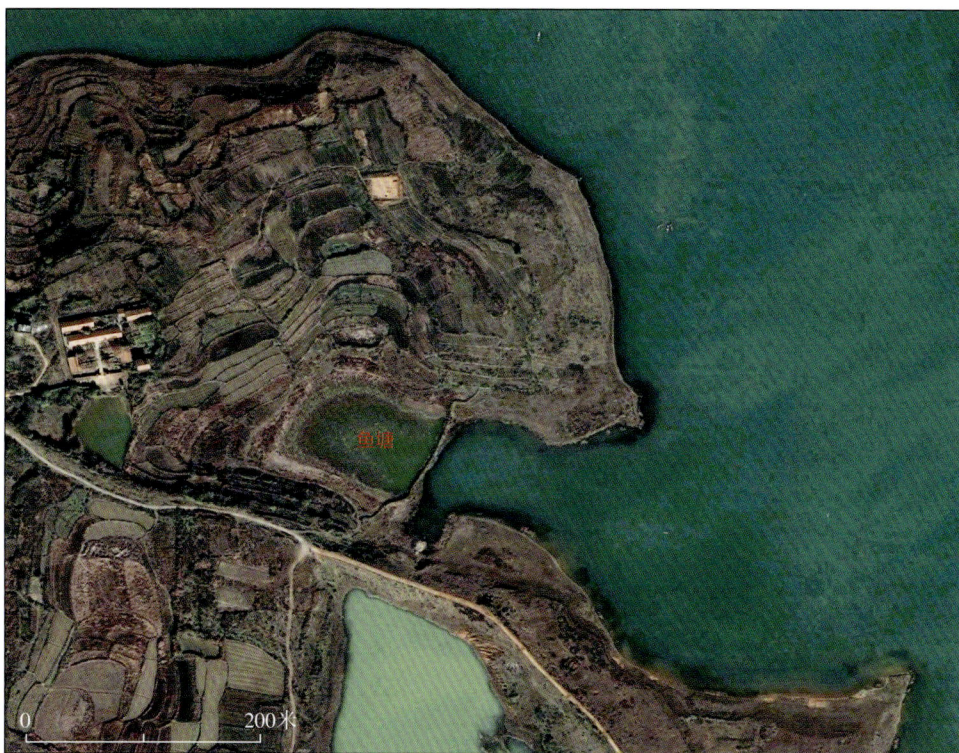

3. 2006 年 Google Earth 影像

图 3.11　杨家嘴地貌景观变迁

目前在杨家嘴东南角已发现商文化时期墓葬14座（M1～M10、M12～M14、M26），年代从盘龙城遗址第二期延续至第六期（图3.15）。从空间分布上看这批墓葬的等级和布局方式呈现出一定的规律性，已有研究者指出杨家嘴东南部墓葬分布区应具有墓地的性质①。具体而言，杨家嘴M1、M2和M26在空间距离上较为邻近，位于杨家嘴东南部墓地的西侧。墓葬随葬品以青铜容器为主，兼有玉器和陶器，属于等级较高的墓葬，其中M26是目

---

① 张昌平、孙卓：《盘龙城聚落布局研究》，《考古学报》2017年第4期。

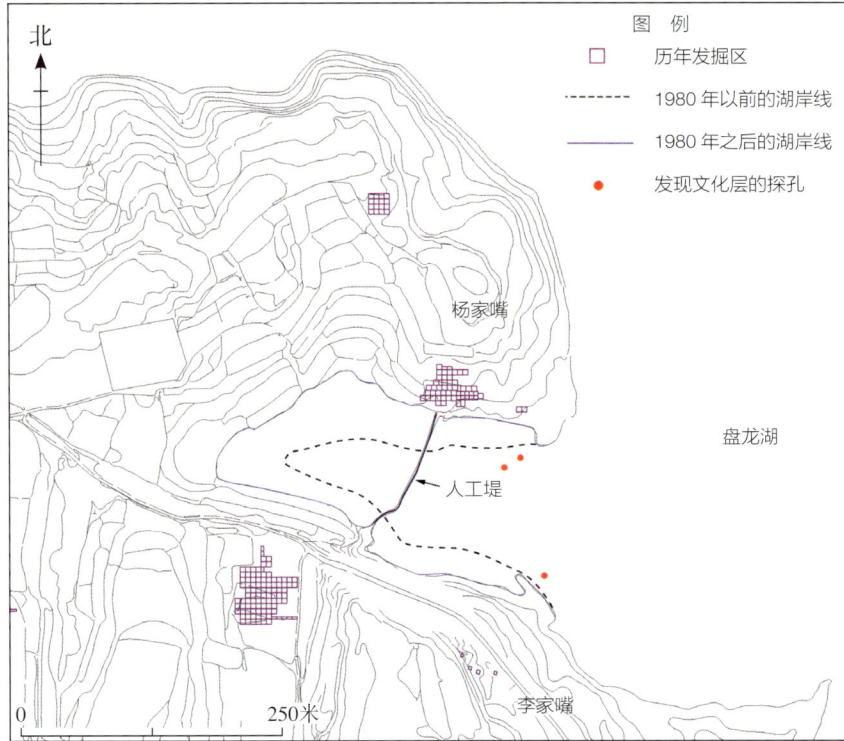

图 3.12　杨家嘴历年发掘区域及湖岸线变迁

图　例
☐　历年发掘区
- - - - -　1980 年以前的湖岸线
———　1980 年之后的湖岸线
●　发现文化层的探孔

北

杨家嘴

盘龙湖

人工堤

李家嘴

0　　　　　250米

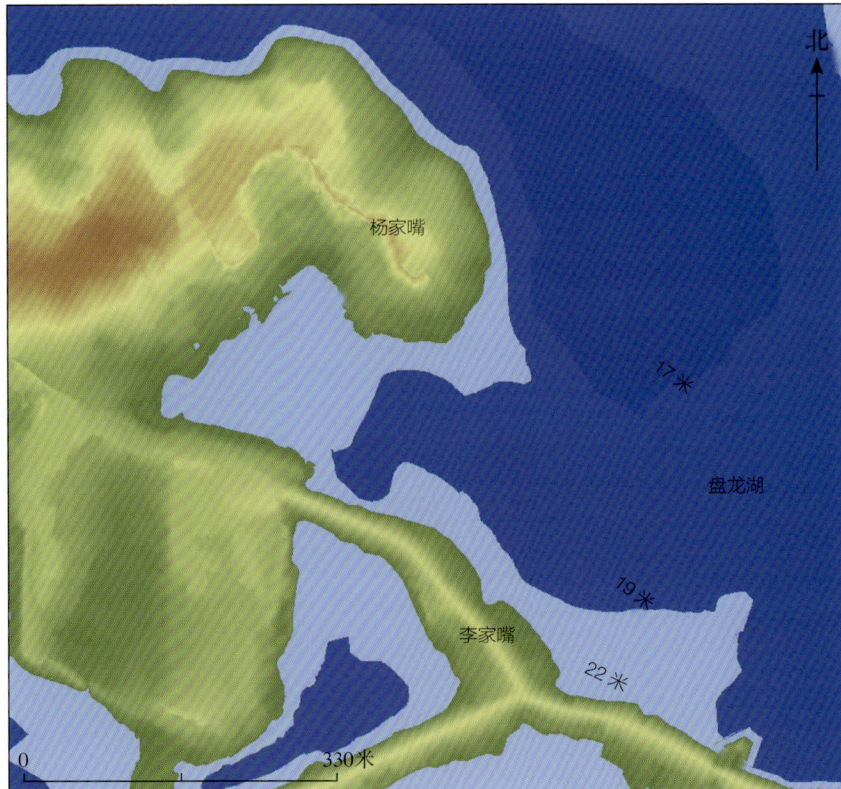

图 3.13　杨家嘴东部湖盆等深线图

北

杨家嘴

17米

盘龙湖

19米

李家嘴

22米

0　　　　　330米

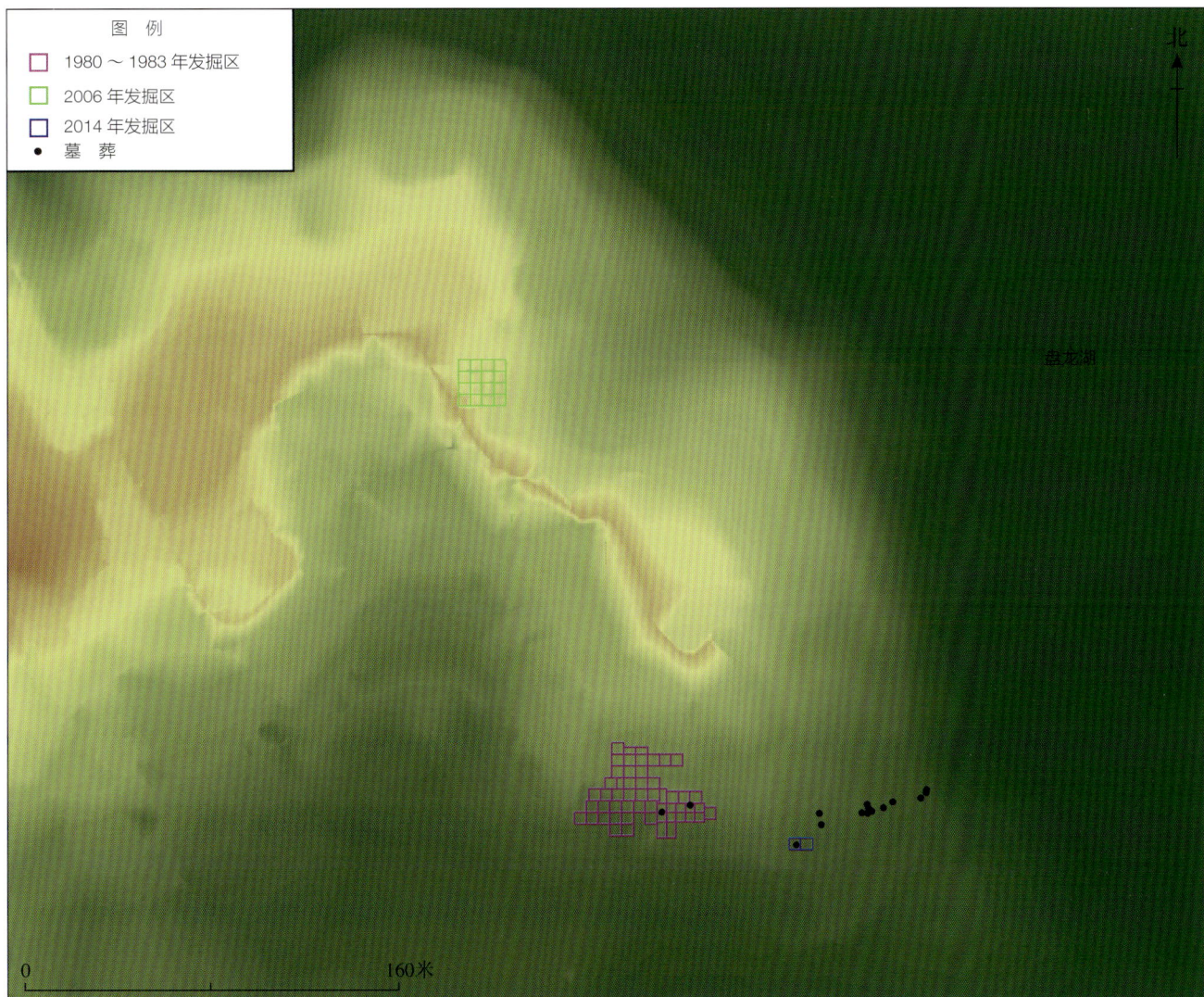

图 3.14　杨家嘴历年考古发掘区

前杨家嘴发现的等级最高的墓葬，其等级稍次于盘龙城李家嘴M1、M2[①]。而M2～M10以及M12～M14在空间距离上较为邻近，位于墓地的东侧，从墓葬规模和随葬品来看，应属于等级较低的墓葬。

　　除上述已发掘的遗迹外，2019年，武汉大学历史学院在对杨家嘴进行地面调查时，在杨家嘴东南角发现一处陶片分布异常密集的区域，面积约250平方米，地表陶片密度可达20片/平方米以上，从陶片的形制特征判断，其年代均为二里冈文化时期。在密集的陶片层中间断分布有直径30～40厘米、平面近似方形的石块，疑似"柱础石"。考虑到该区域可能分布有某种规模较大的遗迹，调查人员在此布设了10米×10米的探方2个，5米×10米的探

---

① 武汉大学历史学院、湖北省文物考古研究所、盘龙城遗址博物馆筹建处：《2014年盘龙城杨家嘴遗址M26、H14发掘简报》，《江汉考古》2016年第2期。

方1个，将地表陶片按探方全部采集后进行刮面，确认该区域出现的大型石块的年代及性质（图3.16）。

通过刮面调查人员在密集的陶片层以下发现了四处柱坑，这批柱坑打破商时期文化层，其中3个柱坑内可见柱础石，一个柱坑内填有较纯净的黄土。柱坑内出土的细碎陶片也均系商文化时期的陶片，由此确认此前发现的大型石块确系商时期的柱础石（图3.17）。值得注意的是，其中3个柱洞基本呈直线排列，间距1.2～1.4米，柱坑直径50～68厘米，深22～25厘米。在这三个柱洞的北侧0.9米处，分布有一条长9.5米，宽1.1米的纯净黄土带，黄土带打破黑褐色文化层。尽管本次调查工作未能对上述遗迹进行全面的发掘，但有两点信息可以确认：①本次调查在杨家嘴东南角发现的大型石块确属商文化时期的柱础石，通过柱坑的直径推测该区域可能存在规模较大的建筑类遗迹；②柱坑附近的黄土带内填土为十分纯净的黄色黏土，明显系人工有意识铺垫的某种遗迹，其性质和功能暂不明确，但与常见的建筑基址明显不同，考虑到该遗迹南侧约25米处即分布有墓葬，推测本次发现的黄土带及柱坑性质可能较为特殊，并非一般意义上的建筑基址。

（2）遗存分布范围

杨家嘴岗地的考古发掘、勘探和地面调查资料表明，该区域商时期文化堆积主要分布于岗地南坡。如前所述，杨家嘴南坡地势向北内凹，形成了一处微型谷地，地势相对低平和缓，商时期的文化堆积则从坡顶沿谷地展布，一直延伸至湖水淹没区。考古发掘表明，在杨家嘴东南角和坡顶部均有集中分布的墓葬，且两处墓葬分布区都发现有与之相对应的建筑基址，表明该区域内墓葬与居址的联系较为密切。考古勘探资料表明，杨家嘴南坡分布有连续成片的文化堆积，与杨家湾南坡较为相似。就自然地理条件而言，杨家湾—杨家嘴岗地的南坡背风向阳，且在商文化时期盘龙湖水位大幅低于当前，因此南坡洪水危险亦较低，自然成

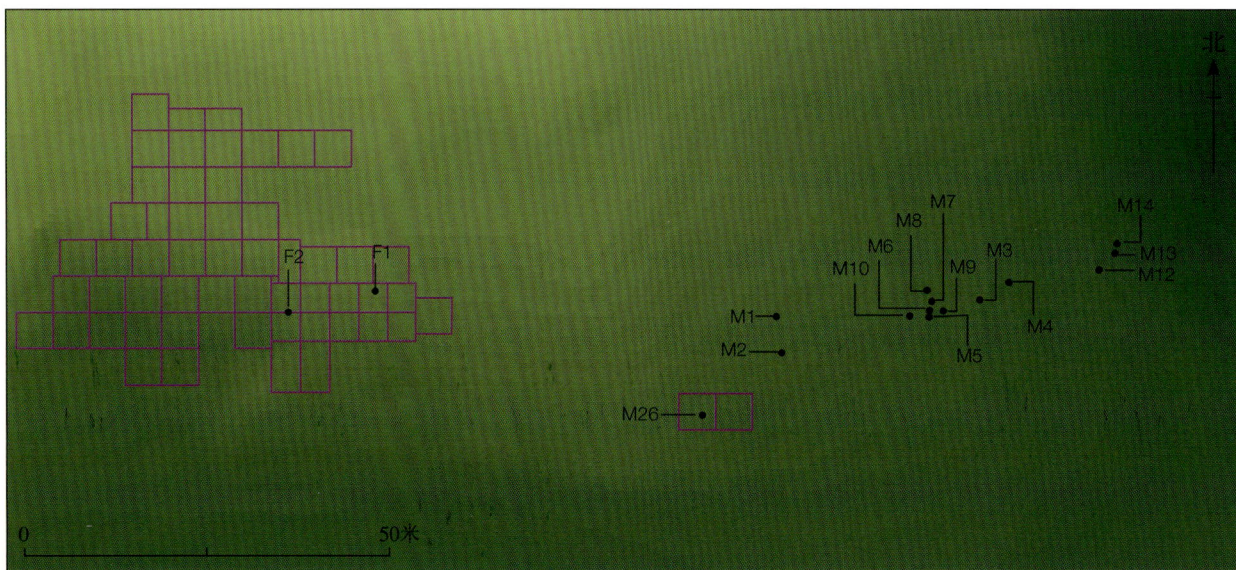

图 3.15　杨家嘴主要遗迹分布图

图 3.16　杨家嘴发现疑似建筑遗迹

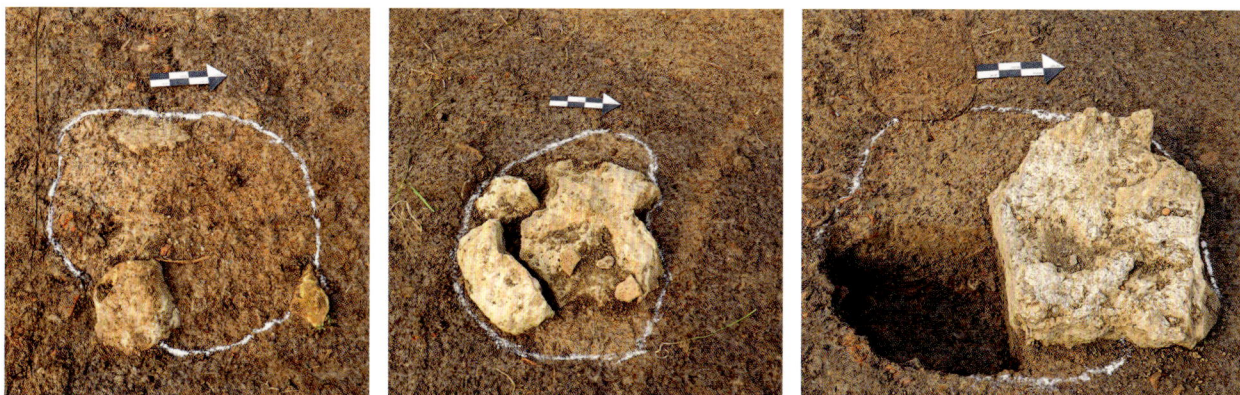

图 3.17　杨家嘴发现柱坑遗迹

为了人类活动的理想场所。而杨家嘴北坡地势相对高耸，坡度达6°，明显高于南坡，该区域基本不见文化堆积分布，仅在北坡临湖地带发现有零星的遗存分布。

就文化堆积的密度而言，杨家嘴岗地南坡与北坡差异十分明显，这与杨家湾岗地南北两侧均分布有密集的文化层的现象不同。

近年来在盘龙城湖中开展了考古勘探工作，在杨家嘴东南角以南和李家嘴以北的的湖区中发现了商时期文化层，由此文化层底部的海拔推知，盘龙湖在商文化时期的最高水位应不高于17.5米。

而在上述水位条件下，杨家嘴与李家嘴之间的水域将消失殆尽，呈现出一片低平的陆地，由此可知，在商时期杨家嘴岗地向东南部平坦陆地一直延伸至李家嘴北侧，将两处岗地连接成一个整体。

三、李家嘴

1. 地貌

李家嘴是位于盘龙城宫城区以东的一处南北向岗地，当前李家嘴岗地东西宽约153米，南北长约257米，海拔19.8～27.9米。由于李家嘴地处府河与盘龙湖交接地带，是当地防汛工程的重点区域，20世纪70～80年代的防汛筑堤工程对李家嘴岗地的原始地貌造成了明显的影响。首先，1974年，当地政府修建的府河大堤横穿李家嘴南侧而过，使得李家嘴南部成为了府河的季节性河床，汛期被河水淹没（图3.18，3），枯水期显露地表（图3.18，2）。此外，李家嘴北侧与城垣东北角之间原本为两处岗地之间的自然洼地，汛期府河水极易由此洼地倒灌盘龙湖。1985年前后，当地村民多次从李家嘴岗地南坡取土，在李家嘴与城垣东北角之间修筑起了一道长约110米，宽约35米的小型防洪围堤。

上述取土筑堤活动直接改变了李家嘴岗地的原始地貌，第一，由于府河大堤的修筑，使得李家嘴南段成为府河河床，李家嘴由一处南北走向的狭长型天然岗地变为一处近似三角形的不规则岗地。第二，取土活动造成了李家嘴中段南坡与北坡地貌迥异。岗地中段南坡被取土破坏殆尽，仅存坡顶区域，1976年发掘的李家嘴墓葬M1～M4即分布于坡顶区域，南坡坡顶以下即为陡直的坎地直至湖面。而北坡受取土破坏较小，基本保留了从坡顶延展至盘龙湖湖面的自然缓坡形态，1985年曾在李家嘴岗地中段北坡发掘了30余座灰坑。第三，因府河大堤与李家嘴北部防洪围堤的修筑，使得李家嘴与东城垣之间出现了一处小型水域（图3.18，2、3），该区域原本为岗间洼地，由于人工堤防的困束，才积水成湖，造成了东城垣与李家嘴隔湖相望的景观。研究表明，商文化时期府河与盘龙湖水位上限约17.5米左右，在此水位条件下，东城垣与李家嘴岗地之间应为低平的陆地，并无水域分布。

除现代取土筑堤活动以外，府河与盘龙湖水位的上涨也是造成李家嘴地貌变迁的一个重要因素。当前李家嘴岗地北坡直抵盘龙湖，湖水季节性涨落对北坡地表造成了明显地侵蚀，每年枯水季李家嘴岗地北坡暴露出大片网纹红土（图3.19）和商文化时期的遗迹遗物，足见湖水涨落对原生堆积的破坏。此外，在李家嘴岗地东北部向盘龙湖湖心延伸出一角，该区域地表基本不见网纹红土，而是多见砂砾和石块，与杨家湾北坡临湖地点地表分布的石块及砂砾十分相似，分布面积约1200平方米（图3.20）。

此外，在府河大堤修筑之前，李家嘴南坡直接濒临府河，府河水位涨落亦直接影响着李家嘴南坡的地貌形态。借助GIS软件，可以呈现出不同的水位条件下李家嘴岗地的地貌形态的差异，在此选择三个典型的水位高程值17.5米、19.5米、22.6米，分别代表了商文化时期、当代枯水期、当代汛期盘龙湖的水位状况，而李家嘴岗地的陆地面积亦明显不同。

1. 1963 年 6 月 3 日 CORONA 卫星影像

2. 2006 年 12 月 17 日 Google Earth 影像

3. 2012 年 7 月 25 日 Google Earth 影像

图 3.18　李家嘴及周边区域地貌变迁

图 3.19　李家嘴北坡地表网纹红土
（自西向东拍摄）

2. 遗存的分布

（1）已发掘的遗存

1974年，盘龙城考古工作站配合府河大堤修筑工程在李家嘴南坡中段接近坡顶部的区域先后清理了4座高等级贵族墓葬，编号为M1～M4（图3.21）。

1985年，盘龙城考古工作站为配合加固李家嘴围堤工程，在李家嘴北坡清理了30座灰坑。

20世纪80年代，盘龙城考古工作站曾在李家嘴M1～M4附近发现了1座残墓，遂将该墓

图 3.20　李家嘴东北角地表砂砾与石块
（自南向北拍摄）

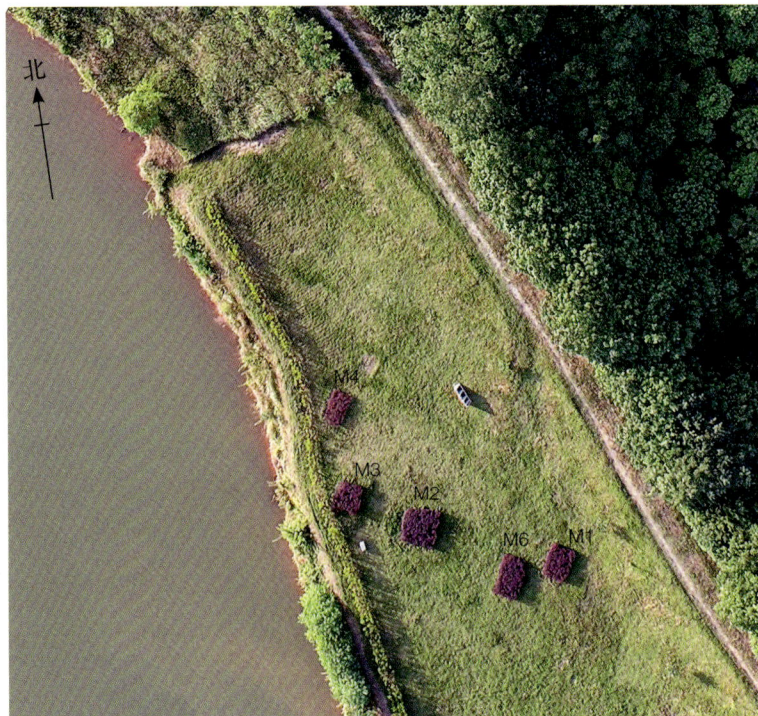

图 3.21　李家嘴墓葬分布图

葬编号为M5。墓葬遭严重破坏，随葬品多已散失，仅见残玉戈2件[①]。

　　2015年，武汉市文物考古研究为配合盘龙城遗址公园的修建，对李家嘴岗地进行了全面地勘探，在早年发掘的李家嘴M1与M2之间区域，新发现一座商文化时期墓葬。随即在该区域布设探方进行考古发掘。发掘表明该墓开口南北长3.7米，东西宽2.7米。东距李家嘴M1约1.6米、西距李家嘴M2约7米。该墓曾遭受严重破坏，墓内仅出土有青铜残渣、陶片、玻璃碎片等，将该墓葬编号为李家嘴M6[②]。除M6以外，此次发掘工作还在M6北部局部揭露出了商文化时期的建筑基址1座，编号为F1[③]（图3.22）。

（2）遗存的分布范围

　　除上述考古发掘工作以外，2015年武汉市文物考古研究所曾对李家嘴岗地进行了勘探，2019年武汉大学历史学院又对李家嘴岗地进行了全面的考古调查。结合考古发掘、勘探与调

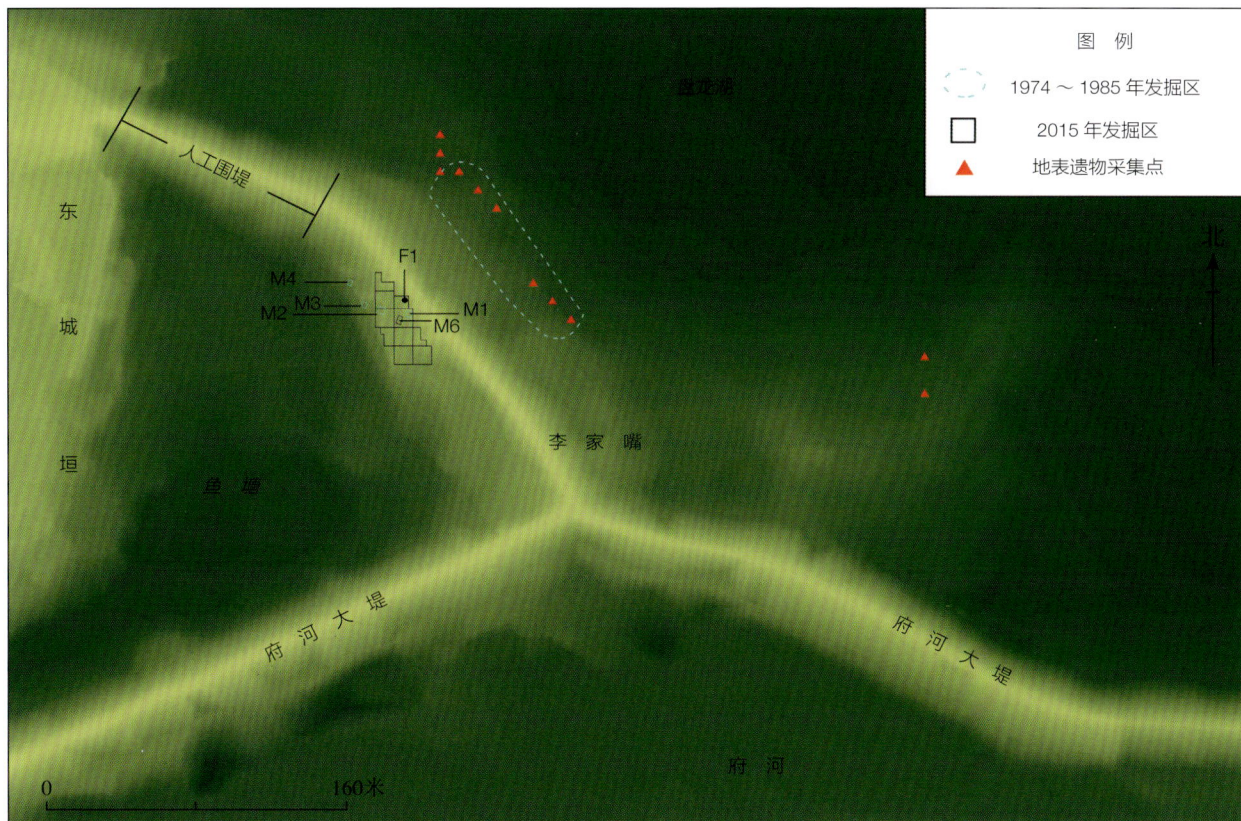

图3.22　李家嘴主要遗迹分布图

---

① 湖北省文物考古研究所、湖北省博物馆、武汉大学历史学院、盘龙城遗址博物院：《武汉市盘龙城遗址出土玉戈》，《江汉考古》2018年第5期。

② 实际上，由于20世纪80年代清理的李家嘴M5的准确位置难以确定。M5与M6又都与李家嘴M1～M4相距不远，因此M5与2015年发掘的李家嘴M6是否为同一墓葬，目前已无法确定。

③ 武汉市文物考古研究所、盘龙城遗址博物院：《盘龙城遗址宫城区2014至2016年考古勘探简报》，《江汉考古》2017年第3期。

查多方面的资料，我们可以对李家嘴岗地遗存分布情况形成较为全面的认识。

以李家嘴岗地中脊和府河大堤为界，我们可以将李家嘴分为三块区域：岗地北坡、岗地南坡和府河大堤以南区域。以下依次对这三块区域的遗存分布情况进行介绍。

岗地北坡位于盘龙湖西南岸，是李家嘴岗地遗存分布最为密集的区域。1985年，考古单位曾在此清理了30余座灰坑。2019年1月，考古人员趁盘龙湖枯水期对李家嘴岗地进行考古调查时，在北坡临湖滩地发现大量散布地表的陶片（图3.23）。地表陶片的分布形态呈现出了一定的规律性，陶片均沿湖岸呈带状分布，陶片分布带位于湖岸线以西宽约15～20米的区域，南北延伸150米，地表海拔20～21米。陶片的器类包括鬲、罐、豆、尊、盆、簋、爵、斝、缸、印纹硬陶等，均为商文化时期陶片，基本不见其他文化时期陶片或瓷片。且地表可见部分陶缸或其他陶器直接残存于原生堆积之中，与发生位移后形成的二次堆积明显不同。

1. 自东向西拍摄

2. 自西向东拍摄

图 3.23　李家嘴岗地北坡临湖滩地

此外，在该陶片分布带中还间断分布有圆形或椭圆形灰坑。这些灰坑开口均遭湖水侵蚀破坏，打破生土。此次调查，共在李家嘴北坡临湖地带发现有7座灰坑，这批灰坑与1985年李家嘴清理的30余座灰坑分布于同一区域，可能具有相同的性质和功能。综合上述现象判断，李家嘴北坡临湖区域分布的大量陶片，应为该区域原生堆积遭受湖水侵蚀后所形成，并非由其他区域搬运至此所形成的二次堆积（图3.24）。

岗地南坡接近坡顶的区域，曾先后发掘过6座商文化时期的墓葬，从墓葬规模和出土随葬品判断，该区域应为盘龙城聚落的高等级墓葬分布区。此外，岗地南坡基本未发现其他类别的遗存，与岗地北坡存在大量灰坑形成显著差异。造成差异的原因可能有两方面：一方面，李家嘴南坡直接与东城垣相连，该区域很可能被规划为专门的高等级墓葬分布区，因此基本无居址类遗存出现。实际上，李家嘴北坡分布的大量灰坑均直接打破生土，勘探和调查均未见文化层。且部分灰坑坑口及坑壁形状规整，最深的灰坑深度可达4.4米，此类灰坑与盘龙城遗址常见的形状不规则、深度较浅的普通灰坑明显不同。正因如此，《盘龙城（1963~1994）》考古报告中将李家嘴灰坑的性质推测为"祭祀坑"。虽然，我们目前难以确定李家嘴灰坑的具体性质，但从李家嘴南坡墓葬和北坡灰坑的分布情况而言，李家嘴岗地很有可能作为盘龙城聚落中的某种特殊的功能区存在，并非普通居址区。另一方面，如前所述，李家嘴南坡坡顶以下即为陡坎，其缓坡地带被晚期取土活动破坏殆尽。从北坡遗存分布形态可知，海拔20~21米的缓坡地带正是灰坑密集分布区，李家嘴南坡若有类似的遗存分布，很有可能在20世纪70年代的取土活动中被破坏殆尽。

府河大堤以南区域原本属李家嘴岗地的南段，但在20世纪70年代的筑堤工程中该区域成为天然取土场，地表因取土变得支离破碎，大堤筑成后府河水倾泄至此，该区域沦为了府河河床。2019年，武汉大学历史学院曾对府河大堤以南的李家嘴岗地南段进行了考古调查，未发现任何商文化时期遗存。据调查，20世纪70年代筑堤工程也并未在李家嘴岗地发现任何古代遗存。综合以上现象推测，位于府河大堤以南的李家嘴岗地南段应属于盘龙城遗址的边界地带，基本无遗存分布。

图 3.24 李家嘴岗地北坡地表散布的陶片

四、王家嘴

1. 地貌

王家嘴岗地是盘龙城遗址最南端的一处天然岗地，王家嘴北端与盘龙城城垣东南角相连，南部延伸至府河北岸，整体地势由岗地中脊向东西两侧缓缓降低，形似龟背状。王家嘴南北长约235米，东西宽约120米，海拔19~24.5米。王家嘴属府河北岸低平的陆地中隆起的一处低岗，高出周围地面3~4米，既临近水源又能有效规避水患，成为早期聚落选址的理想地点。

然而，由于近百年以来府河水位显著抬升，导致王家嘴岗地成为了直接遭受府河洪水侵袭的地带。1974年，当地政府修筑的府河大堤横穿王家嘴岗地中部，堤顶海拔29~30米，将府河洪水有效拦截于大堤以南区域。同时，也使得王家嘴南部成为了府河河床，季节性显露地表，这一地貌变迁过程与李家嘴岗地具有相似性。

具体而言，府河大堤的修筑对王家嘴岗地原始地貌的改变主要有两个方面，一是，大堤使得王家嘴岗地被分割为南北两个区域，南区成为府河河床，汛期被河水淹没，枯水期显露地表。北区濒临破口湖（因府河大堤修筑而形成的小型湖泊），因湖水的阻隔形成了小嘴、王家嘴、李家嘴隔水相望的景观。二是，修筑府河大堤时曾于王家嘴岗地及周边区域大量取土，在王家嘴岗地东西两侧形成了若干取土坑，使得王家嘴周边地形更加破碎，陆地面积缩减，水域面积扩张（图3.25）。

通过分析1974年遥感影像和地图我们可以对王家嘴岗地的原始地貌进行一定程度的复原。第一，从盘龙城遗址的整体地貌特征而言，遗址核心区分布有多条南北向狭长型岗地，例如艾家嘴、小嘴、李家嘴等。实际上，盘龙城东城垣与西城垣亦分布于两条天然岗地之上，而王家嘴岗地应属东城垣所在岗地向南自然延伸的一部分。因此，就地貌特征而言，王家嘴与东城垣所在岗地之间并无明显的界线，南城垣的出现才使得王家嘴与东城垣被分割成为两个区域。第二，当今王家嘴南区（府河大堤以南）汛期完全被河水淹没，枯水期显露地表。而研究表明，商文化时期府河水位应不高于17.5米，在此水位条件下，王家嘴岗地周边分布着大片平坦的陆地，府河道则位于岗地以南约100米处，自西向东汇入长江。简言之，商文化时期王家嘴一带陆地空间广阔，邻近水源，交通便利，且洪水威胁较小。第三，当今王家嘴北区（府河大堤以北）东西两侧分别与李家嘴和小嘴隔湖相望，若湖水低至17.5米，则小嘴、王家嘴、李家嘴三处岗地之间将可通过陆地直接连通，不再受湖水阻隔。

2. 遗存的分布

（1）已发掘的遗存

王家嘴岗地的考古发掘工作主要为20世纪70~80年代配合府河大堤的修建而开展的，随后又零星发掘了几座墓葬（图3.26）。

1979~1985年，为配合府河大堤筑堤工程，盘龙城考古工作站在王家嘴岗地的北区和南区分别展开了考古发掘工作，累计布方87个，发掘面积3095平方米，共清理了1座墓葬、3处

1. 王家嘴北区（上为北）

2. 王家嘴南区（上为南）

图 3.25　王家嘴岗地航拍图

建筑遗迹、3座窑址、10座灰坑[1]。

2001年，在加固防洪堤工程过程中，施工部门在王家嘴以南60米处的一处名为栗子包的土丘上发现若干青铜器。盘龙城遗址博物院随即对现场进行清理，发现一座商文化时期墓葬，后将该墓编号为M2[2]。

2014年，武汉市文物考古研究所在对盘龙城南城门一带进行考古勘探时，在王家嘴东北

①　《盘龙城（1963～1994）》，第78页。
②　盘龙城遗址博物馆：《盘龙城遗址博物馆征集的几件商代青铜器》，《武汉文博》2004年第3期。

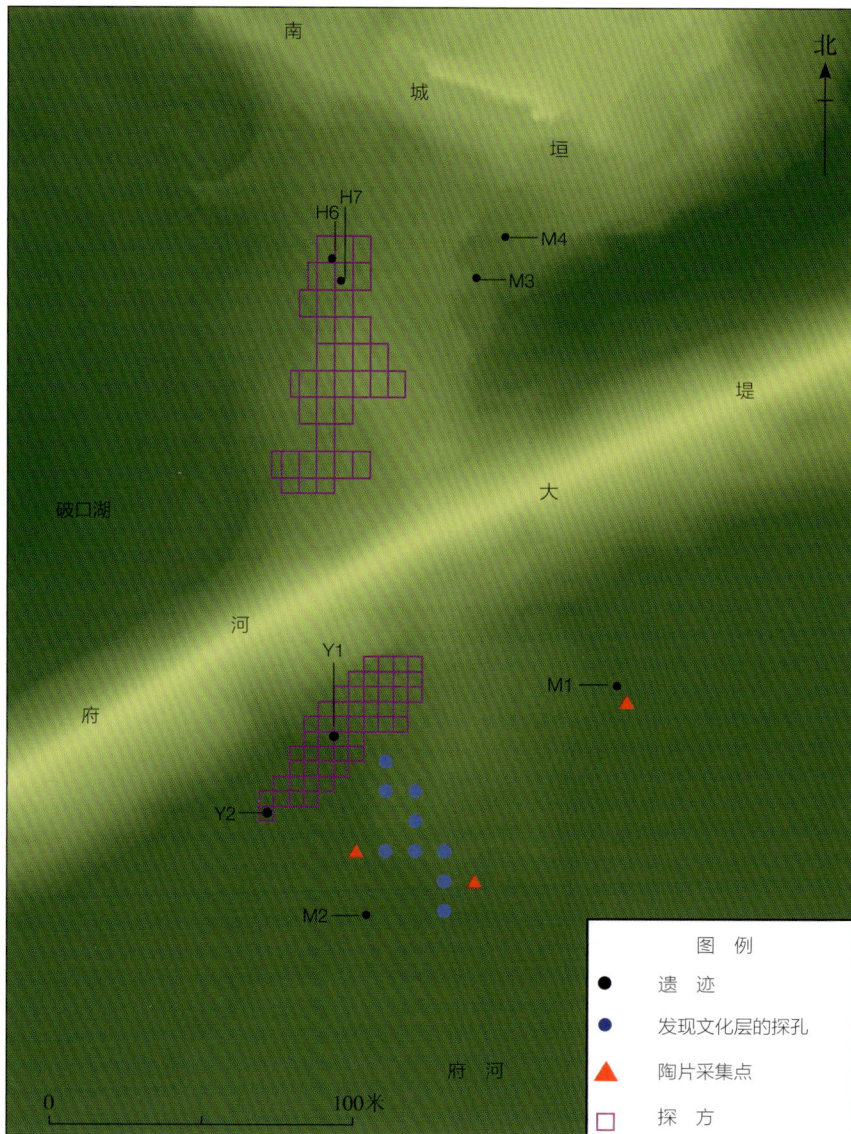

图 3.26　王家嘴遗迹分布图

部的水塘边发现1座墓葬，因冬季湖水回落随葬品已部分显露地表，随即对其进行了清理，将墓葬编号为M3，其海拔为21.6米[①]。

2018年，盘龙城遗址博物院工作人员在王家嘴岗地东北部湖岸边发现了1座商文化时期墓葬，并对其进行了抢救性发掘，编号为M4[②]。

（2）遗存的分布范围

为全面了解王家嘴岗地的遗存分布情况，2016～2019年武汉大学历史学院对王家嘴岗地展

---

① 武汉市文物考古研究所：《2014年盘龙城遗址部分考古工作主要收获》，《盘龙城与长江文明国际学术研讨会论文集》，科学出版社，2016年，第46～57页。
② 盘龙城遗址博物院、武汉大学历史学院：《武汉市盘龙城遗址王家嘴M4发掘简报》，《江汉考古》2018年第5期。

开了考古调查和勘探工作，王家嘴岗地中部被府河大堤占据的部分已无法开展考古工作，因此以下将分别对王家嘴北部和王家嘴南部（以府河大堤为南北分界）的遗存分布情况予以介绍。

王家嘴北部与盘龙城南城垣相连，东西两侧分别于李家嘴和小嘴隔湖相望，当代湖水受人工调蓄，水位维持在20.8～22.3米。湖水涨落对王家嘴北部地表造成了明显的侵蚀（图3.27，1）。每年枯水期，王家嘴北部西侧滩地地表可见密集的陶片分布（图3.27，2），陶片分布区呈不规则圆形，似出自于灰坑一类的遗迹。经过调查可知，当今王家嘴北部西侧滩地陶片分布区与1979～1985年王家嘴北区发掘区基本重合，显然王家嘴北部西侧为文化堆积集中分布的区域，自20世纪70年代以来，由于湖水的侵蚀，对地下遗存造成了明显的破坏。王家嘴北部东侧亦受湖水侵蚀，2014年和2018年，考古人员曾两次在王家嘴北部东侧临湖区域发现商文化时期墓葬，经过考古发掘，分别编号为王家嘴M3和M4。综上，王家嘴北部西侧分布有商文化时期建筑基址、窑址、灰坑等遗迹，东侧分布有同时期的墓葬，可见王家嘴

1. 湖水涨落对地表造成的侵蚀

2. 滩地地表散布陶片

图3.27　王家嘴北部西侧地表现状

北部应分布有较为密集的文化堆积，考虑到王家嘴曾发现有年代早至二里头文化晚期和二里岗文化下层时期的遗存，有学者指出王家嘴区域可能属于盘龙城早期聚落的中心，就目前已知的王家嘴北部遗存分布的密集程度而言，此分析有十分充足的事实依据。

王家嘴南部原本与北部同属一处天然岗地，1979年府河大堤修筑完成后，王家嘴南部沦为府河河床，仅在枯水季显露地表。1979～1985年王家嘴发掘区位于王家嘴西南侧，主要是围绕府河大堤的施工区域展开了考古发掘。此外，还在王家嘴东南侧和王家嘴南端发现了2座商时期墓葬，分别编号为M1、M2（图3.25）。由于王家嘴南区丰水期均被河水淹没，岗地表面亦无民居或农田分布，除1979～1985年曾在此开展过正式的考古发掘外，数十年间基本未对该区域开展全面的考古调查或勘探。

实际上，全面了解王家嘴南区考古遗存的分布情况具有十分重要的学术意义。第一，从遗存的年代而言，20世纪70年代的发掘表明王家嘴一带分布有盘龙城遗址第一至三期的遗存，研究表明该地点很有可能是盘龙城聚落早期阶段的中心区域，王家嘴岗地的地貌形态和遗存分布情况对于研究盘龙城聚落布局具有重要意义。第二，就地貌形态而言，盘龙城遗址自北部杨家湾岗地自北向南缓缓降低，直至府河北岸。王家嘴居盘龙城遗址最南端，亦是离府河最近的一处遗址点。由王家嘴岗地遗存（尤其是墓葬和建筑基址）分布的海拔可以估测出商文化时期府河水位的海拔值。此方面信息是分析盘龙城遗址水文环境和微地貌变迁的关键资料。

基于以上背景，2016～2019年，武汉大学历史学院等单位对王家嘴南部开展了考古调查和勘探，以全面了解该区域的遗存分布情况。调查表明王家嘴南部因时常被府河水淹没，地表普遍分布有淤泥层，洪水退去后肥沃的淤泥层上迅速生长出茂密的草本植物，因此即便是枯水期王家嘴南部地表能见度亦极低，难以在王家嘴南区地表采集到陶片等常见的古代遗物。本次调查仅在王家嘴岗地南端和东侧零星发现几片商文化时期的陶片，地表陶片的密度低于1片/100平方米。低密度的陶片一方面是由于地表植被茂密，且普遍覆盖有一层淤泥，难以直接发现古代陶片。另一方面，亦是因为王家嘴南区已基本处于盘龙城遗址的南界[①]，遗存零星分布并趋近消失属正常现象。

除调查地表遗存分布情况以外，调查人员还对王家嘴南区进行了全面的考古勘探。勘探方式以10米间距布置探孔，发现文化层后即以该点为中心采用2米、1米间距布设探孔，确定遗存范围。经过勘探，考古人员获在王家嘴南区岗地中脊线南部发现了成片分布的商时期文化堆积，分布范围约1200平方米。该区域在过去报道的考古资料中均未提及，属首次发现，且从探孔海拔测算，文化层最低可分布于距离地表2.4米的区域，文化层底部的海拔为18.8米，由于2.4米以下渗水十分严重，难以继续向下勘探，推测文化层还可能分布于更低的区域。

该区域地层堆积以王家嘴0901号探孔为例介绍如下：

第1层，青灰色淤泥，夹杂植物根茎及螺蛳壳，深0～0.9米，为河床淤泥。

第2层，灰褐色土，土质疏松，夹杂部分陶片及炭屑，深0.9～1.46米，为商时期文化层。

第3层，黑色土，土质疏松，夹杂大量的炭屑及烧土颗粒，深1.46～2.4米，为商时期文化层。

---

① 《盘龙城（1963～1994）》考古报告中以王家嘴作为盘龙城遗址的南界。2016～2019年考古人员曾对王家嘴南区及其所属的府河河滩进行了区域系统调查。除王家嘴外，其他地点均未发现任何商文化时期遗物。调查亦证实了王家嘴南区属于盘龙城遗址的南部边界。

第4层，2.4米以下出水无法继续钻探，但探孔泥土中仍可见炭屑，未到生土。

已有研究表明，商文化时期府河水位上限约为17.5米左右[1]，如此则不难理解商时期文化层分布于18.8米乃至更低的区域。而当今府河水位枯水期已至19米左右，汛期可猛增至29米（目前府河大堤顶部海拔为30米）。显然，当代府河水位显著高于商文化时期。

五、小嘴

1. 地貌

小嘴为杨家湾岗地向南自然延展出的一条南北向狭长型岗地，东、西、南三面被破口湖环绕，当地居民通常将小型临湖岗地成为"嘴"，小嘴即为盘龙城遗址中诸多临湖岗地中的一处。小嘴南北长约520米，岗地北部呈扇形展开，东西向最大宽度约140米，岗地向南逐渐收窄成长条状，南端东西向宽度缩减为90米。小嘴整体地势北高南低，岗地中部隆起一道"坡脊"，地势自坡脊线向东西两侧缓缓降低，直至破口湖水面，小嘴整体海拔为19.8～26.6米。

破口湖区域原本为艾家嘴、小嘴与西城垣三道低岗之间的洼地，20世纪70年代府河大堤修筑完成后，破口湖区域以南被大堤拦截，洼地地表水无法外泄，遂积水成湖。自此以后湖水经涵洞注入府河，湖水受人为调控，常年维持在19.8～22.3米。因府河大堤修筑后，破口湖段曾多次发生溃口，因此当地居民将这批水域命名为"破口湖"。湖水涨落对小嘴岗地临湖滩地（海拔19.8～22.3米的区域）造成了明显的侵蚀。丰水期小嘴岗地仅暴露出海拔22.3米以上的区域，枯水期岗地两侧低平的滩地显露地表。由于长期受湖水侵蚀，枯水期临湖区域地表可见大面积网纹红土（生土）以及直接打破生土的商文化时期灰坑及墓葬。枯水期小嘴临湖滩地暴露出的遗存产状如图所示，灰坑上部均受到了不同程度的侵蚀，局部区域陶片及石器分布十分密集（图3.28），这些散布地表的遗物是因原生堆积被湖水侵蚀冲刷殆尽后，造成了遗物直接散布地表的现象。

府河大堤的修筑对于小嘴一带的地貌环境有着直接的影响。由于府河大堤的拦截，导致艾家嘴、小嘴一带的岗间洼地地表水汇集难以外泄，积水成湖。通过分析和辨识早期地形图和遥感影像可知，破口湖一带原本为一片低平的洼地，属府河北岸的一片平地，汛期府河水可倾泄至此，枯水期河水退却，破口湖一带则还原为陆地。但府河大堤修筑后，该区域积水成湖，造成了小嘴岗地三面环湖的景观。自此艾家嘴、小嘴、西城垣隔湖相望，且高涨的湖水对小嘴、艾家嘴临湖滩地造成了明显的侵蚀，使得部分遗存遭到严重侵蚀，商文化时期的墓葬填土被湖水侵蚀，随葬品直接暴露于地表即为明证。

20世纪80年代当地群民在破口湖一带兴建鱼塘，开挖鱼塘、堆筑土埂等活动亦对小嘴周边地貌造成了明显的影响。1980年前后，当地村民利用小嘴岗地与西城垣之间的天然洼地开挖鱼塘，将这片洼地向下深挖1～2米，同时堆筑起三道东西向土埂，土埂宽度约1～2米，作为鱼塘的分界线和小型道路。自此，小嘴与西城垣之前原本呈狭长型的一条天然洼地被人为

① 邹秋实：《从水系看盘龙城遗址的环境变迁》，《江汉考古》2018年第5期。

1. 地表网纹红土

2. 地表散布陶片

图 3.28　小嘴岗地临湖滩地

切割成为四块小型鱼塘。为便于描述，本文中将这四块鱼塘自北向南编号为1～4号鱼塘。据当地村民称，开挖1号鱼塘时曾发现大量的灰褐色土和密集的陶片，甚至有青铜器出土，但当时并未能开展正式的考古发掘。考虑到1号鱼塘位于小嘴东北角与杨家湾南坡交界地带，杨家湾南坡分布有厚度达2米以上的商文化时期堆积，小嘴东北部也分布有厚度1米左右的文化层，因此推测1号鱼塘区域很有可能分布有大量的文化堆积。

　　修筑府河大堤和开挖鱼塘直接改变了破口湖区域的水位，成为了影响了小嘴岗地的原始地貌的主要因素。此外，小嘴岗地地表无现代村庄分布，地表以耕地为主，农田改造及种植活动对地貌的改变程度较小。小嘴2015～2017年的发掘表明，地表耕土层厚约0.2～0.3米，耕土层以下即为商文化时期遗迹，且从遗迹的产状观察其原始形态保存相对完好，基本未受晚期农田改造等活动的破坏。上述现象表明，当今小嘴岗地地表形态与商文化时期并无显著差异，而湖水涨落则是影响小嘴地貌的最主要因素（图3.29）。

1. 2016 年 8 月 28 日航拍照片

2. 2017 年 3 月 5 日航拍照片

图 3.29　艾家嘴、小嘴与西城垣干湿季节地貌对比图

2. 遗存分布

（1）已发掘的遗迹

2002年，盘龙城遗址博物馆考古人员在小嘴岗地中段东侧临湖滩地发掘了2座墓葬，这2座墓葬因常年受湖水长期侵蚀，墓内随葬品露出地表，遂被考古人员发现。墓葬的年代分别为宋代和商文化时期，其中宋代墓葬打破商文化时期墓葬，宋代墓葬编号为小嘴M1，商文化时期墓葬编号为小嘴M2[①]。

2013年，盘龙城遗址博物院考古人员在对小嘴岗地进行巡查时，在小嘴岗地中段东侧临

---

① 墓葬发掘资料尚未公布，墓葬发现及发掘经过由盘龙城遗址博物院韩用祥研究员提供。

湖滩地首次发现了石范等铸造类遗物，并在附近区域发现4座灰坑[1]。同年，武汉大学历史学院考古人员利用枯水时节对小嘴岗地进行实地踏查，在小嘴东侧河滩发现了大量散布于地表的陶片，遂对陶片分布区域的三维坐标进行测量后采集了陶片、石器等遗物。

2015年，武汉大学历史学院在对小嘴进行全面勘探的基础上，选择堆积保存相对较好的小嘴东北部开展考古发掘工作。至2017年共计在小嘴岗地东北部发掘1190.3平方米，发现有大量铸造类遗存，确认了盘龙城遗址在二里冈文化时期存在青铜铸造活动[2]。同时，由于小嘴岗地中段东侧临湖滩地暴露出大量散布地表的陶片和直接打破生土的灰坑，考古人员还在该区域布设了5米×5米探方14个，对地表分布的大量遗物进行了采集，同时选择一处典型的灰坑遗迹进行了发掘，以确定这批遗存的年代和性质。此外，2017年3月，武汉大学历史学院还利用枯水时节在破口湖湖底布设了2条2米×10米的探沟，在探沟底部发现有商时期文化层，基本确定了商文化时期破口湖区域的水位上限[3]。

（2）遗存的分布范围

如前所述，破口湖湖水涨落直接影响着小嘴岗地地貌，而商文化时期破口湖水位应大幅低于当代水位。近年的考古调查和发掘工作表明，小嘴岗地商文化时期的遗存不仅分布于岗地之上，还延伸至当代破口湖水面以下的区域。因此，以下将分别对小嘴岗地和破口湖水下区域的遗存分布情况进行介绍，以求初步复原商文化时期小嘴区域的地貌环境和人类活动范围。

2015年，考古人员对小嘴岗地开展了系统性的考古勘探，首次探明了小嘴岗地遗存的分布范围，随后对小嘴岗地东北部开展了考古发掘。2016～2019年，考古人员又利用枯水时节，对小嘴岗地进行了全面的考古调查和局部试掘。结合考古发掘、勘探与地面调查三方面的资料，可以对小嘴岗地的遗存分布情况形成一个相对完整的认识。

2015年，武汉大学历史学院对小嘴岗地进行了系统性的考古勘探，探孔间距10米，其目的在于初步了解小嘴岗地遗存的保存状况和分布范围。由于探孔间距较大，此次勘探并未发现具体的遗迹，但通过探孔分布图可以清晰的显示出小嘴岗地北部与杨家湾、楼子湾相接的区域文化堆积分布较为密集，同时在岗地西南侧亦分布有文化堆积，堆积厚度0.3～1米，堆积以黑灰色填土为主，依据小嘴考古发掘情况推测上述区域可能分布有灰沟、灰坑等类别的遗迹，岗地顶部几乎不见遗存分布（图3.30）。

由于小嘴岗地边缘的临湖地带亦属遗存分布区，但该区域地下水位较高，无法开展考古勘探，相较而言，采用地面调查的方式记录遗存的分布情况成为了更为有效的方式。2017～2019年，武汉大学历史学院利用枯水时节，在小嘴岗地开展了两次地面调查。2017年3月，破口湖水位降至20.1米左右，小嘴岗地东侧河滩上保留出大量灰坑沿岗地边缘呈条状分布，局部可见密集的陶片、石器。为准确记录遗存的出土地点，考古人员按照盘龙城遗

① 韩用祥、余才山、梅笛：《盘龙城遗址首次发现铸造遗物及遗迹》，《江汉考古》2016年第2期。
② 武汉大学历史学院、湖北省文物考古研究所、盘龙城遗址博物院：《武汉市盘龙城遗址小嘴2015～2017年发掘简报》，《考古》2019年第6期。
③ 武汉大学历史学院、湖北省文物考古研究所、盘龙城遗址博物院、中国科学院南京地理与湖泊研究所、武汉大学遥感信息工程学院：《武汉市盘龙城遗址水下勘探及试掘简报》，《江汉考古》2018年第5期。

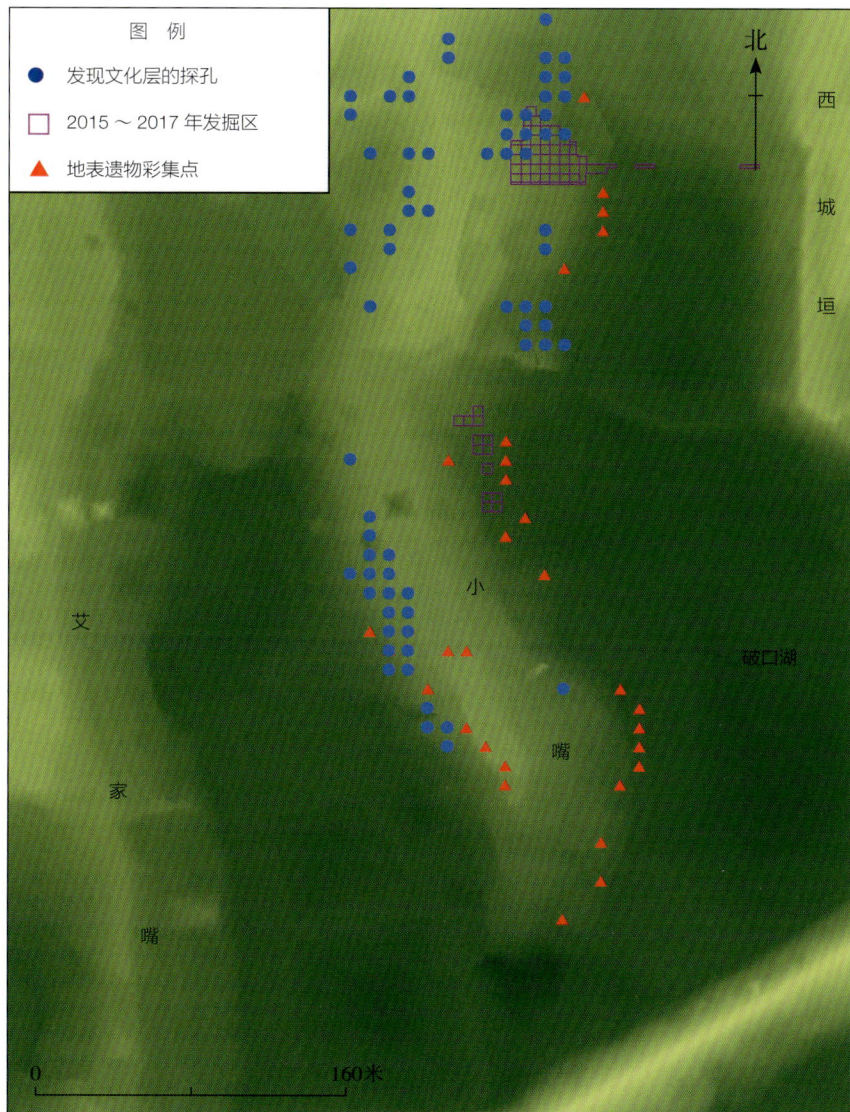

图3.30 小嘴岗地遗迹与文化堆积分布图

址整体分区在小嘴东侧遗存密集分布区布设了14个5米×5米探方，按探方采集地表遗物，同时铲刮地表，初步确定遗迹的形态和分布范围。调查工作表明，小嘴岗地东侧河滩海拔20.1～22米的区域分布有多处文化堆积，这批遗迹丰水期均被湖水淹没，仅在枯水期显露地表，因此遗迹上部均遭到了湖水的侵蚀，遗迹的形态不甚规则，填土均呈黑灰色，夹杂有较多商文化时期陶片。为了解这批灰坑的性质和年代，考古人员选择其中的1座灰坑进行了试掘，根据小嘴遗迹的编号体系，将这座灰坑编号为H59（图3.31）。

H59上部填土已被湖水侵蚀，直接开口于地表，打破生土。H59南北最大径约4.1米，东西最大径约4.26米，深1.4米。考古人员选择对灰坑西南部的四分之一进行了试掘，以了解灰坑的基本结构和坑内包含物的年代。试掘工作表明，H59为斜壁圜底，坑内填土分3层。第1层为黑褐色填土，厚约0.7米，土质疏松，包含有密集的陶片，包括鬲、罐、豆、盆、缸、大口尊等器类，并夹杂有少量红烧土块。第2层为黄褐色填土，厚约0.5米，较第1层填土而

101

图 3.31　小嘴岗地东侧遗迹分布

言，土质相对致密纯净，填土中陶片数量明显减少，基本不见红烧土块。第3层为灰褐色填土，厚约0.2米，土质致密，黏性较强。基本不见陶片等包含物出土。

2019年1月，破口湖水位降至19.2米左右，考古人员在此对小嘴岗地边缘的临湖区域进行了地面调查。因此次水位较2017年3月调查时更低，地表暴露出了此前调查未能发现的遗迹。此次发现的遗迹分布在海拔19.2～20.1米的区域。遗迹的形态基本为近似圆形的灰坑，坑内填土呈灰褐色，填土中包含有较多陶片。此次发现的遗迹与2017年调查所见遗迹相似。除小嘴岗地东侧外，本次调查还在小嘴岗地西侧边缘发现了条状分布的黑灰土层，形似灰沟。

考古勘探与调查均表明小嘴岗地边缘的临湖地带分布有大量商文化时期的遗存，这些遗存因受湖水侵蚀，枯水期直接显露地表，易被发现。值得注意的是，地势相对较高的岗地顶部及附近区域在多次的勘探调查工作中均未发现遗迹分布。实际上，这是由于小嘴岗地的顶部及附近区域因未受湖水侵蚀，地表常年被茂密的植被覆盖，地表能见度低，难以直接发现遗迹遗物。而此前开展的考古勘探工作探孔间距为10米，对于分布相对稀疏的小型遗迹，10米孔距的勘探工作易造成疏漏，误以为该区域无遗迹分布。在2019年的调查工作中，考古人员通过铲刮陡坎断面，发现小嘴岗地顶部及附近区域（海拔22～26.6米）亦分布有商时期的文化堆积，但较之于岗地边缘的临湖区域（海拔19.8～22米）遗迹分布较为稀疏。

如前所述，小嘴岗地商文化时期的遗存不仅分布于岗地所在的陆地区域，还可延伸至当代破口湖水面以下的地带。2017年3月，考古人员在破口湖湖底布设了2条探沟，探沟发掘表明，湖底淤泥层以下分布有厚约0.9米的商时期文化层，文化层底部海拔为18.05米[1]。破口

---

[1]　武汉大学历史学院、湖北省文物考古研究所、盘龙城遗址博物院、中国科学院南京地理与湖泊研究所、武汉大学遥感信息工程学院：《武汉市盘龙城遗址水下勘探及试掘简报》，《江汉考古》2018年第5期。

湖探沟内分布的文化层表明，商文化时期破口湖区域应为一片低平的岗间洼地，地表水位应不高于18.05米，在此水文条件下，小嘴铸铜作坊区与西城门之间则可以通过陆地通行，而无湖水阻隔。

六、其他地点

1. 艾家嘴

（1）地貌

艾家嘴是位于小嘴西侧的一处狭长型岗地，其北部与江家湾、楼子湾相连，南抵府河北岸，府河大堤横穿艾家嘴南端而过。艾家嘴地势北高南低，岗地南北长约700米，东西宽约150～170米，整体地势北高南低，海拔20.2～26.3米。岗地中部隆起一道坡脊，地势由坡脊线向东西两侧缓缓降低。与小嘴岗地类似，艾家嘴东、西两侧被湖水环绕，东侧为破口湖，西侧为滩湖。实际上，在府河大堤北岸分布着滩湖、破口湖等13个小型湖泊，这些湖泊均属于"西湖"的子湖，正常水位时，这些湖泊独立成湖，汛期湖水上涨，西湖的子湖则连成一体，统称为西湖，因此府河大堤又曾被当地居民称为"西湖堤"。20世纪90年代以来，随着盘龙城区域堤防系统不断加高加固，破口湖、滩湖、汤仁海等湖泊不再出现汛期湖水外溢，连成一体的景象。而是在府河大堤北岸的低岗之间出现了13处小型的湖泊（图3.32）。

艾家嘴与小嘴均为南北向狭长型岗地，且分列于破口湖东西两侧，因此艾家嘴岗地的地貌特征与小嘴岗地存在诸多相似之处。如前所述，湖水涨落对岗地的地貌形态造成了明显的影响。一方面，岗地边缘的临湖地带（海拔19.8～22.3米）丰水期被湖水淹没，枯水期显露地表，由于常年被湖水淹没，地表基本无植被覆盖，大面积暴露出网纹红土（生土），局部可见商文化时期遗物显露。与之相处鲜明对比的是，岗地顶部及附近区域（海拔22.3～26.3米）原本

1. 1974 年 U-2 侦察机拍摄影像　　2. 2006 年 Google Earth 影像

图 3.32　艾家嘴岗地地貌变迁

为农田分布区，自当地村民搬迁后，十余年以来地表被茂密的野生植被所覆盖，荆棘丛生，树木高度可达5～8米，地表能见度极低，原本清晰可见的田块和小径均已不可辨识。

除湖水侵蚀以外，20世纪70年代以来当地兴建大堤、开挖鱼塘及修筑桥梁等活动亦对艾家嘴地貌造成了明显的改变。如图3.33，1所示，艾家嘴原本为一条南北长约920米的狭长型岗地，岗地南端延伸至府河北岸。1974年，府河大堤穿过艾家嘴南部，使得艾家嘴南部长约220米的区域位于大堤以南，沦为府河河床，艾家嘴岗地南北长度缩减为700米。2002～2003年，当地政府修建了横跨府河南北的盘龙大桥。大桥修筑工程曾于艾家嘴西南部取土筑基，取土活动造成艾家嘴西南部约3700平方米的区域被直接破坏，当前艾家嘴西南部有一处明显的内凹区域即为取土所致。20世纪80年代，当地村民曾在艾家嘴东南部临湖地带开挖了两处长方形鱼塘，面积共计约7200平方米（图3.32）。

上述人类活动导致艾家嘴岗地陆地面积缩减，地形变得较为破碎。

综上所述，商文化时期艾家嘴岗地的地貌形态当与目前所见存在一定程度的差异。首先，商文化时期府河及破口湖水位应不高于17.5米，换言之，当前分布于艾家嘴周边分布的破口湖、滩湖在商文化时期实为低平的陆地，水域面积十分有限。艾家嘴与小嘴岗地之间并无湖水阻隔。同时，商文化时期艾家嘴为一条自然延展的狭长岗地，其南段并未遭受人工取土破坏，陆地面积更为广大（图3.33）。

1. 自北向南拍摄

2. 自南向北拍摄

图3.33　艾家嘴东侧河滩枯水期景观

（2）考古遗存

艾家嘴岗地处于盘龙城遗址的西侧，较之于杨家湾、李家嘴、王家嘴等地点而言，艾家嘴遗存分布较为稀疏。直至目前，考古部门尚未在艾家嘴开展过考古发掘工作。但2001年以来，考古部门曾先后在艾家嘴区域开展了多次考古勘探和调查工作，对该区域的遗存分布情况获得了较为全面的认识（图3.34）。

　　2001年，武汉市文物考古研究所曾对艾家嘴岗地开展过考古勘探，考古人员在该区域发现了疑似断续分布的"带状夯土"，并由此提出盘龙城遗址杨家湾至艾家嘴岗地可能分布有一道"外城垣"。然而，此次考古勘探工作并未获得确切的证据表明"外城垣"的存在，亦未能发表正式的勘探报告，因此对于盘龙城遗址是否存在外城垣学界尚存疑虑。

　　2016年，武汉大学历史学院在此对艾家嘴岗地进行系统性的考古勘探。此次勘探目的在于全面了解艾家嘴区域的遗存分布情况，同时通过勘探工作，对艾家嘴岗地是否分布有"带状夯土"进行确认。此次考古勘探在艾家嘴北部发现了一处厚1～1.5米的灰褐色文化层，文化层分布范围东西长约90米，南北宽约80米。由于这处文化层分布区中部有一小型人工池塘，该池塘开挖于20世纪80年代。从池塘周边分布的文化层可以推知池塘所在区域原本也应分布有文化层。

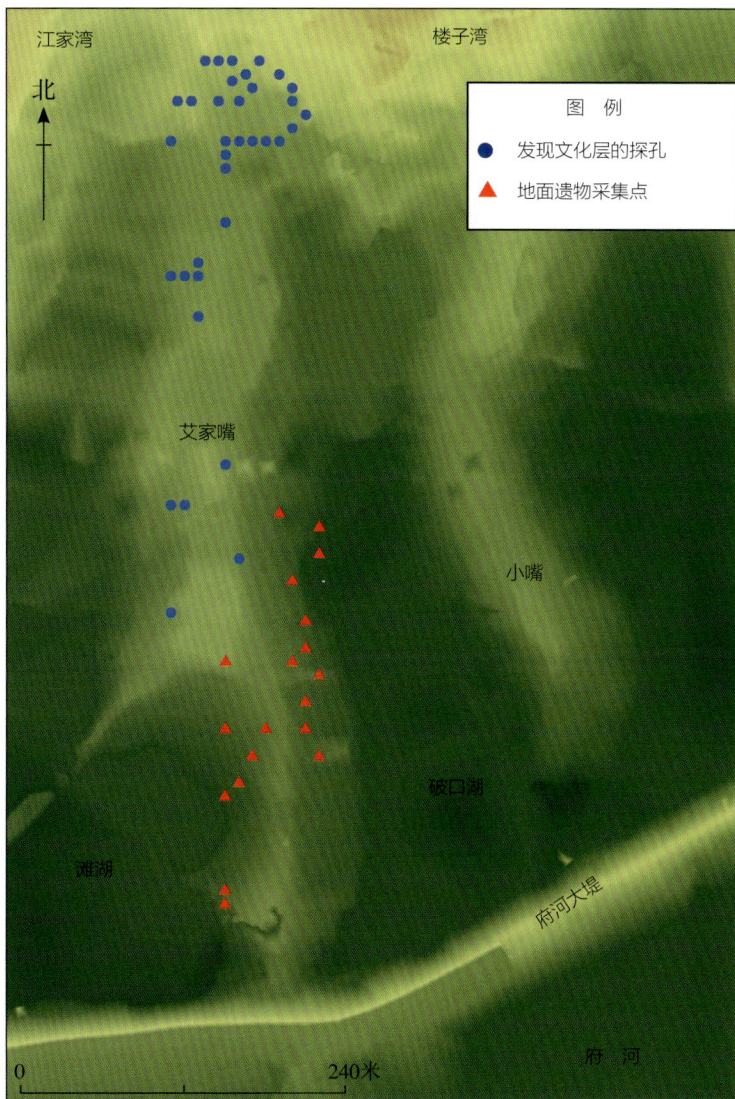

图 3.34　艾家嘴遗存分布图

　　此次勘探在艾家嘴北部发现的文化层土质致密，夹杂红烧土块，且分布面积约7200平方米，由此可以推测艾家嘴北部勘探发现的并非普通的灰坑类遗迹，从填土质地、包含物及分布范围推测该区域可能分布有建筑基址一类的大型遗迹。此次发现的遗迹的性质还有待于考古发掘进一步确证，但这次发现表明艾家嘴北部与楼子湾、杨家湾交接的地带仍分布有较为丰富的商文化时期遗存。

　　除艾家嘴北部以外，此次勘探还在艾家嘴岗地中部偏西南侧发现了零星分布的文化堆积。就勘探所获的遗存分布情况而言，艾家嘴岗地中段及南段文化堆积的密度明显降低，这一现象可能与艾家嘴岗地已处于盘龙城遗址边缘有直接关系。值得注意的是，本次勘探在艾家嘴西南部临湖地带发现包含文化层的探孔虽然数量较少，但探孔内文化层的厚度可达1.5米左右。考虑到艾家嘴西南部曾遭取土破坏这一背景，我们推测艾家嘴西南部可能存在成片分布的文化层，后因取土破坏导致文化层被破坏殆尽。

2016年度的勘探对此前疑似分布有"带状夯土"的地带进行了重点勘探，除发现零星分布的文化层外，并未发现任何夯土遗迹，因此本次勘探可以确认艾家嘴一带应不存在"外城垣"遗迹。此外，近年来考古人员还在杨家湾开展了大量的考古发掘工作，基本排除了"外城垣"的可能[①]。此前，疑似分布有"外城垣"的区域为杨家湾至艾家嘴一线，目前考古工作基本可以确认盘龙城遗址并不存在"外城垣"。

2019年，武汉大学历史学院对艾家嘴进行了考古调查，重点关注枯水时节显露于湖岸地带的地表遗物。此次调查在艾家嘴南部的东、西两侧临湖滩地均发现了集中分布的陶片。表明该区域也分布有文化堆积，2002年因修筑盘龙大桥造成了艾家嘴西南角被取土破坏，从本次调查的信息来看，被取土破坏的地点也应分布着商时期文化层。

同时，本次调查在艾家嘴与小嘴岗地均发现一个现象。在上述两处岗地的东侧滩地发现分布于地表的陶片可以分为两类：第一类，陶片呈不规则椭圆形集中分布，陶片集中区往往可见黑褐色填土，陶片直径5~30厘米不等，此类陶片原本分布于灰坑之内，因湖水将灰坑填土侵蚀而显露于地表。第二类，陶片较为细碎，直径3~10厘米，陶片磨圆度高于第一类陶片，且此类陶片呈条带状沿湖岸分布，陶片带与湖水回落在地表形成的水痕线平行。从第二类陶片堆积的产状分析，这类陶片很有可能是因地表流水侵蚀自岗地上部位移至湖岸边，并非原生堆积。

2. 楼子湾

（1）地貌

楼子湾是介于杨家湾、小嘴、艾家嘴之间的一处小型岗地。楼子湾北与杨家湾岗地相连，东西两侧分别与小嘴和艾家嘴相接，南临破口湖。与小嘴、艾家嘴等临湖岗地不同，楼子湾整体近似三角形，仅南端临湖，没有大片的临湖滩地，整体地势较高，因此楼子湾地貌形态基本不受湖水涨落影响。楼子湾南北长约130米，东西最大宽度约120米，海拔24.4~29.2米。

楼子湾因地势较高，远离水患，自晚清时期以来即分布有村庄，并在村庄周边开垦了农田。20世纪70年代，楼子湾村民在楼子湾西南部开挖了两处池塘，面积分别为2100平方米和1200平方米。据当地村民称在开挖池塘的过程中，曾发现大量的黑灰色土，厚达1米以上，同时出土有大量的陶片。根据村民的描述和考古人员后续在周边地区进行的调查，该池塘位置很有可能分布有商时期文化堆积，但现已被人工池塘严重破坏。除开垦农田和开挖鱼塘外，当地人类活动基本未对岗地地貌造成显著的改变。

（2）考古遗存

1963~1980年，湖北省博物馆等单位为配合楼子湾区域的农田水利建设，对该区域进行了抢救性考古发掘。清理了墓葬10座，灰坑2座，建筑遗迹1处。考古发掘表明楼子湾遗址的文化层平均厚度为1米左右。

2015年，武汉大学历史学院对楼子湾进行了考古勘探，在岗地东部与杨家湾及小嘴岗地

---

① 张昌平、方勤、李永康、万琳：《2012~2017盘龙城考古：思路与收获》，《江汉考古》2018年第5期。

的交界地带发现了文化层分布（图3.35）。文化层的分布于楼子湾人工池塘附近，结合当地村民的描述，我们推测在楼子湾人工池塘内原本应分布有文化层。由此可见，杨家湾—楼子湾—小嘴一线商时期的文化堆积呈现出连续分布的态势。

3. 江家湾

（1）地貌

江家湾是杨家湾与大邓湾之间的一处小型岗地，江家湾东与杨家湾相连，北与大邓湾隔湖相望，南与艾家嘴、车轮嘴相连，西部为一片不知名洼地。江家湾四周距离盘龙湖及破口湖相对较远，因此江家湾岗地貌几乎不受湖水涨落的影响。因该区域地形平坦，地势较高，明清时期以来此处即分布有村庄。江家湾岗地南北长约180米，东西宽约90米，海拔29.7～33.3米。

2005年以前，岗地地表分布有20余户村舍以及围绕村舍分布的农田，除兴建房屋和农业耕种活动外，该区域并无大型工程建设活动，因此岗地基本保持了其原始地貌。2005年以后，随着当地村民整体搬迁，村庄被拆除，农田随之荒芜，地表被茂密的野生林木所覆盖，地表能见度极低。

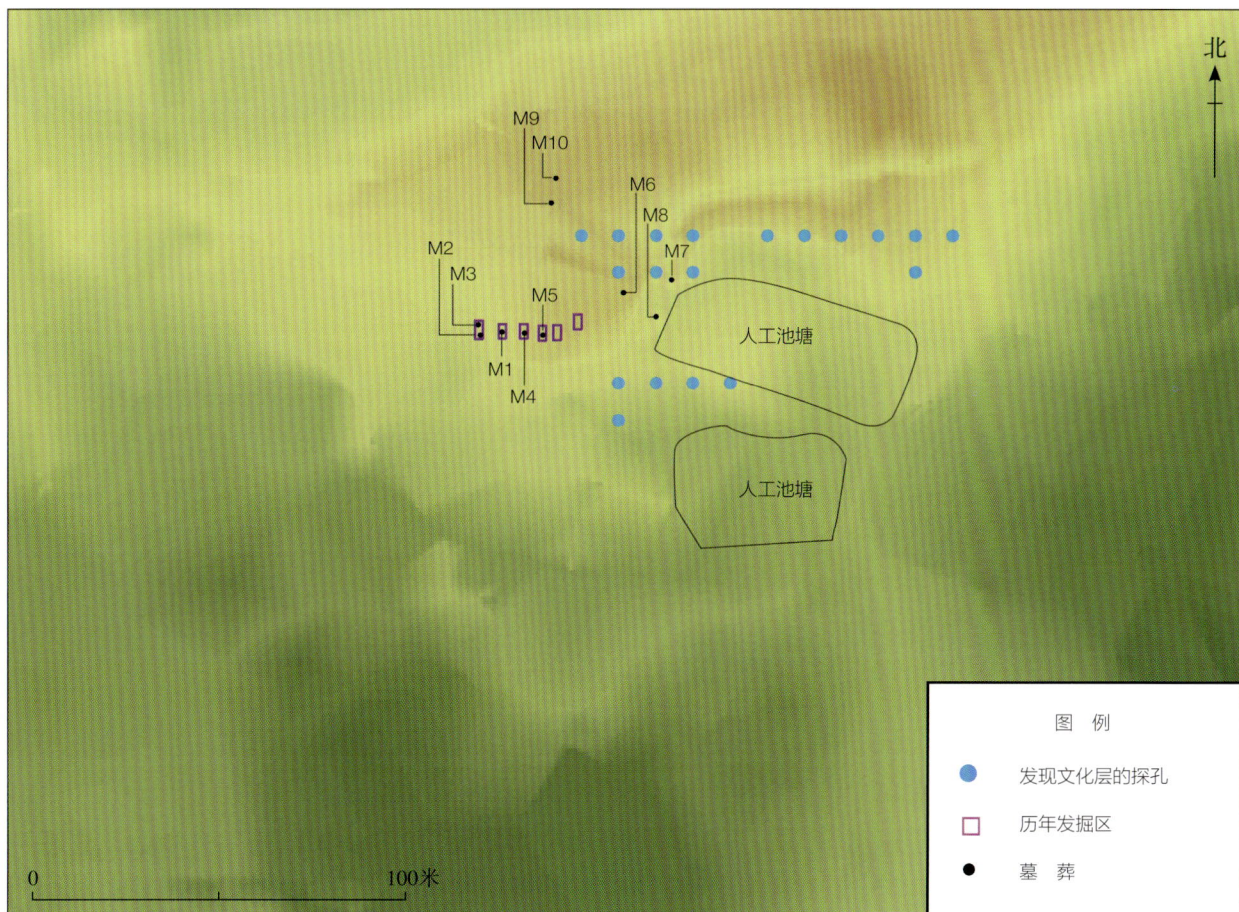

图 3.35　楼子湾遗迹分布图

107

（2）考古遗存

20世纪90年代，江家湾村民在农业耕种活动中意外发现了若干商文化时期青铜容器、玉器等遗物。盘龙城遗址博物馆考古人员随即对出土文物进行了现场清理和追缴，后确认这批文物出自3座商文化时期的墓葬，此为江家湾首批发现的商文化时期遗存（图3.36）。

2007年，盘龙城遗址博物馆考古人员对江家湾、艾家嘴等区域进行了考古调查，此次调查在江家湾南部采集到了3件石器，包括石臼、石刀和石球形器，此外还采集到了陶鬲足1件。其中石臼整体截面呈梯形，平底。最大径41.2、最小径33.3、高20厘米。为盘龙城遗址目前发现的体量最大的一件石臼，同样形制的石臼在盘龙城遗址其他地点亦有发现，应属商文化时期遗物。据调查者称，在石臼的出土地点周边，还发现有密集的商文化时期陶片和厚达0.5米以上的文化堆积。

2014年，武汉大学历史学院对江家湾及周边区域进行了系统的考古勘探，同时对此前采集石臼的地点进行了实地勘察并测量了其三维坐标。勘探工作表明，江家湾东侧湖汊区域有成片分布的商文化时期遗存，而江家湾岗地顶部及其他区域（包括此前出土青铜器的区域）均未发现文化堆积。江家湾南部曾出土石臼并曾发现有文化堆积分布，但此次勘探并未在该

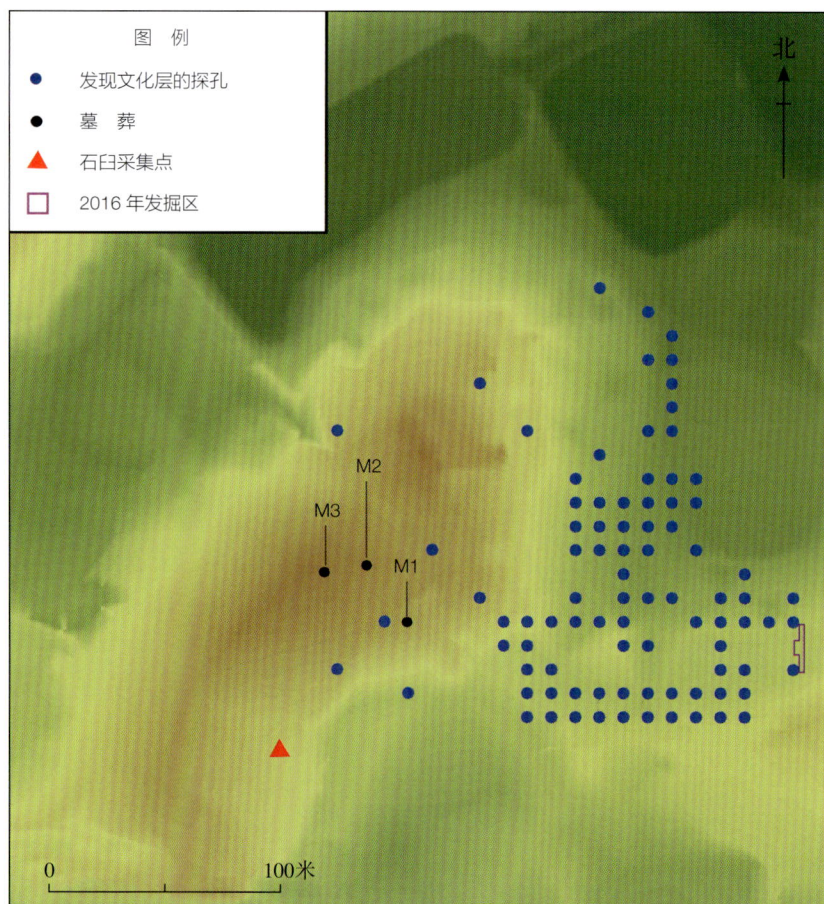

图3.36　江家湾遗迹与遗存分布图

地点发现文化层分布，考虑到该区域曾分布有密集的村庄，村民搬迁后房屋被全部拆毁，该地点分布的文化层可能随之被破坏殆尽。依据《盘龙城（1963～1994）》考古报告的资料分析，江家湾至艾家嘴一线基本属于盘龙城遗址的西部边界，此次考古勘探工作表明，江家湾至艾家嘴以西确实鲜见文化遗存分布，表明江家湾确实已接近遗址的边缘地带。

4. 大邓湾与小王家嘴

（1）地貌

小王家嘴是位于盘龙湖西岸的一处半岛型岗地，东、南、北三面环水，南与杨家湾相望。小王家嘴西侧即为大邓湾自然村，大邓湾与小王家嘴属同一处天然岗地。大邓湾区域地势较高，海拔28.1～34.9米，为大邓湾自然村所在地，原分布有40余户村民，2015年后当地村民整体搬迁。小王家嘴濒临盘龙湖，海拔19.5～27.2米，地表为大邓湾村所属的农田。

小王家嘴濒临盘龙湖，与其他临湖岗地类似，湖水涨落对小王家嘴岗地的地貌有着明显的影响。盘龙湖枯水期时，小王家嘴岗地边缘呈现出宽约20米的临湖滩地，滩地地表裸露，因常年受湖水淹没，地表基本无植被生长，地表可见成片分布的石块、细沙，布局区域则直接可见土壤分布，在细沙分布的地带可见湖水回落所形成的水痕线。小王家嘴临湖区域地表沙、石、土交错分布的形态与前文所述的杨家湾北坡临湖滩地十分相似（图3.37、图3.38）。盘龙湖丰水期时，小王家嘴岗地22.6米以下的区域则被湖水淹没，岗地面积缩减。

2015年以前，大邓湾区域人口稠密，房屋密集，频繁的房屋修建和改造活动对地下遗存造成了严重的破坏。1980～2003年，盘龙城遗址博物馆考古人员曾多次在大邓湾采集到商文化时期陶器、石器标本，因此推测大邓湾应分布有商时期文化堆积。而随后大邓湾村房屋扩建，地表几乎被现代房屋占据，无法开展考古勘探和调查工作。至2016年，大邓湾村民搬迁后，考古人员重新对大邓湾进行考古勘探和调查时，发现原村舍地表以下0～0.7米的深度基本为现代建筑基址，未能发现古代遗存，当前原村庄分布区已被盘龙城遗址博物馆舍（新馆）取代。小王家嘴原本分布有大片的果树，以桃树为主，村民搬迁以后小王家嘴处于荒芜状态，在后续的遗址公园建设中该区域的地表植被将会得到统一规划和整治。

（2）考古遗存

根据《盘龙城遗址保护总体规划》大邓湾、小王家嘴属于盘龙城遗址一般保护区，因此相对于遗址重点保护区而言大邓湾与小王家嘴区域的考古工作相对较为薄弱。且由于大邓湾区域人口相对集中，房屋密集，修建房屋和私搭乱建等活动对地下遗存造成了严重的破坏。1980～2003年，盘龙城遗址博物馆曾多次组织考古人员对大邓湾进行考古调查，曾采集到商文化时期的陶片、石器等遗物。但因大邓湾现代房屋密集，难以开展试掘和勘探工作，因此对于该区域文化堆积的分布范围和保存状况均难以获得准确信息。

2012年，武汉大学历史学院对大邓湾与小王家嘴岗地进行了考古勘探，在小王家嘴坡顶区域发现了多座商文化时期墓葬。2015年，武汉大学历史学院对勘探发现的小王家嘴墓葬进行了考古发掘，发掘了商文化时期墓葬21座，灰坑8座，确认小王家嘴为一处早商时期

图 3.37　小王家嘴地貌

墓地[①]。

2016年，为配合盘龙城遗址博物院的建设，大邓湾村整体搬迁。武汉大学历史学院在大邓湾村现代房屋拆迁后，重新对村庄分布区进行了考古调查。然而，此次调查未能发现商文化时期遗存。20世纪80~90年代曾在该区域发现过商时期遗存，可能在房屋拆迁过程中被彻底破坏。同时，考古人员利用枯水时节，对小王家嘴临湖区域进行了地面调查，地表除天然砂石分布外，并未发现任何商文化时期陶片等遗物。

5. 童家嘴

（1）地貌

童家嘴是盘龙城遗址北部的一条天然岗地，与杨家湾隔盘龙湖湖相望。童家嘴东西长约580米，南北宽约280米，海拔19.5~29.3米。因童家嘴岗地属于盘龙城遗址一般保护区，当地村庄尚未进行整体搬迁，岗地上至今仍然分布有村庄、度假山庄等现代建筑以及大片果园和林场。

童家嘴东端延伸至盘龙湖内，三面环水，环境优美，岗地东南端被人工改造为三处临湖垂钓园，并修建了若干现代度假村。上述活动使得童家嘴东端自然地貌被严重破坏。

---

① 武汉大学历史学院、湖北省文物考古研究所、盘龙城遗址博物院：《武汉市盘龙城遗址小王家嘴墓地发掘简报》，《江汉考古》2018年第5期。

（2）考古遗存

与小王家嘴等地点类似，童家嘴开展的考古工作较为有限。1980年，当地村民在童家嘴南坡取土时发现一批青铜器，盘龙城考古工作站随即赴现场进行清理，确认青铜器出自一座商时期墓葬，该墓葬位于童家嘴岗地南段的临湖地带[①]。

2006年，盘龙城遗址博物馆对童家嘴进行了全面的考古勘探，仅发现了十分零星的商文化时期陶片。

2012年，湖北省文物考古研究所再次对童家嘴进行了考古勘探，在童家嘴南坡发现了小范围分布的商时期文化层，并采集到一枚青铜爵足。

6. 长峰港

（1）地貌

长峰港是位于盘龙湖东岸的一处自北向南延伸的岗地，地势北高南低，海拔19.5～34.8米，地势高低起伏。长峰港东南、西、南三面被湖水环

1. 分布于地表的石块

2. 地表分布的砂砾

图 3.38　小王家嘴临湖滩地地表分布砂砾和石块

绕，平面形态极不规则，实际上长峰港是由三条小型岗地组成，即万家汊（北）、丰家嘴（中）、小杨家嘴（南）（图3.39）。

当前，长峰港的北部和中部分布有两处自然村落，岗地南端为盘龙湖渔场所在地。20世纪80年代，长峰港的村民利用当地临近湖泊的天然优势，将岗地南端的天然凹地改造成为了多个人工鱼塘。因此，目前万家汊、丰家嘴及小杨家嘴岗地南端分布有多个小型鱼塘。这些人工鱼塘的出现使得岗地原始地貌遭受破坏。

---

① 《盘龙城（1963～1994）》，第397页。

图 3.39　长峰港地貌

（2）考古遗存

长峰港由于距离盘龙城遗址核心保护区较远，开展的田野考古工作较为有限。据盘龙城遗址博物馆考古人员在2005年通过寻访得知，长峰港一带的农民曾在耕地时多次采集到残铜器、石器及陶片等遗物[1]。

2005年，为配合编制《盘龙城遗址保护总体规划》，盘龙城遗址博物馆对长峰港区域展开了考古勘探，并在小杨家嘴、丰家嘴、万家汉均发现有商时期文化层，采集到了陶鬲足、印纹硬陶片及红陶缸残片等。

2012年，为配合盘龙城遗址公园建设，武汉市文物考古研究所再次对长峰港区域开展了考古勘探，在长峰港东侧临湖地带发现了两处商代遗址——小杨家嘴和小尖嘴。经过实地核查，2012年勘探发现的小尖嘴遗址即为2006年考古调查是发现的丰家嘴遗址，而2012年调查发现的小杨家嘴遗址在2006年考古调查时亦曾发现。

7. 丰家嘴遗址（小尖嘴）

位于丰家嘴岗地最南端，东、西、南三面临湖，该地点春夏秋三季被湖水淹没。冬季显露地表当地居民将该地点称为"小尖嘴"。勘探表明该地点分布有商时期的文化堆积，小尖嘴东侧分布有一处鱼塘，商时期文化堆积因此遭到了严重破坏，现存堆积南北长40米，东西宽13米，总面积约520平方米。勘探表明，该区域地层堆积可以分为4层。其中第1、2层为近现代形成的文化堆积，第3层为唐宋时期文化层，第4层为商文化时期堆积。

---

[1]　武汉市盘龙城遗址博物馆：《盘龙城东部长峰港商代遗存调查勘探简报》，《武汉文博》2007年第2期。

8. 小杨家嘴遗址

位于长峰港最南端，西与杨家嘴遗址隔湖相望，东与小盘龙湖相接。小杨家嘴地表现被渔场宿舍、苗圃、养猪场等现代设施占据。由于该地点紧邻府河，地表原始地貌曾遭到取土筑堤工程的破坏。勘探表明该区域的地层堆积可以分为2层，第1层为表土层，第2层为商代文化层，厚0.1～0.5米。商时期文化层底部即为生土。小杨家嘴西侧紧邻盘龙湖，分布于岗地之上的商代遗存向西延伸至盘龙湖区域，由前文的分析可知，盘龙湖水位经历过显著的抬升过程，在商文化时期，小杨家嘴西侧应存在一定的陆地空间。

第二节　周代遗存

考古研究表明，二里冈文化时期兴起的江汉地区中心城邑——盘龙城，大约在洹北花园庄晚期前后被废弃[1]。殷墟文化时期，这片面积约4平方千米的区域基本未见人类活动迹象，直至两周时期盘龙城及其附近区域才重新出现了一些小型聚落。通过这些两周时期的遗存，我们大致可以窥见两周时期盘龙城区域的社会图景。

具体而言，盘龙城遗址区域内分布的两周时期遗存主要包括郑家嘴、罗元山、小窑堡、吕家湾等遗址（图3.40）。此外在盘龙城遗址区西北约1千米处，还发现有一座西周时期的小型城址——磨元城。磨元城虽未分布于盘龙城遗址区内，但是因其与盘龙城遗址极为邻近，且属一座保存相对完好的城址，这处城址对于我们复原两周时期盘龙城区域的聚落景观亦具有重要意义，因此将其在此一并论述。

1. 郑家嘴遗址

郑家嘴是盘龙湖东南岸的一条天然岗地，府河大堤穿过郑家嘴岗地而过，将这条南北向岗地分隔为南、北两个区域。郑家嘴岗地南部分布有一处东周时期的遗址，而郑家嘴北部分布有明清时期的遗存，因此以郑家嘴（南）和郑家嘴（北）来分别指代这两处不同的遗址。府河大堤修筑以后，郑家嘴岗地南部沦为府河河床，丰水期被府河水完全淹没，枯水期则显露地表。1997年，地方政府在对府河大堤进行加固过程中，于郑家嘴岗地南侧取土，在此发现了一座东周时期的水井遗迹。水井位于郑家嘴岗地南部边缘，紧邻府河主河道。这口水井为圆形土壁竖洞式井，井口直径0.9米，残存深度5.7米（图3.41）。依据井内出土鬲、罐、豆等陶片型制判断，水井的修筑和使用时间应为东周时期[2]。2012年，武汉市文物考古研究所对郑家嘴遗址进行了考古调查，在郑家嘴岗地采集到了鬲、罐等陶片，同时利用地

---

① 盛伟：《盘龙城遗址废弃的年代下限及相关问题》，《江汉考古》2011年第3期。
② 黄陂盘龙城工作站：《黄陂郑家嘴发现东周古井》，《江汉考古》1999年第2期。

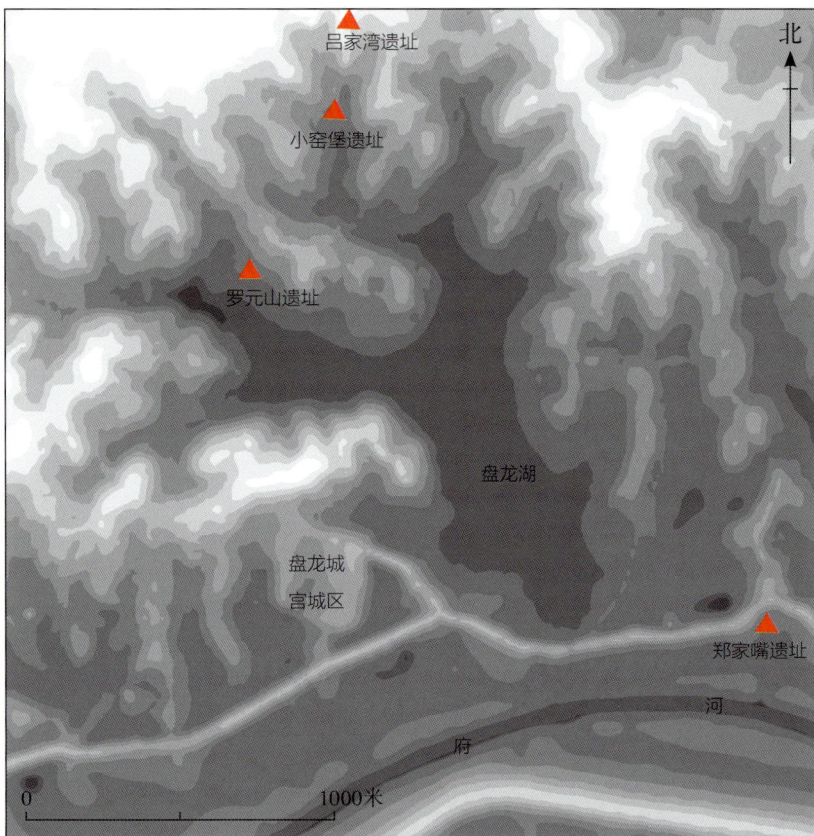

图 3.40　盘龙城遗址区域两周时期遗存分布图

表现有断坎铲刮了3处剖面，在剖面发现了厚约1.4米的东周时期文化层（图3.42）。由于郑家嘴岗地南区常年受府河水淹没，地表被淤泥覆盖，地下水位较高，给勘探工作造成了很大的困难。又因1997年取土筑堤活动，致使该区域地形极为破碎，此次调查未能确定郑家嘴遗址的分布范围[①]。

郑家嘴（南）遗址位于府河季节性河床以内，地表海拔为19.8～21.2米。在当代府河河床内发现有东周时期的水井遗迹，水井周边还分布有同时期的文化层。这一现象表明，东周时期郑家嘴岗地南部应属于适宜人居的陆地，换言之，东周时期府河水位至少应该低于19.8米。

2. 罗元山遗址

罗元山遗址位于童家嘴岗地中段，勘探表明该遗址分布于南北长约250米，东西宽约50米的长条形区域内，地表发现有东周时期的罐、鬲、盆等陶器残片。该区域地层堆积可分为4层，第1层为表土层，第2层为明清时期文化层，第3、4层为东周时期文化层[②]。

3. 小窑堡遗址

小窑堡遗址位于童家嘴岗地以北约400米处的一处岗地之上。2012年湖北省文物考古研究所在对盘龙城遗址外围一般保护区进行勘探过程中发现了该遗址。勘探表明，该遗址分布于南北长30米，东西宽20米的范围内，地层堆积较为简单，表土层下分布有厚约0.5～1米的

---

① 武汉市文物考古研究所：《盘龙城遗址2012年度一般保护区及建设控制地带考古勘探工作报告》，第12页，盘龙城遗址博物院内部资料，2013年。

② 武汉市文物考古研究所：《盘龙城遗址2012年度一般保护区及建设控制地带考古勘探工作报告》，第11页，盘龙城遗址博物院内部资料，2013年。

东周时期文化层[①]。

4. 吕家湾遗址

吕家湾遗址位于童家嘴岗地以北约800米处的一片岗地之上，遗址紧邻巨龙大道。2012年湖北省文物考古研究所在对盘龙城遗址外围一般保护区进行勘探过程中发现了该遗址。遗址主体被盘龙城经济开发区的巨龙大道所侵占，遗址保存状况较差。勘探工作探明遗址分布于南北长约50米，东西宽约30米的范围内，表土层以下分布有厚约0.6～1.25米的东周时期文化层[②]。

5. 磨元城遗址

磨元城位于盘龙城遗址西北方约1千米处，城址近似圆角方形，南北长约110米，东西宽100米，残高1～3米。由北、东、南、西四面城垣组成，城垣的四个拐角均成弧形，城垣宽6～15米，土筑而成。考古人员在该城址内采集到了鬲、甗、罐、缸等陶器残片，从陶片的形制推断城址的兴建和使用年代应为西周时期（图3.43、图3.44）[③]。

磨元城分布于府河下游低岗与湖泊交错地带，其地貌特征与盘龙城遗址基本一致。盘龙城城垣不同的是，磨元城并非分布于岗地之上，而是位于两条天然岗地之间的低平地带。城址东侧为横山，西侧为海家田岗地，北侧为磨元冲岗地，南部濒临小型湖泊——汤仁海（图3.43）。磨元城的地表海拔为22.3～22.6米，与盘龙城遗址中地势最低的王家嘴岗地的海拔基本相当。从图中不难看出，现代村落均分布于岗地之上，而磨元城所在的地带因地势低洼，不宜人居，因此被开垦成为水田，而不见现代房屋分布（图3.44）。磨元城在相对低平的地域选址筑城，暗示着西周时期盘龙城一带河湖水位维持在较低水平，与商文化时期相比未发生显著的抬升。

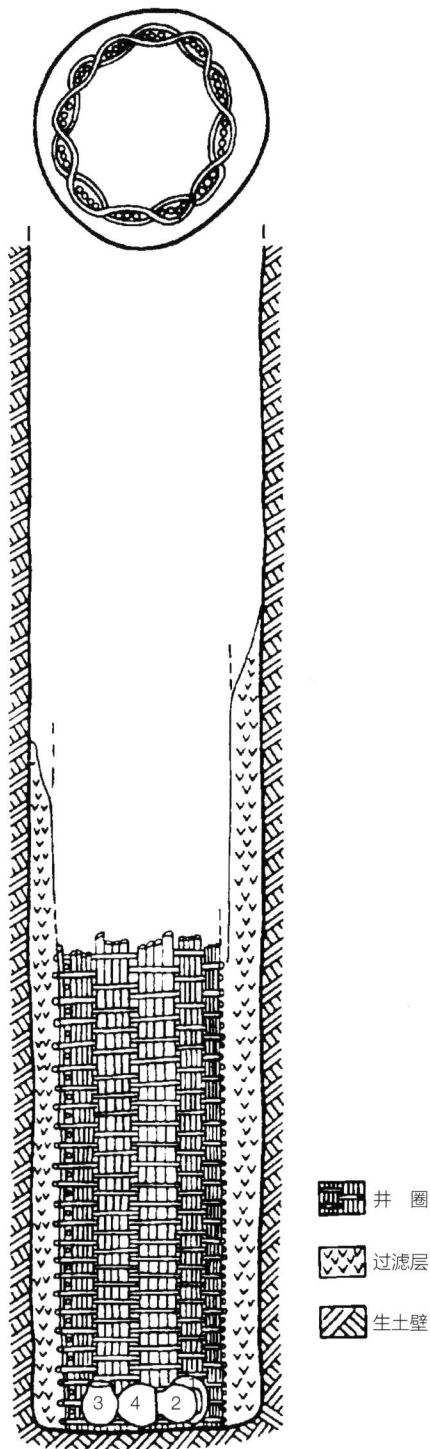

▨ 井 圏

▨ 过滤层

▨ 生土壁

图 3.41　郑家嘴（南）遗址东周古井遗迹

---

① 武汉市文物考古研究所：《盘龙城遗址2012年度一般保护区及建设控制地带考古勘探工作报告》，第10页，盘龙城遗址博物院内部资料，2013年。

② 武汉市文物考古研究所：《盘龙城遗址2012年度一般保护区及建设控制地带考古勘探工作报告》，第9页，盘龙城遗址博物院内部资料，2013年。

③ 武汉市黄陂区文物管理所、武汉市盘龙城遗址博物馆筹建处：《湖北武汉磨元城周代遗址调查简报》，《文物》2011年第11期。

图 3.42　郑家嘴遗址剖面

图 3.43　磨元城与盘龙城相对位置示意图

磨元城城址的功能与性质目前尚不明朗，但根据城址的特点可对其出现的背景及性质予以初步判断。磨元城虽有土筑城垣，但城垣边长仅100米左右，城内面积狭小，也未能在城内发现建筑基址等大型公共设施。而位于磨元城以北25千米的鲁台山遗址曾发现有西周时期高等级贵族墓葬[①]，由此推测西周时期鄂东北地区的高等级聚落可能分布在以鲁台山为中心的滠水沿岸。而磨元城或为大型聚落外围的小型据点或其他功能性聚落。

以上通过对考古遗存的梳理，我们可以对两周时期盘龙城遗址区域的景观特征形成如下两方面的认识：一方面，目前考古部门已经对盘龙城遗址保护区进行了全面的考古勘探和调查工作，该区域内发现的

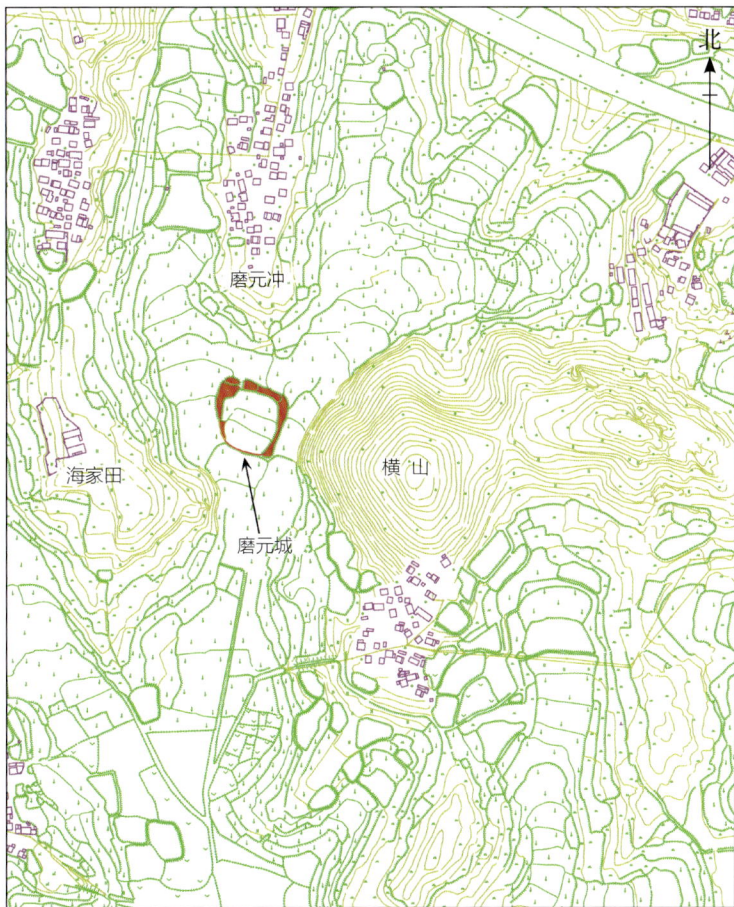

图3.44　磨元城周边地貌形态

周文化时期遗存仅为4处规模较小的遗址点，这4处遗址现存的面积均不超过2000平方米，其遗址中出土的基本为普通日用陶器。这些信息表明，两周时期盘龙城区域人口数量较为有限，从聚落的规模来看，该区域可能分布有一些普通低等级聚落，缺乏大型高等级聚落分布。盘龙城遗址西北侧1千米处，虽分布有一座西周时期的城址，但城垣的边长不足百米，城内面积极为狭窄，该城址临府河而居，推测该城址可能是具有某种特殊功能的小型城邑。另一方面，我们注意到，郑家嘴遗址和磨元城城址都分布于府河北岸，与盘龙城的选址特点比较相似。值得注意的是，郑家嘴遗址的地表海拔为19.8～21.2米，磨元城海拔为22.3～22.6米，而现代府河汛期水位通常为27～29米之间。换言之，现代府河汛期水位远高于两周时期府河的水位。就现代地貌而言，郑家嘴遗址已经位于府河河床之中，该地点还曾发现了东周时期的水井，残存井深5.7米。根据这些遗迹的海拔，我们可以推知，两周时期府河水位应该不会高于19.8米，否则就不会在此海拔高度的地带出现人类居址，甚至水井遗迹。进而，我们可以获知，两周时期府河水位与商文化时期相比没有发生大幅度的抬升，府河水位依然维持在一个较低的水位。这一认识，对于我们分析盘龙城遗址周边河湖水位的抬升过程有着十分重要的意义。

---

① 黄陂县文化馆、孝感地区博物馆、湖北省博物馆：《湖北黄陂鲁台山两周遗址与墓葬》，《江汉考古》1982年第2期。

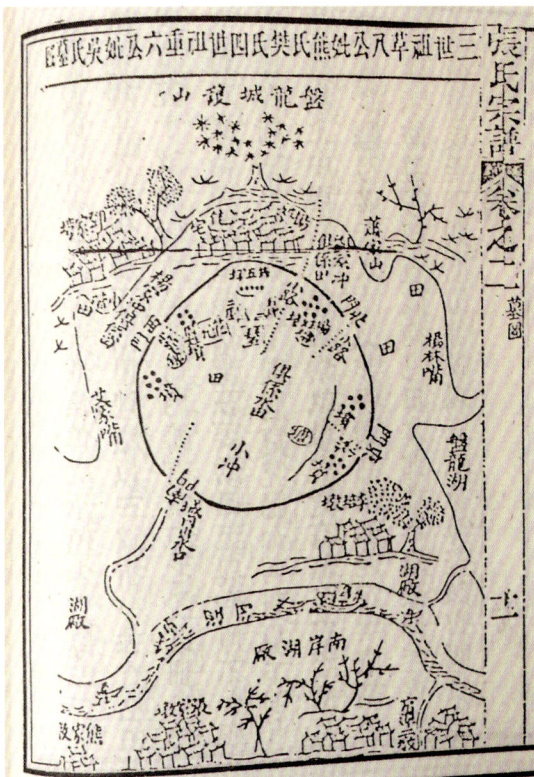

图3.46　《张氏宗谱》中所见盘龙城区域手绘图

两周时期明显增多。宋元明清时期的遗存以墓葬为主，墓葬中出土的遗物以普通民众的日用器为主，墓葬的形制也多为小型土坑或砖室墓。由此我们分析，宋元明清时期，盘龙城遗址区域应该分布着一定数量的自然村落，该区域人类密度较此前有明显增加，但从墓葬中出土的遗物来看，该区域应该尚未出现较大规模或较高等级的聚落。

值得注意的是，盘龙城遗址区域内宋元明清时期遗存的分布地点基本与该区域现代自然村落重合，即分布于盘龙湖沿岸的一些临湖岗地之上。因此，我们推测宋元明清时期，盘龙城遗址区域内已经出现了一定数量的自然村落，这种村落分布的地理位置与空间格局应当与现代盘龙城遗址区内的自然村落基本一致。换言之，现代遗址区内所见的自然村落格局，可能自宋代以来就开始形成了，近千年以来该区域的聚落分布格局与规模并没有显著的改变。

同时，我们注意到宋元明清时期遗存均分布在临湖岗地的中上部区域，即海拔26米以上的地带。如前所述，该区域两周时期的遗存，尚可见分布于海拔19.8～21米的区域。两相对比可见，宋元时期盘龙城区域聚落的数量明显增加，同时此时聚落和墓地似乎更倾向于分布于地势较高的地带。盘龙城遗址区域作为一片滨湖低岗，河湖水位对于当地的人居环境有着十分直接的影响，因此聚落的海拔也成为了我们反观河湖水位的一个重要指标。宋元明清时期聚落的选址地点，尤其是海拔与现代村落趋同，且明显高于商文化时期至两周时期的聚落，这一现象似乎表明，宋元明清时期，府河及盘龙湖的水位较商文化时期至两周时期有明显的抬升。因此才使得宋元明清时期的聚落选择地势相对较高的地带。

府河与盘龙湖的水位变迁过程对于我们研究夏商时期盘龙城区域内的聚落布局与地理环境具有重要意义，显然我们难以从历史文献和水文观测记录中去获知如此长程的历史时期内，河湖水位的变迁。而不同时期考古遗存的分布海拔，为我们"观测"和"复原"不同时期水位提供了契机，若上述推论成立，则对于我们复原商文化时期以来府河与盘龙湖的水位变迁过程具有重要意义。

第四章

遗址环境研究

第一节　地　貌　形　态

一、主要堆积及其空间分布

在遗址统一测绘坐标系统的基础上，我们首先使用RTK按照10米的等距间隔预设钻探的精确位置，然后使用传统的方式进行钻探（主要使用洛阳铲，个别探孔使用机械式的地质探具）。钻探过程中，每个探孔在钻到自然生土之后仍然继续向下，直到遇到坚硬的基岩或受探铲长度的限制不能继续钻探为止，以尽量充分地揭示不同地层堆积的埋藏深度和层位关系。所有探孔均在现场记录各层堆积的属性，包括土质、土色、包含物等信息以及各堆积的钻探深度和厚度，并录入WEB版的数字化钻探记录系统，以方便对勘探信息进行实时的管理、展示和分析利用（图4.1）。

系统的钻探表明，盘龙城遗址目前水面以上地理单元（即岗地）的主要堆积除了商代及其商代以来的各种遗迹和文化层之外，与遗址地貌演变关系密切且大面积分布的地层堆积主要有如下四种：

①网纹红土，是遗址上分布最普遍的自然沉积物，具有南方地区典型网纹红土的特征，颜色上以红色或红棕色为主，间以浅黄、白、灰色的蠕虫或树枝状的条带结构。从少数探孔的情况看，盘龙城遗址的网纹红土应从下部的风化基岩发育而来。从小嘴剖面下部的粒度分析可见，粉砂含量大于50%，因此应属于均质类网纹红土[1]。根据以往的研究，长江中游地区的网纹红土主要发育于中更新世早期，而上部的均质红土年代为中更新世晚期[2]。

②黄红土，在部分网纹红土层之上分布有一层黄红土堆积，厚度不均，平均0.3米，多数为土质较为纯净的黄色或黄红色粉砂质黏土。该层黄红土中不见任何人类活动的遗留，应为自然沉积层。我们推测该层黄红土广义上属于李四光等所定义的广泛分布于长江中下游地区丘陵、岗地边缘的"下蜀黄土"[3]。有关下蜀黄土的成因有较多的争论，目前多数研究者倾向于认为其以风成为主，与晚更新世的末次冰期有关[4]。来红州等人通过磁化率、黏土矿物和粒度分析方法综合研究长江中游第四纪堆积序列上部的黄土堆积，证明这一时期的气候趋于干凉，土壤的风化和淋滤作用加强[5]。

---

① 李凤全、叶玮、朱丽东、姜永见、李建武、伊继雪、袁双：《第四纪网纹红土的类型与网纹化作用》，《沉积学报》2010年第2期。
② 隋淑珍、姚小峰：《中国南方第四纪红土层》，《第四纪研究》2000年第2期；夏应菲、杨浩：《电子自旋共振（ESR）方法在第四纪红土年代学研究中的应用》，《江苏地质》1997年第4期；蒋复初、吴锡浩、肖华国：《九江地区网纹红土的时代》，《地质力学学报》1997年第3期。
③ 李立文、方邺森：《南京附近下蜀黄土的研究》，《南京师范大学学报》1992年增刊。
④ 郑乐平、胡雪峰、方小敏：《长江中下游地区下蜀黄土成因研究的回顾》，《矿物岩石地球化学通报》2002年第1期。
⑤ 来红州、莫多闻、李新坡：《洞庭盆地第四纪红土地层及古气候研究》，《沉积学报》2005年第1期。

图 4.1　盘龙城遗址数字化考古勘探系统

1. 褐土　　　　　　　　　　　　　　　　　　2. 青灰土

图 4.2　杨家湾岗地北坡探沟中的土壤堆积

　　③褐土，在盘龙城楼子湾、江家湾、杨家湾、杨家嘴的高岗地上有广泛的分布，在小嘴也有一定的分布，但并不连续。钻探中所谓褐土只是一个统称，其颜色并不均一，在不同地点，黑色、深灰、黄褐、灰白等色以不同的比例斑杂，土质大体为黏土或粉砂质黏土。在杨家湾岗地北坡探沟2015PYWTG1中发现的褐土即有致密的褐色夹灰色土以及青灰混杂灰黄的锈斑土（图4.2，1），厚度从0.5米至2米不等；江家湾探沟2016PJWTG1中褐土层厚0.3～0.4米，周边部分探孔的褐色夹灰白色斑杂土的厚度可达1米以上。

　　在江家湾探沟中，褐土中的黑色淤泥成分的比例较高。一些探孔中也有类似情形。另有一些探孔中的褐土夹杂较多的锈斑。根据沉积特征推断，其沉积环境应为湖沼相或者冲积平原上的泛滥堆积。尤其是在杨家湾北坡探沟中，褐土之下还曾发现青灰色为主、混杂灰黄色的土层（图4.2，2）。青灰色指示了强烈的还原环境，只有在稳定的、具有相当深度的湖泊中才可能形成。但在岗地的顶部及周围的坡地上，并不具备发育湖沼或者冲积平原的条件。褐土的分布状况也显然与湖盆的堆积结构相矛盾。因此，褐土只能来自于人工的搬运，应该是人工垫土。江家湾探沟发掘有明显作为建筑基础部分使用的褐土以及与此相关的灰坑等遗迹，证明此处褐土类堆积的年代为商代（图4.3，1）。

部分探孔中所见的褐土类堆积由于靠近地表，表现出了强烈的后期土壤化的改造，其中可见大量的虫孔、根痕等，在杨家湾岗地北坡探沟附近褐土中夹杂的灰白斑可能与近现代岗地之上利用现代引水条件的水稻种植有关（图4.2，1）。

④石块堆积，杨家湾岗地北侧和岗地中部集中勘探或于地表发现有被搬运的石块堆砌的遗迹。石块多为不规则形，直径0.3～0.5米，大小不一，由于普遍集中分布在网纹红土或黄红土之上，因此不可能直接源自于风化基岩的侵蚀和自然搬运，而应为人工修筑的遗迹。局部清理证明至少部分石块遗迹的年代不晚于商代。

上述盘龙城遗址大范围分布的自然和人工堆积具有显著的空间布局特征，尤其是在楼子湾、杨家湾、杨家嘴一线东西分布的岗地上（简称"杨家湾一带岗地"）。该岗地是盘龙城遗址的中心区域，紧邻盘龙城商代夯土城墙北侧，相对位置更高，景观视觉上也更加显著。这里不仅发现有大型建筑基础，而且还有多处商代贵族墓地，出土有随葬精致青铜器和玉礼器的大墓，是遗址的高等级区域，也是盘龙城商代聚落后期发展的核心区[①]。

图4.4显示了杨家湾一带岗地主要堆积的分布状况：网纹红土分布最广，应覆盖所有探孔，只是因为部分探孔钻探深度不够，未能探及，且层位上位于最底层，因此只能部分显示；黄红土分布较为零散，推测主要是由于土层厚度较薄，又受到后期的侵蚀及其人工搬运、破坏所致；褐土虽然成片分布，但并不连续，主要集中在杨家湾南侧临湖及岗地顶部和楼子湾、江家湾一带；石块堆积则主要在岗地北侧临湖呈条带状分布，同时杨家湾岗地中部也有相对密集的分布，但由于石块个体普遍不大，因此不排除部分石块被后期搬运的可能。

1. 褐土类堆积和商代灰坑

2. 褐土类堆积和商代灰坑

图4.3 江家湾探沟中的土壤堆积

---

① 张昌平、孙卓：《盘龙城聚落布局研究》，《考古学报》2017年第4期。

图 4.4　杨家湾一带岗地勘探主要堆积分布图

　　下面我们采用基于最近距离统计的"双向直方图"（two-way histogram）分析不同堆积之间的水平空间结构关系。双向直方图中上方红色直方图是以每个红色属性点为基础，计算相距红点最近的蓝点的最短距离，并按等距区间进行百分比统计；下方蓝色直方图则是以每个蓝色属性点统计距其最近红色属性点最短距离的百分比区间。最近距离分布双向直方图计算的是绝对距离，即只计算异性点（红蓝点之间）的最短距离，相对最近距离分布双向直方图则计算相对距离，即在统计距离最近的异性点的同时也统计距离最近的同性点（红红点之间，蓝蓝点之间），并将两个最短距离相减得到相对距离。灰色线条为基于蒙特·卡洛方法模拟的显著性水平为0.05的边界线，其中随机模拟被限定在所有已钻探的探孔之间，同时随机点的数量分别与红色和蓝色属性点的数量相同。蒙特·卡洛随机模拟在基于固定钻探点的双向直方图分析中显得非常重要，因为无论是探孔的总数和布局特点以及不同属性点的数量都会显著影响直方图的形状。

　　图4.5，1、2是网纹红土与褐土的最近距离分布：褐土到最近红土的距离分布区间十分宽阔，呈近似均匀分布特征（上方红色直方图）；相反红土到最近褐土的距离分布区间较为集中，呈现典型的偏峰分布（下方蓝色直方图），有相当数量的褐土点与红土点相邻或近于相邻；从显著性水平看，双向直方图均在较远的距离区间上超出0.05的临界线。这三方面特征可判定为典型的镶嵌式布局模式，即褐土呈块状分布，并镶嵌于网纹红土之上。

　　图4.5，3、4是网纹红土与石块层的空间相关性直方图，整体上与图4.5，1、2相似，只是显著性区间的位置更近一些，因此也表现为空间上的镶嵌式布局特征，石块层呈条块状分布，镶嵌于网纹红土之上。

　　图4.5，5、6是褐土与石块层之间的空间相关性分析，上方和下方直方图都接近于正态分布特征，并可观察到褐土与石块层的平均距离较远，且距离越远，显著性水平越高，如此表现出了强烈的分离状态。图4.6是岗地勘探的褐土层和石块层的密度分析，虽然褐土和石块均为商代铺垫岗地的人工堆积，镶嵌于岗地的网纹红土堆积之上，但铺垫的位置有显著的差异：褐土集中在岗地的南坡和东西两侧，尤其是东南；石块堆积集中在岗地的北坡、东坡

空间相关性分析
采样间距10.0米 ■红土 ■褐土层 ○显著性水平 a:0.05 by Monte Carlo Simulation with n=100

最近距离分析
采样间距10.0米 ■红土 ■褐土层 ○显著性水平 a:0.05 by Monte Carlo Simulation with n=100

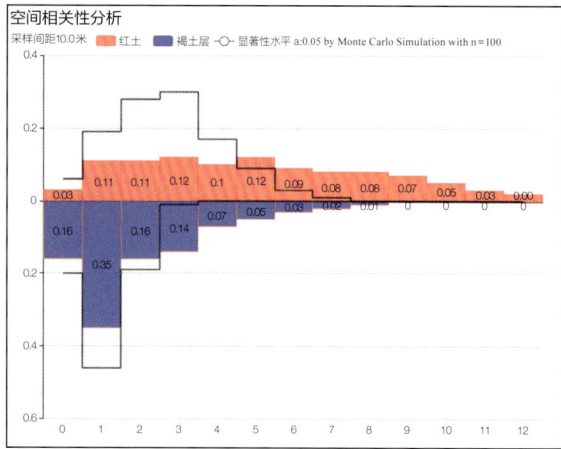

1. 网纹红土与褐土的最近距离分布

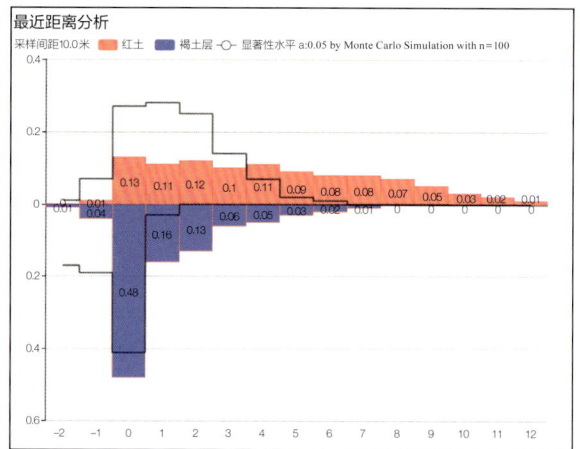

2. 网纹红土与褐土的相对最近距离分布

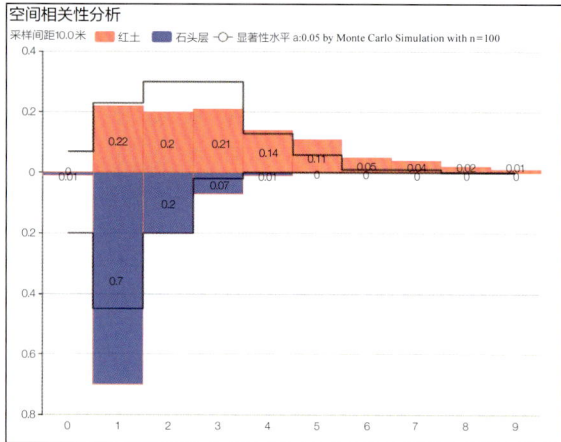

3. 网纹红土与石块层的最近距离分布

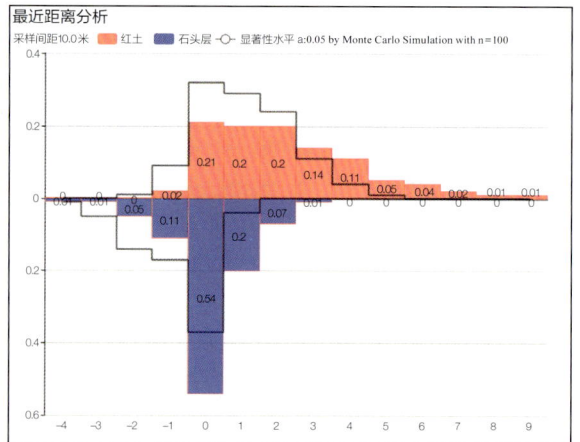

4. 网纹红土与石块层的相对最近距离分布

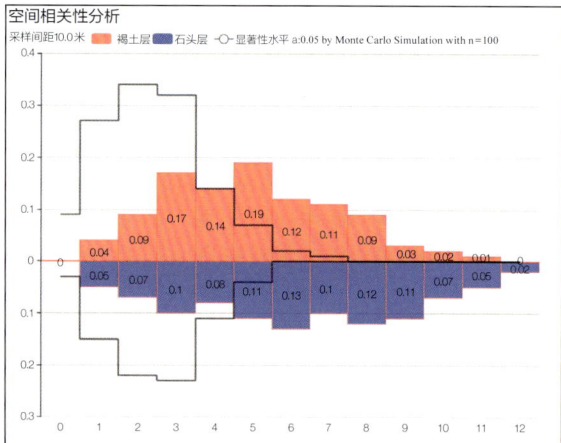

5. 褐土与石块堆积的最近距离分布

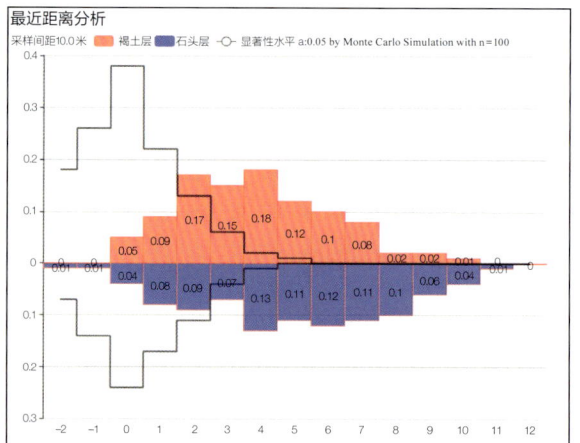

6. 褐土与石块堆积的相对最近距离分布

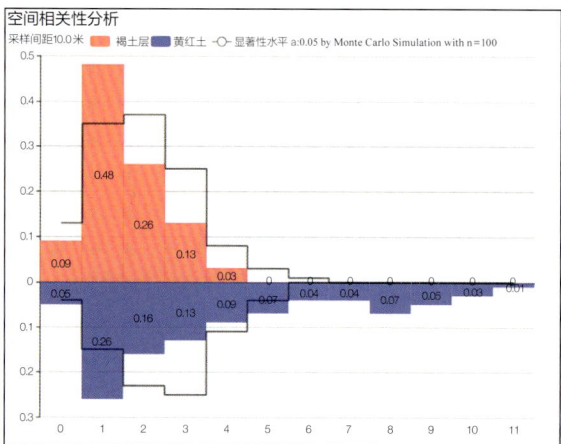

7. 褐土与黄红土的最近距离分布

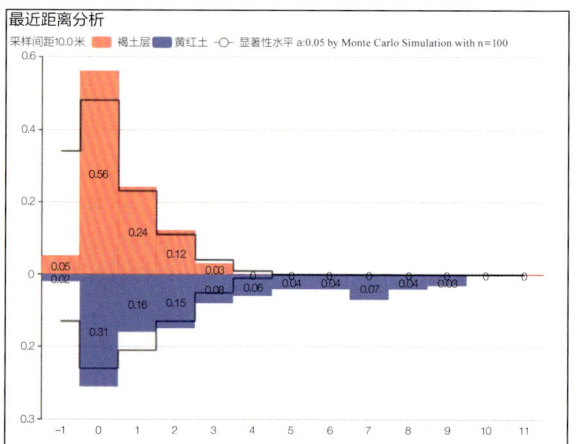

8. 褐土与黄红土的相对最近距离分布

图 4.5　杨家湾一带岗地各类主要堆积双向直方图

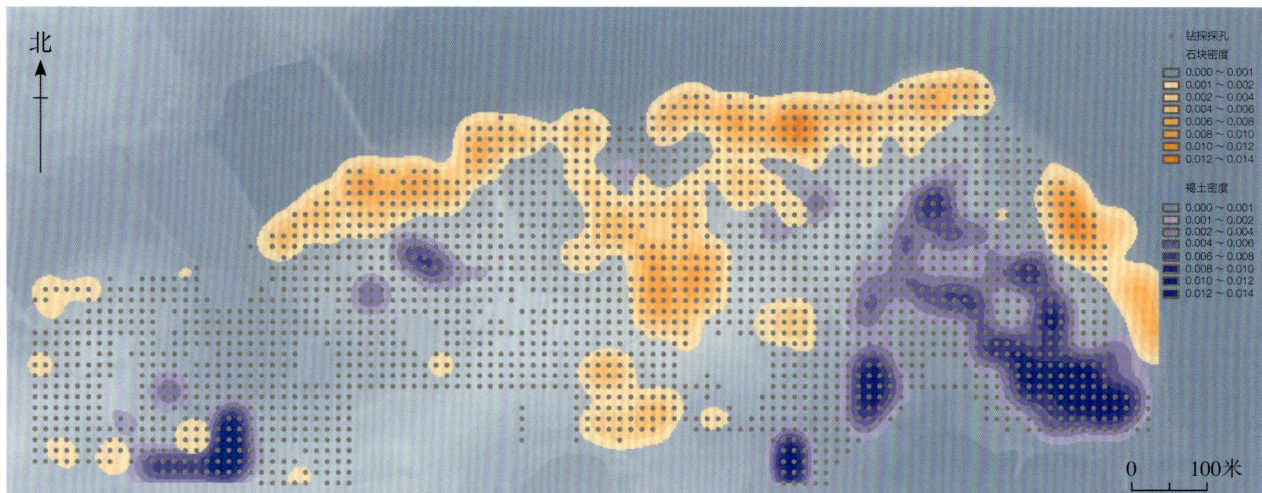

图 4.6　杨家湾一带岗地褐土层与石头层分布的密度

和岗地中部。

　　图4.5，7、8是褐土与黄红土的最近距离分析，双向直方图表现出了近距离上较强的空间相关性，蓝色直方图的分布范围更广与褐土层在岗地东南部的集中分布有关。如果黄红土为"下蜀黄土"的残留堆积，而褐土的主体为人工搬运的铺垫堆积，那么这种近距离上的空间相关性就具有某种实际的意义，这一点需要在今后的发掘工作中予以关注。

　　上述基于地质勘探的空间分析表明，商代的杨家湾一带岗地经过了大规模的土地整饬活动，包括使用主要源自于附近河湖滩涂的淤泥对岗地南坡和部分顶部进行铺垫，以及在岗地的北坡和中间部位堆砌石块（图4.6）。这些活动的直接作用就是扩大了岗地的面积，同时减少了岗地受土壤侵蚀的影响程度，强化了岗地地貌的稳定性，这与盘龙城聚落后期岗地活动的频繁密切相关[①]。图4.7，1是杨家湾一带岗地现代地表的海拔，图4.7，2是基于地质勘探数据复原的杨家湾一带网纹红土表面海拔，从中可见，相比较而言现代岗地的范围比主要由网纹红土组成的古岗地的范围有了显著的扩大。图4.8是根据勘探数据绘制的杨家湾一带岗地南北向的剖面图，可见岗地的北坡比南坡略陡，而考虑到文化层本身的铺垫作用，显然针对这一地貌特征，盘龙城的商代居民在略平缓的南坡多采用了垫土的方式进行土地整饬，包括源自河湖滩涂的淤泥以及利用生活垃圾土等进行铺垫，而在较陡且面临土壤侵蚀更严重的北坡则主要采用了堆砌石块的方式进行平整和加固。

二、各时期地貌模型复原

　　盘龙城遗址的田野考古工作已持续了60余年，连续多年的考古发掘积累了大量的考古资料。2012～2016年，考古单位还对遗址保护区内的陆地区域和湖水淹没的区域，进行了系统

---

① 　张昌平、孙卓：《盘龙城聚落而已研究》，《考古学报》2017年第4期。

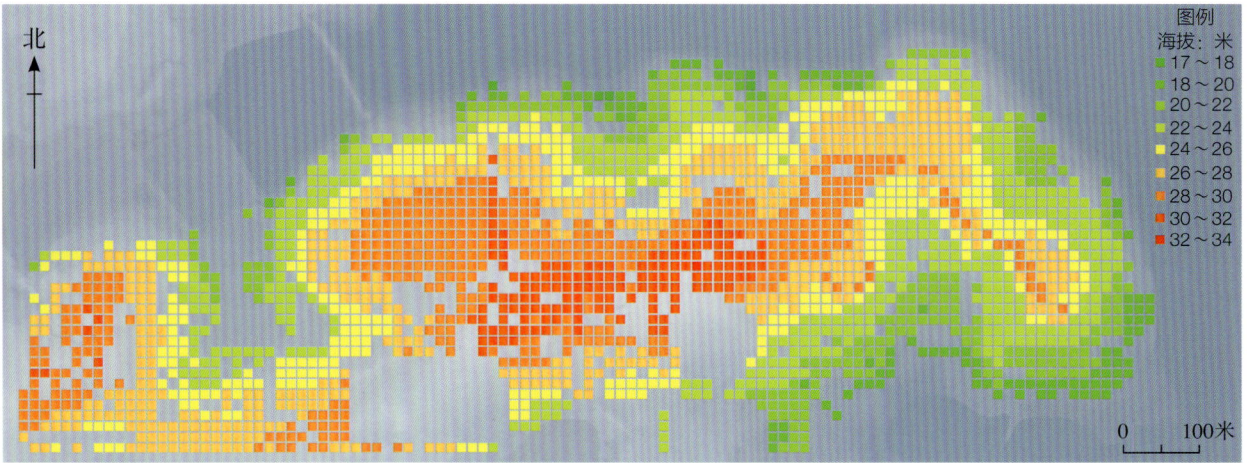

1. 现代地表海拔

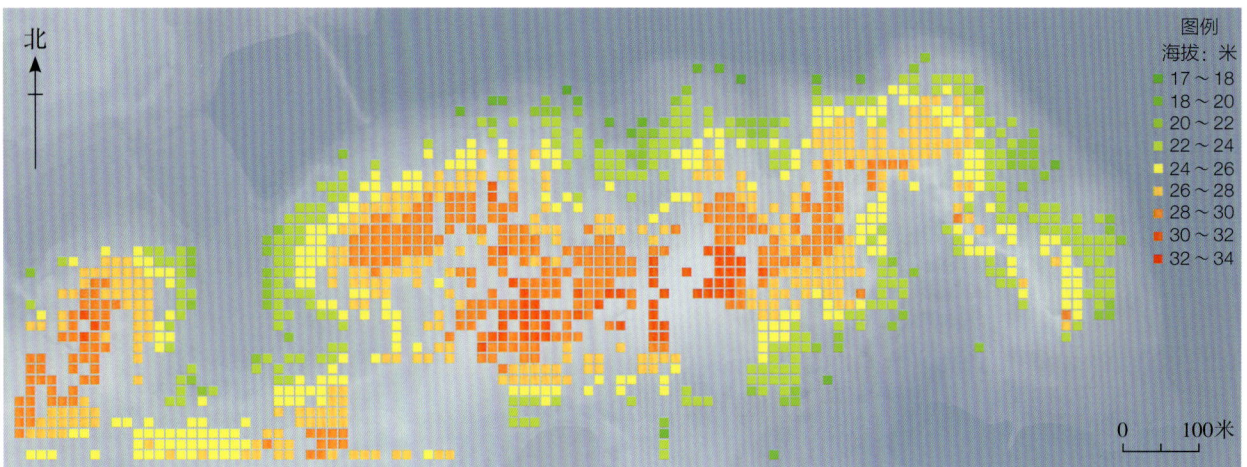

2. 网纹红土表面复原海拔

图 4.7　杨家湾一带岗地海拔

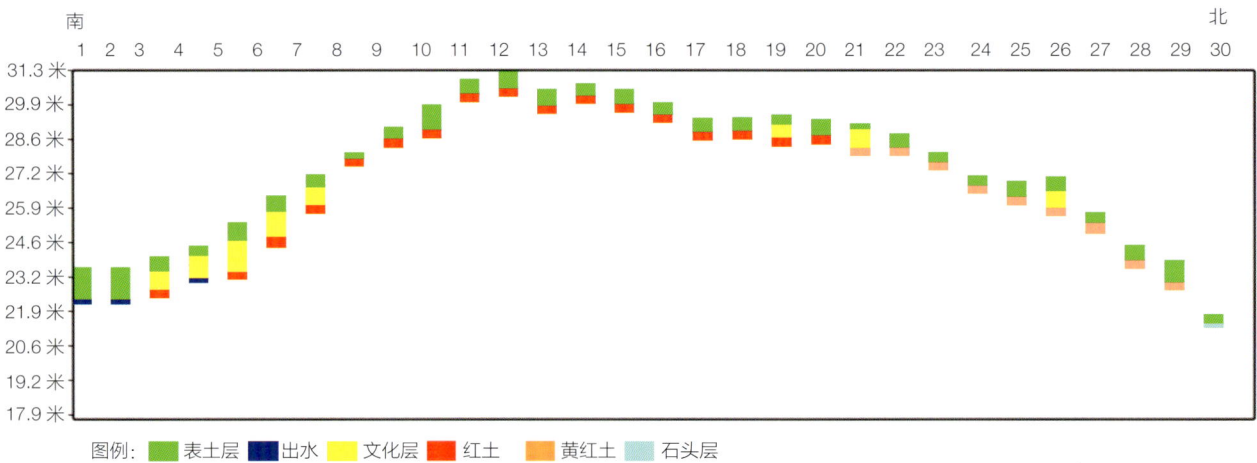

图例：　■ 表土层　■ 出水　■ 文化层　■ 红土　■ 黄红土　■ 石头层

图 4.8　杨家湾一带岗地南北向地质勘探剖面图（探孔柱状剖面图）

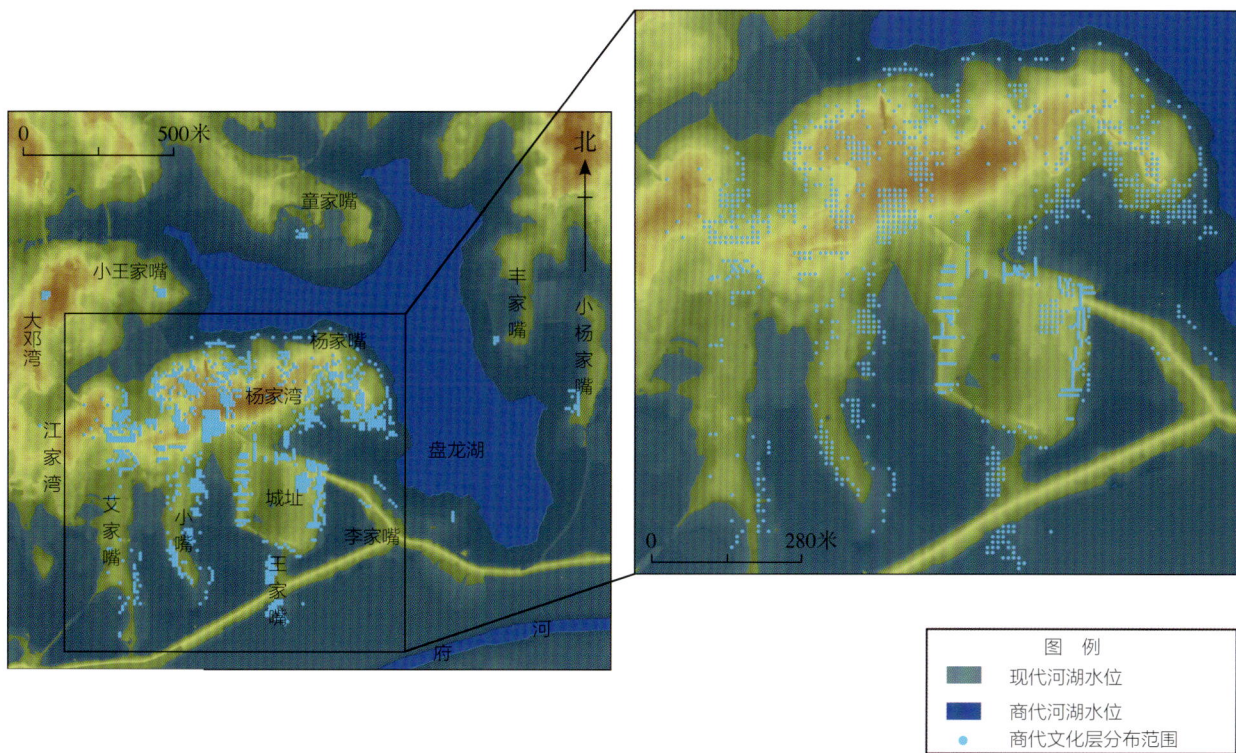

图 4.9　勘探所见盘龙城遗址商文化时期堆积分布图

性的考古勘探。截止至2018年，盘龙城遗址考古发掘面积总计15045平方米，考古勘探面积273.6万平方米[①]（图4.9）。同时，考古人员借助RTK等数字化测量仪器，对历年考古工作区域和遗迹位置的三维坐标进行了记录，对不同类别遗存的海拔与现代河湖水位等关键数据进行了采集。此外，考古人员运用机载激光雷达、超声波测深仪对遗址陆地和水下区域地貌形态进行了精细测绘。上述田野考古与数字化测绘工作，为我们重建盘龙城区域不同时期的地理景观奠定了重要基础。

　　盘龙城遗址分布于临湖岗地之上，因此河湖水位的涨落对于该区域的整体聚落布局有着十分深刻的影响。在以往的考古发掘工作中，考古人员曾多次在盘龙湖湖面以下发现商代墓葬以及同时期的青铜器、陶器等重要遗物。这些线索暗示着商代盘龙城区域的河湖水位可能与当今水位存在明显的差别。水下考古勘探表明，商文化时期盘龙城遗址周边河湖水位至少低于当代同期水位5.1米[②]。因此，复原出不同水位条件下，盘龙城区域的地貌形态成为了我们复原聚落景观的一个重要方面。同时，田野考古发掘表明，盘龙城区域地层堆积较为清晰，自上而下可以分为表土层、商代文化层和生土三个层位，分别对应着当代、商文化时期和盘龙城聚落形成之前三个时期。本书将着力对上述三个时期盘龙城区域的聚落形态予以勾勒，从长程的视角对本区域聚落形态与地理景观的变迁过程进行对比和考察。

　　在此以2018年测绘的1：2000盘龙城遗址数字线划图和数字高程模型作为聚落景观复原

---

① 武汉大学历史学院：《盘龙城遗址各地点历年考古工作综述》，《江汉考古》2020年第6期。
② 武汉大学历史学院：《武汉市盘龙城遗址水下勘探及试掘简报》，《江汉考古》2018年第5期。

的基础数据，同时整合田野考古勘探和发掘的资料，通过对不同时期所形成的地层进行剥离，进而复原出不同时期的地形模型。从而结合不同时期的河湖水位，复原出各时期盘龙城区域的聚落景观。

依据考古勘探所获得的探孔数据，我们大体上可将盘龙城遗址区域的地层自上而下可分为三层：第一层为表土层，属近现代人类活动形成的堆积；第二层为商代文化层，包括商代人类活动形成的灰坑、建筑基址、墓葬等各类文化堆积；第三层为生土，该层中不包含任何人类活动遗物，属盘龙城聚落出现之前（商代之前）形成的自然堆积。因此，从时间上，我们可以将盘龙城区域的地貌形态划分为：商代之前、商代和当代三个时段。

同时，田野考古发掘及水下考古勘探表明，商代盘龙城遗址周边河湖水位至少低于现代同时期水位5.1米。若就海拔而言，现代盘龙城遗址周边河湖水位约为19.5～22.6米，而商代盘龙城周边河湖水位应不高于17.5米。因此，在对不同时期地层堆积进行剥离之后，利用GIS软件对不同河湖水位条件下盘龙城区域水陆格局进行模拟，即可对各时期该区域的地理与聚落景观进行重建。

首先将栅格数据和数字线划图进行编辑，依次去除现代和商代的人工地物，从而获取去除人工地物的商代与商代之前的DEM底图，然后将进行剥离的土层曲面进行拟合，依据探孔数据，我们总体上可将盘龙城遗址区域的地层自上而下可分为表土层、商代文化层和生土。在还原商代地形时，需要将去除现代人工地物的DEM底图再将表土层进行剥离，从而获得商代的盘龙城遗址地形。同理，在还原商代地形时，需要将表土层进行剥离，从而获得商文化时期的地形。同理，在还原商代之前的地形时，需要将表土层和商文化时期地层进行剥离，从而获得商代之前的盘龙城区域地形，最后结合水位变化对盘龙城区域地形变化进行分析和可视化（图4.10）。

利用ArcGIS软件的空间分析功能可以提取出不同水位条件下盘龙城遗址中水域的分布范围并量算出水域的实际面积。图4.10，2与图4.10，3分别反映了商文化时期和现代盘龙城区域的水陆格局（图中的湖泊水位分别取17.5米和22.6米[①]）。需要说明的是，依据盘龙湖水下遗存分布的最低高程值估测得出的17.5米高程值并不能直接等同于商时期湖泊水位的上限。因为通常而言，人类活动的空间应该略高于河湖水面，此外，在将来的考古工作中很有可能在低于17.5米的地带发现新的考古遗存。换言之，商文化时期盘龙湖实际的水位上限可能比17.5米更低。当盘龙湖、破口湖、府河的水位处于17.5米时，盘龙城遗址区域的景观将与当今所见大为不同。首先，遗址区域内的水陆格局将发生显著转变。盘龙城遗址总面积约3.5平方千米，当代盘龙湖丰水期时，遗址中50%以上的区域被湖水淹没。而商代盘龙湖处于丰水期时，遗址中水域面积则仅占15%左右（图4.11、表4.1）。就地理环境而言，当代的盘龙城遗址分布于一片河湖交错的低岗之上，陆地面积相对有限。而商代的盘龙城聚落可能占据着更为广阔的陆地空间，从岗地顶部到岗间低地均可能成为古代人类活动的空间。

在商代的水陆格局之下，盘龙城聚落的整体形态亦与当前的遗址面貌相异。当代盘龙城

---

① 17.5米是根据盘龙湖水下考古勘探估算的商时期盘龙湖最高水位；22.6米是现代水文观测站记录的盘龙湖近20年最高水位。

图　例
海拔（米）
13 ～ 14
14 ～ 16
16 ～ 18
18 ～ 20
20 ～ 22
22 ～ 24
24 ～ 26
26 ～ 28
28 ～ 30
30 ～ 32
32 ～ 34
34 ～ 36
36 ～ 38
38 ～ 40
40 ～ 42

北

0　　　500米

1. 商代之前地貌

图　例
海拔（米）
13 ～ 14
14 ～ 16
16 ～ 18
18 ～ 20
20 ～ 22
22 ～ 24
24 ～ 26
26 ～ 28
28 ～ 30
30 ～ 32
32 ～ 34
34 ～ 36
36 ～ 38
38 ～ 40
40 ～ 42

北

0　　　500米

2. 商代地貌

图　例
海拔（米）
13 ～ 14
14 ～ 16
16 ～ 18
18 ～ 20
20 ～ 22
22 ～ 24
24 ～ 26
26 ～ 28
28 ～ 30
30 ～ 32
32 ～ 34
34 ～ 36
36 ～ 38
38 ～ 40
40 ～ 42

北

0　　　500米

3. 现代地貌

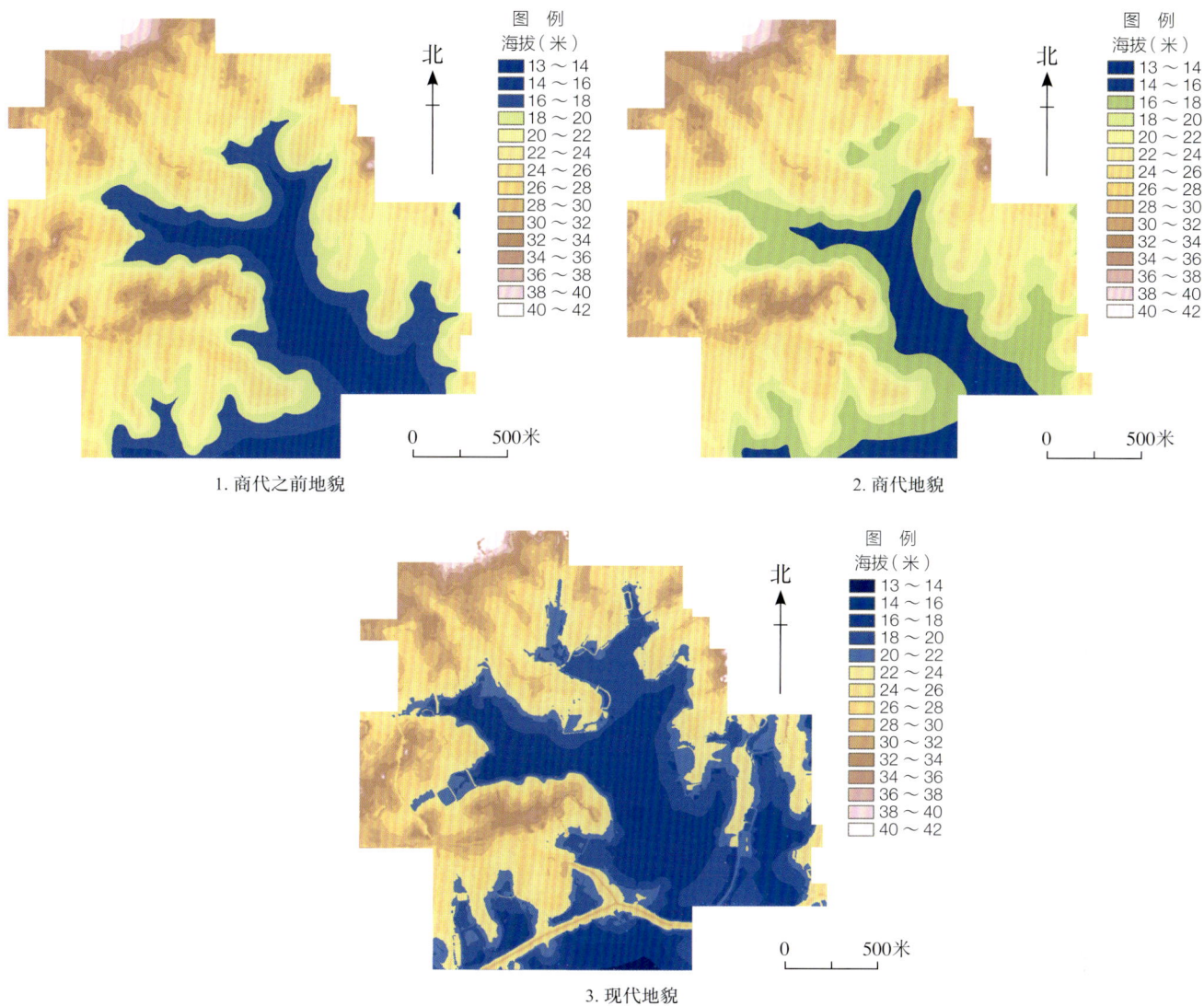

图 4.10　盘龙城遗址各时期地貌

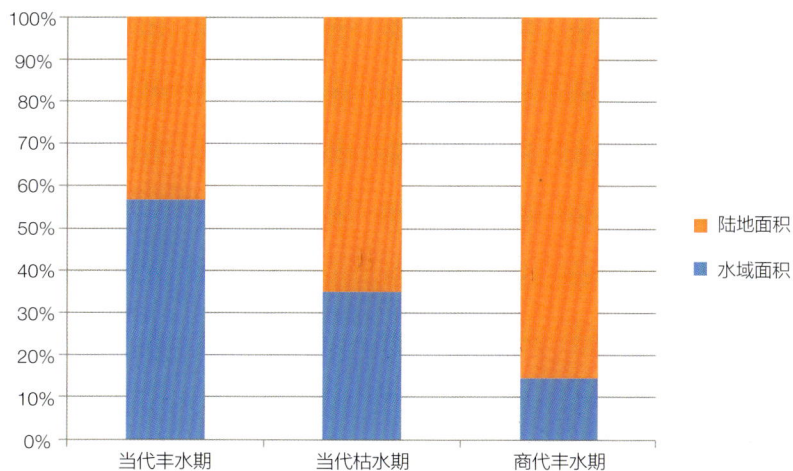

图 4.11　各水位条件下盘龙城遗址中水陆面积对比图

表4.1　各水位条件下盘龙城遗址中水陆面积对比

	当代丰水期（22.6米）	当代枯水期（19.5米）	商代丰水期（17.5米）
水域	1.99 平方千米	1.22 平方千米	0.51 平方千米
陆地	1.51 平方千米	2.28 平方千米	2.99 平方千米

遗址各地点散布于多个相对独立的临湖岗地之上。各岗地虽直线距离300～500米，而因受湖水阻隔，实际的陆地通行距离则可达1～3千米。作为一座大型城市，各功能区之间应该是紧密联系且频繁互动的，而盘龙城遗址当前的格局则很难将其视为一座大型城市。但是，若河湖水位处于17.5米乃至更低水平，盘龙城的形态将大为不同。城垣与城外的陆地空间将基本不受湖水的阻断，而可以通过陆地连通。例如盘龙城宫城区与位于其东西两侧的李家嘴墓葬区、小嘴铸铜作坊区之间直线距离仅200～300米。不难想见，在当代的湖面以下，很有可能分布着商代的道路系统，这些道路交织成网将盘龙城内部的各区域连接成为了一个有机整体。此外，考古人员曾在盘龙城南、北城垣外发现了"护城壕"，并推测东、西两侧城垣外亦分布着同样性质的壕沟，但由于现代湖面的淹没难以对这些地区开展工作。若河湖水位处于17.5米甚至更低，城垣四周将呈现出相对广阔的陆地空间，"护城壕"的出现就具备了充分的合理性。

第二节　湖泊形态与河道改道

一、盘龙湖

古代聚落在被废弃以后所经历的各种人类活动和自然过程会持续对其地貌形态产生不同程度的影响，有学者将这种变化过程称之为"遗址地貌的后生变化"[①]。而大量考古实践表明，包括湖泊、河流和海平面在内的水系是遗址地貌变化中最为显著的因素，因此研究古水系变迁与人类活动之间的关系常常是遗址景观分析中的首要问题[②]。盘龙城遗址主体分布于多处临湖岗地之上，盘龙湖、破口湖镶嵌于遗址之中，长江支流府河流经遗址南缘，由于遗址所在的临湖岗地低矮平缓，因此河、湖水位的季节性涨落对盘龙城遗址当前的地貌形态有着显著地影响。

值得注意的是，20世纪80年代以来，考古人员曾于枯水时节在杨家嘴、李家嘴、小嘴等

---

① 王辉：《论遗址地貌的后生变化》，《南方文物》2017年第3期。

② 张海：《景观考古学——理论、方法与实践》，《南方文物》2010年第4期。

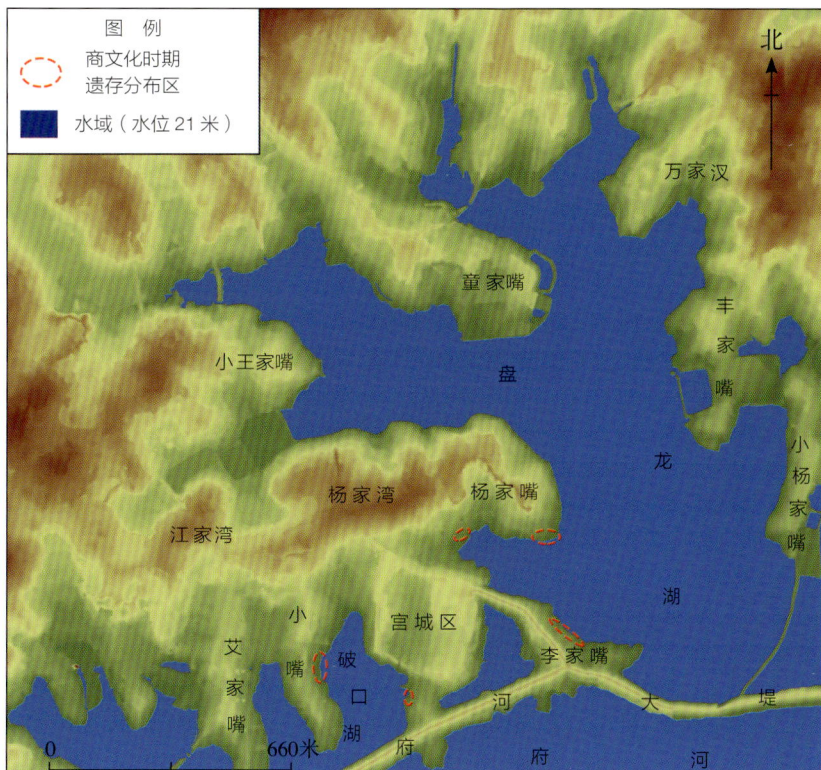

图 4.12　盘龙城遗址水域分布

湖滨滩地上发现了商文化时期的墓葬及灰坑，府河河床中亦曾发现商文化时期墓葬，这些遗存在汛期淹没于水下，枯水期则显露地表[1]（图4.12）。2016～2017年，武汉大学历史学院等单位运用多学科技术手段对盘龙湖、破口湖内水下遗存的分布情况进行了勘察，在两处湖泊中均发现有商文化时期遗存。由这批古代遗存所在地高程可以推知，商文化时期盘龙城遗址周边湖泊丰水期水位至少低于当代湖泊同期水位5.1米（商文化时期盘龙城遗址周边湖泊水位至少低于当代湖泊枯水期水位2米左右）[2]。如此明显的水位变迁，势必造成河湖形态发生改变，进而对遗址地貌形态造成直接影响。换言之，在影响盘龙城遗址地貌形态的诸多因素之中，水位变迁成为了最为活跃的因子之一。因此，对遗址周边河湖水位变迁过程的探究成为了我们复原商文化时期盘龙城"原貌"的基础，也是我们窥探江汉地区古今水系变迁历程的生动个案。

当前与盘龙城遗址关系最为密切的水域共三处：盘龙湖、破口湖与府河。这三处水域之间横亘着现代人工堤防（图4.12）。显然，解析"河、湖、堤"三者之间的关系成为了我们

①　《盘龙城（1963～1994）》，第300页；湖北省文物考古研究所：《1997～1998年盘龙城发掘简报》，《江汉考古》1998年第3期；韩用祥：《盘龙城遗址首次发现铸造遗物及遗迹》，《江汉考古》2016年第2期；武汉市黄陂区文管所：《近年黄陂区出土的几件商周青铜器》，《武汉市黄陂地区文物考古与研究文集》，第104页，武汉出版社，2011年。

②　武汉大学历史学院、湖北省文物考古研究所、盘龙城遗址博物院、中国科学院南京地理与湖泊研究所、武汉大学遥感信息工程学院：《武汉市盘龙城遗址水下勘探及试掘简报》，《江汉考古》2018年第5期。

探究盘龙城遗址周边河湖水位变迁的突破口。论及江汉地区的水系变迁，历史地理学者们多熟稔于从历史文献中搜寻相关信息进而展开研究[①]。然而，上述研究手段多着眼于相对宏观的地理空间，对于盘龙城遗址所处的方圆5平方千米的区域，则难以从历史文献中获知详尽的水系变迁信息。所幸，不同时期的历史地图和遥感影像往往记录着已经消逝的地理图景，是我们研究微观区域河湖形态变迁时不可忽视的重要资料。本书试图在分析考古材料的基础上，从历史地图和遥感影像中提取出重要的水系变迁信息，进而重建近百年以来盘龙城遗址区域河湖水位的变迁过程。

如图4.12所示，当前在府河与盘龙湖、破口湖之间横亘着府河大堤，三处水域相对独立，互不连通。当前盘龙湖、破口湖被开发为人工渔场，水位常年保持在之19.5～22.6米，而府河属长江支流，水位自然涨落，处于18.2～29.8米[②]。实际上府河大堤修筑于1974年，在此之前盘龙湖、破口湖均与府河连通。

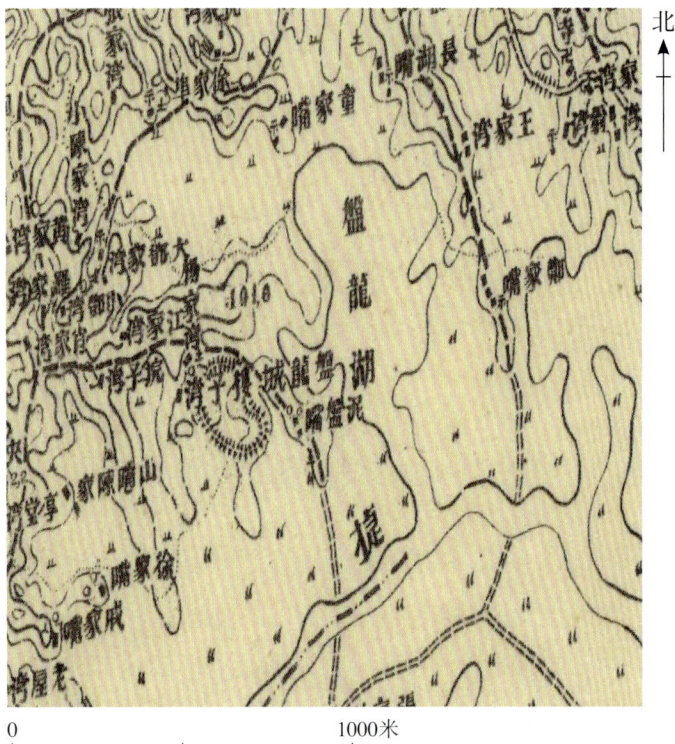

图4.13　1918年绘制的1∶50000"黄花涝"地形图（局部）

20世纪初期南京国民政府国防部曾组织全国各省测量局编制过1∶50000和1∶10000的军用地形图，如今这批地图资料成为了学者们研究历史地貌变迁的重要资料[③]。在1918年测绘的1∶50000"黄花涝"图幅上，已标注有"盘龙城""杨家湾""楼子湾"等地名，并标示出了盘龙城城垣，图中清晰的显示盘龙湖南端有水道与府河连通，由于绘图比例尺的缘故，破口湖因面积太小而在图中未能予以呈现（图4.13）。在1931年测绘的1∶10000"汉口"图幅上，则更为清晰的绘制出了盘龙城城垣的范围，可以看出盘龙湖、破口湖面积均与府河连通，湖泊面积明显小

① 鲁西奇：《汉水中下游河道变迁与堤防》，第145页，武汉大学出版社，2004年；张修桂：《中国历史地貌与古地图研究》，第167页，社会科学文献出版社，2006年；杨果、陈曦：《经济开发与环境变迁研究：宋元明清时期的江汉平原》，第183页，武汉大学出版社，2008年。

② 府河水位数据由武汉市黄陂区童家湖堤防管理处（水文站）提供。转引自刘森森：《盘龙城宫城城垣、压脚台、城壕相关问题分析》，《商代盘龙城学术研讨会论文集》，第150页，科学出版社，2014年。

③ 江伟涛：《民国1∶10万地形图及其所见江南市镇数量》，《中国历史地理论丛》2017年第32卷第3辑；潘威、满志敏《大河三角洲历史河网密度格网化重建方法——以上海市青浦区1918～1978年为研究范围》，《中国历史地理论丛》2014年第25卷第2辑。

于当前范围（图4.14）。

依据以上地图，我们可以观察到近100年以来"河"与"湖"由连通到割裂的变迁过程，然而纸质地图往往只能表现出测图时节的水文状况，而盘龙城区域汛期与枯水期河湖水位的差异甚大。所幸现存的一批遥感影像资料记录了本区域不同季节的地理景观变化。20世纪50～70年代，美国空军U-2侦查机曾对全球多个国家和地区进行过侦查活动，拍摄下了大批遥感影像资料，这批资料的拍摄时间往

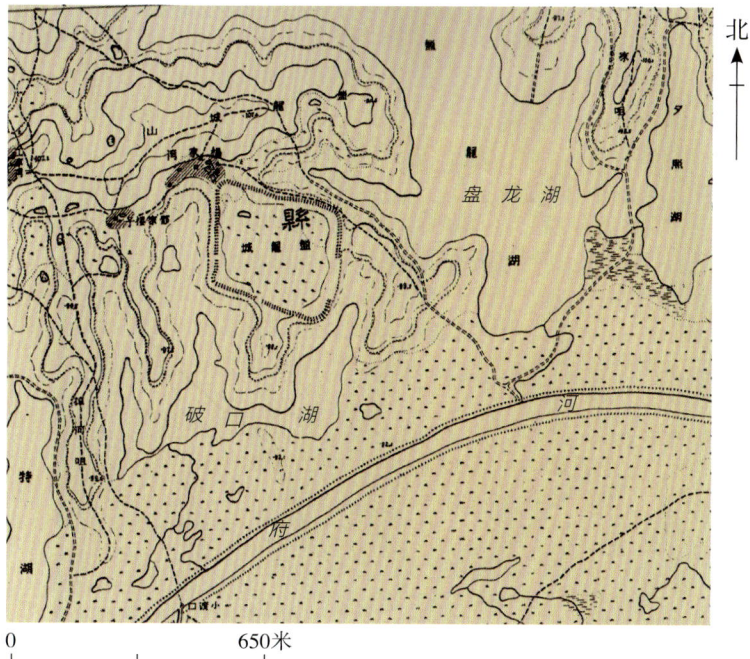

图 4.14　1931 年绘制的 1∶10000 "汉口"地形图（局部）[①]

往早于各地开展大规模农田水利和城市化建设的时间，因此记录下了珍贵的原始地貌信息，且因其高分辨率（空间分辨率通常可达2米）、多时相的特点，已有考古学家利用这批资料成功判读了出两河流域史前时期的道路系统[②]。图4.15和图4.16分别拍摄于1962年春季和1963年夏季，分别展现了盘龙湖一带在枯水期和汛期所呈现出的地貌景观。如图所示，1962年盘龙湖南缘已经构筑起人工围堤，盘龙湖与府河已不再联通，湖泊形态已与当今所见趋同。而彼时破口湖依然与府河联通，汛期湖水充盈，枯水期水位回落，湖泊面积锐减。

综上所述，在府河大堤修筑之前，盘龙、破口二湖与府河相通，湖水直接受河水影响，共同涨落，彼时湖泊形态不稳，汛期和枯水期差异显著。而府河大堤修筑之后，湖水受堤坝拦截，湖泊形态日趋稳定。由此可见，府河水位直接决定着盘龙城遗址周边湖泊的水位，因此有必要对不同时期府河水位的变迁过程进行分析。

府河发源于随州大洪山，南下至孝感卧龙潭后向东转折，流经盘龙城遗址南缘，进而注入长江。就当今水系格局而言，从盘龙城遗址出发由府河经长江入汉水，北上可达中原腹地，顺江南下可抵长江中、下游地区，因此府河被认为是盘龙城遗址与外界连接的一条重要交通路线[③]。然而，自1974年府河大堤修筑以来，府河河道（盘龙城段）显著拓宽，直接导致了盘龙城遗址中王家嘴岗地南部被河水淹没，淹没区达王家嘴岗地面积的二分之一，前文提及的1989年府河中发现的商文化时期墓葬则位于王家嘴岗地以南120米处（图4.17）。通

---

① 图中斜体字为笔者添加。

② Ur, Jason A. Spying on the Past: Declassified Intelligence Satellite Photographs and Near Eastern Landscapes. *Near Eastern Archaeology*, 2013, 76(1): 28-36.

③ 刘莉、陈星灿：《城：夏商时期对自然资源的控制问题》，《东南文化》2000年第3期；《盘龙城（1963～1994）》，第1页。

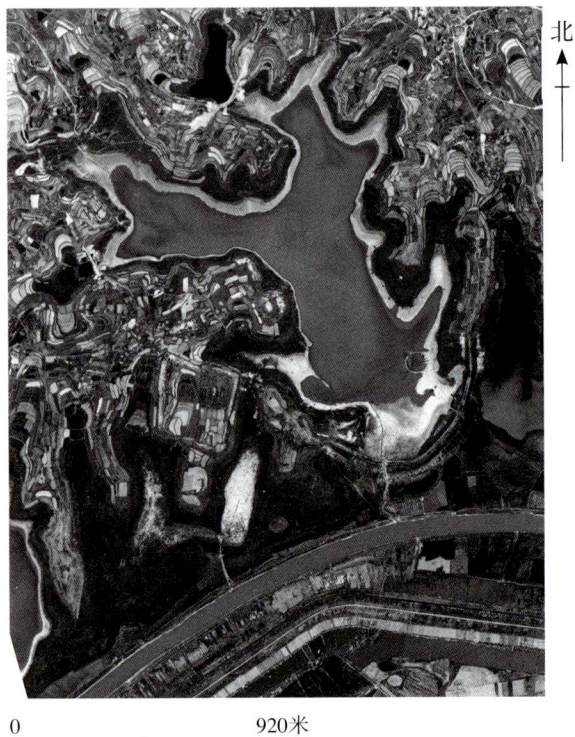

图 4.15　枯水期盘龙城遗址影像
（1962 年 3 月 26 日 U-2 侦察机拍摄）

图 4.16　汛期盘龙城遗址影像
（1963 年 6 月 3 日 U-2 侦察机拍摄）

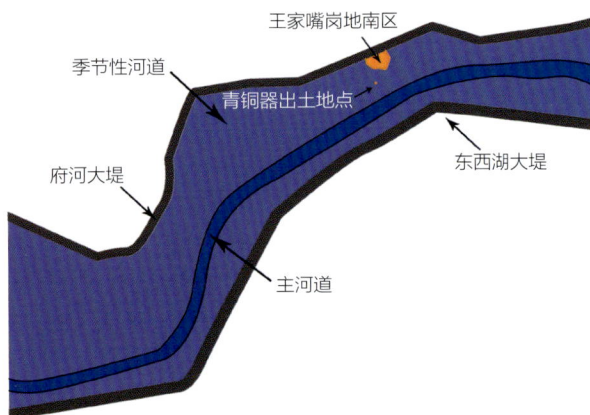

图 4.17　府河河道平面图

过当前河道中发现墓葬的高程可大致推算出商文化时期府河的水位上限，而测绘于20世纪初期的地形图则呈现了府河沿岸人工堤防修筑之前的地貌形态，由此我们可以对府河水位的变迁过程进行如下分析。

府河童家湖水文站1990～2007年观测数据显示，当代府河水位处于18.2～29.81米（图4.18）。汛期和枯水期河水涨落幅度约10米左右，而在1989年工程部门在加固府河大堤时于河道内发现了商文化时期墓葬，笔者于2014年对该地点进行了实地踏查，RTK测得高程为18米（误差±0.02米）。由此推知，商文化时期府河水位上限应不高于18米，当代府河水位显然比之商文化时期有着明显抬升。

府河属长江支流，其水位涨落与长江水位变迁直接相关，已有研究表明，近5000年以来长江中游荆江段洪水位上涨了13.6米，长江中游洪水位不断攀升的大背景应该是造成府河水位抬升乃至盘龙湖、破口湖面积扩张的根本原因。然而，除了自然地理背景的变化，近百年以来人类活动对区域地貌的显著改变亦是造成府河水位抬升的重要原因。具体而言，府河下

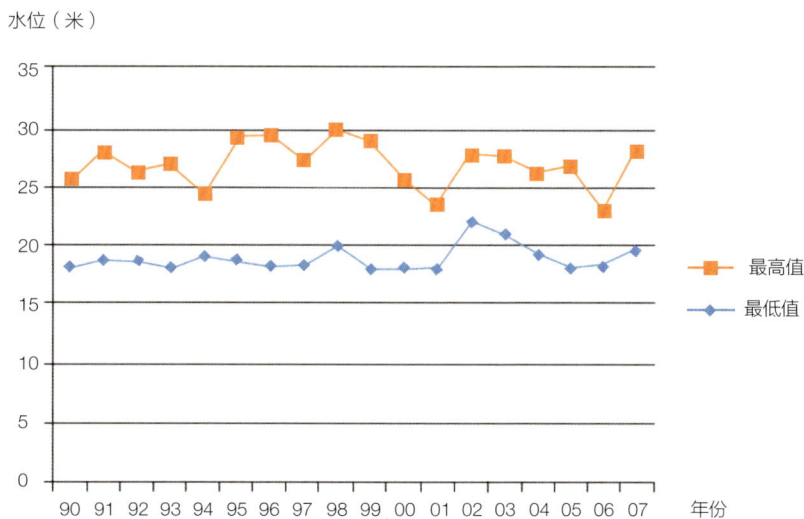

图 4.18 府河 1990 ～ 2007 年水位变化情况

游沿岸堤防的修筑导致河水困束，河道壅塞，水位抬升，且自明代中叶以来汉口市镇兴起，日益加快的城市化进程导致汉口北部原本密布的湖汊水网消失，斩断了府河南部的泄洪通道，最终造成了当前府河河道拓宽，水位高涨的态势。

为抵御府河洪水对沿岸居民和农业区的侵袭，武汉市政府分别于1956年和1974年修筑完成了东西湖大堤和府河大堤，使洪水被有效地控制在两道大堤之内（图4.17）。从Google Earth拍摄的两幅卫星影像中可以看到当代府河枯水期河水维持在主河道以内，主河道宽约85～93米，水位保持在18.2～20米，在河道两侧分布大片低平陆地（图4.19）；而汛期府河水量猛增，河水溢出主河道，直抵两岸大堤，河道拓宽至500～530米，水位上限可达29.8米（图4.20）。实际上，当代府河河道实际是由主河道与季节性河道共同组成，主河道常年被河水充斥，而主河道两侧的低平陆地为季节性河道，每年汛期淹没水下，枯水期显露地表（图4.21）。前文提及的府河中发现的商文化时期墓葬和王家嘴岗地南区正是位于府河季节性河道之中，而造成府河季节性河道形成的主要原因正是府河沿岸堤防的修筑。

由南京国民政府国防部编制的1：50000军用地形图统一采用兰勃特投影，准确绘制了山脉、河道、湖泊及其他地物的分布范围。为完整展现府河及其以南区域的地貌形态，本文从1：50000军用地形图中选取四幅地图并依据接图表将其进行拼接后予以裁剪，其图名分别为"汉口""黄花涝""沙口"和"磨山"，图上标注有"中华民国七年七月测图"字样，因此，图4.22呈现出了1918年前后府河区域的地貌形态（图中红字为笔者添加）。

从1918年的地形图中可以看到，彼时府河沿岸并未修筑人工堤防，府河主河道与南北两侧湖泊相连，在府河南部与长江之间，分布着十分密集的湖泊、汊道，而横亘在汉口城区以北的张公堤在抵挡北部洪水对汉口城区侵袭的同时，也截断了府河汇入长江的通道。若将本区域1918年地形图与2016年Google Earth发布的卫星影像进行比对则能更为明显地看出近百年间水系格局的显著变化。

137

图 4.19　枯水期府河河道
（2006 年 3 月）

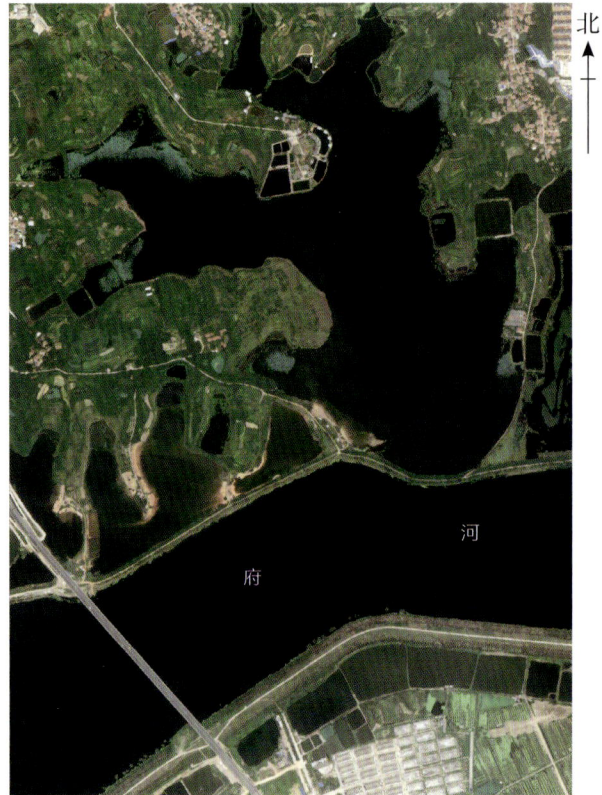

图 4.20　汛期府河河道
（2012 年 7 月）

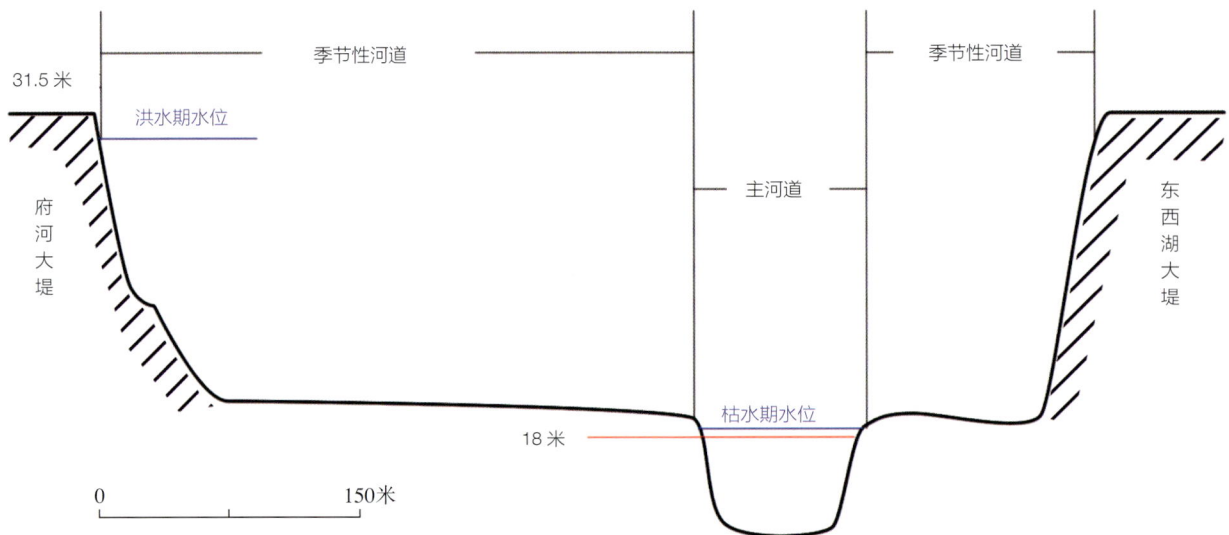

图 4.21　府河河道剖面图

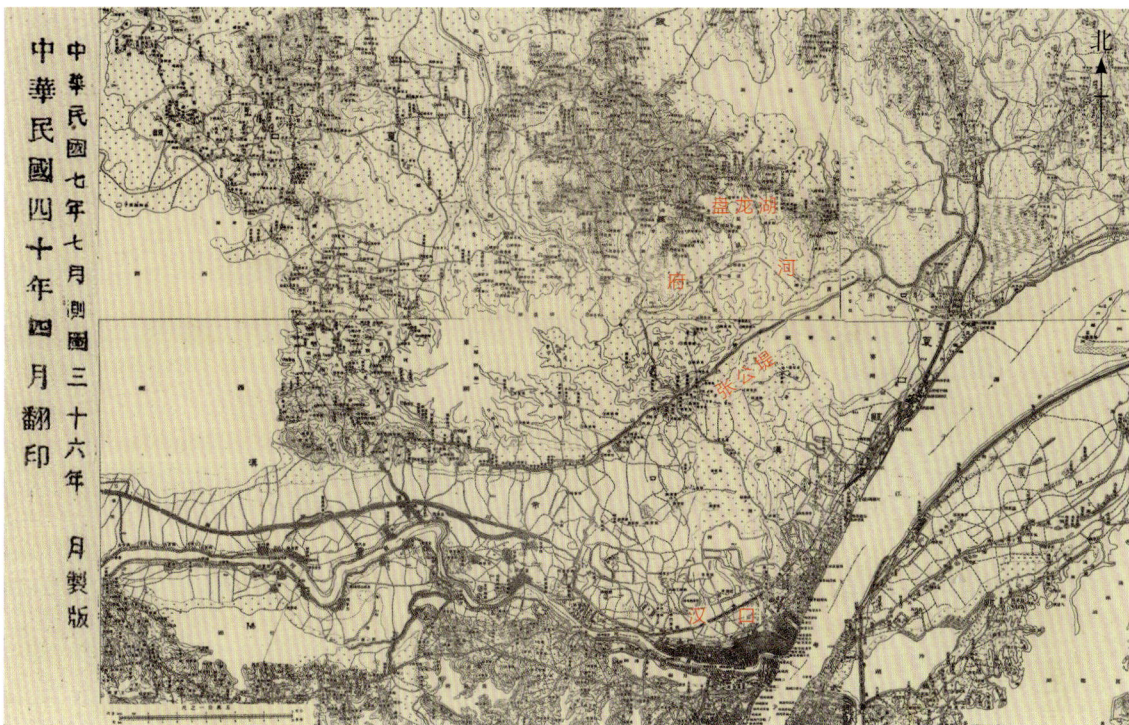

图 4.22　1918 年盘龙城遗址周边区域地形图

　　为便于观察，笔者分别从上述二图中提取出水系、堤防及现代城区范围，将其他地理要素予以省略（图4.23、图4.24）。不难发现，1918～2016年，武汉市汉口城区的范围显著扩张，与此同时，在"张公堤"以北又新增了"东西湖大堤"和"府河大堤"，三道人工堤防的出现，使得府河南侧原本密集的水网被斩断，新中国成立后大规模"围湖造陆"的活动使得东湖面积大幅萎缩，大赛湖彻底消失（图4.24）。而府河以北原本面积极为狭小的湖泊因府河大堤拦截湖水无法外泄，湖泊面积增大，盘龙湖与破口湖面积的扩张正是这一过程的体现。

　　实际上，已有多位学者指出武汉市汉口城区的扩张与汉口北部多道堤防的修筑密切相关，堤防阻断了北部河湖倾泄而下的洪水，改变了汉口地区地势低洼、湖沼密布的地貌形态，为城市由南向北扩张提供了广阔的陆地空间[①]。具体而言，汉口北部堤防的修筑始于明代晚期，1635年汉阳通判袁焴为抵御后湖水对汉口城区的威胁修筑了袁公堤（后因城市建设而拆毁）[②]，1905年张之洞督鄂期间又修建筑了张公堤，使"泽国变为沃土"[③]，汉口城区得以大幅北扩。新中国成立以后，武汉市政府组织大批人力于1957～1958年对东西湖区进行大规模围垦，使得西湖被填平，东湖面积大幅缩减，当今武汉市东西湖区大部分耕地即由此产生，《东西湖区志》记载"东西湖大堤把方圆451平方公里的湖沼滩地围城独立水系，使

① 方秋梅：《论晚清汉口堤防建设对城市环境变迁的影响》，《江汉论坛》2009年第8期；龙晓曙、李艳：《汉口繁荣与堤防建设》，《中国水利》1985年第1期；伍维周、邓健如：《武汉市地貌的形成条件与演变过程》，《湖北大学学报（自然科学版）》1991年第1期。
② 侯祖畲：《中国地方志集成·湖北府县志辑（三）》，第268页，江苏古籍出版社，2001年。
③ 武汉市汉阳区地方志办公室：《汉阳府志·形势志（三）》，第283页，湖北人民出版社，2013年。

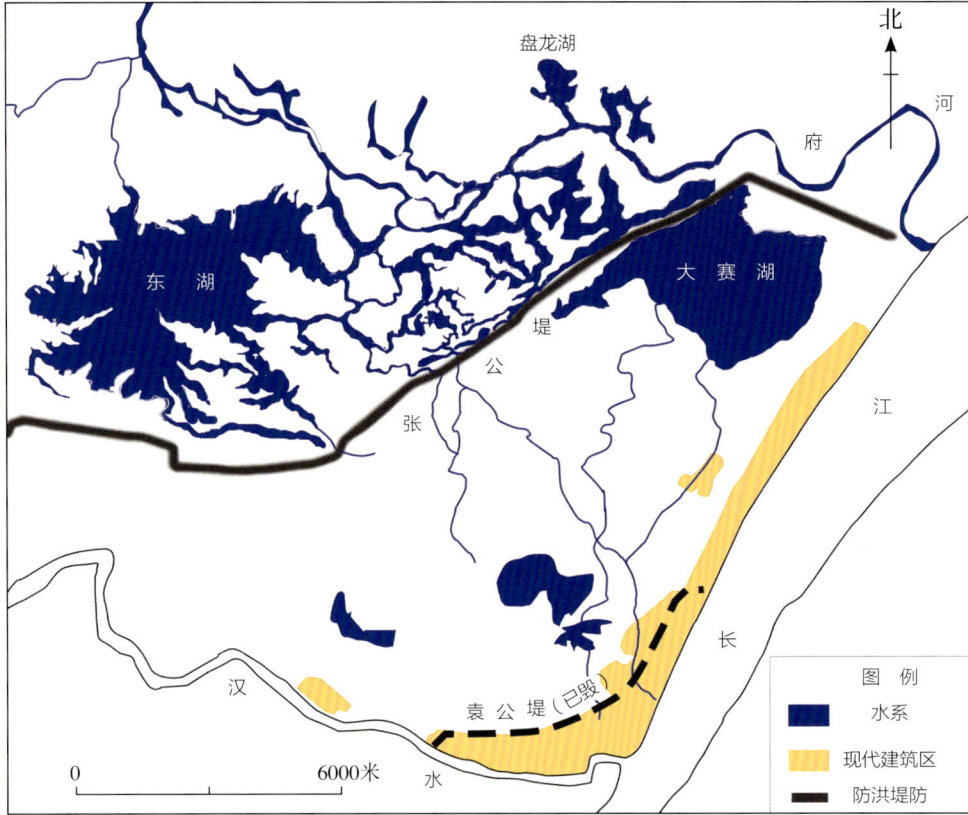

图 4.23　1918 年汉口地区水系格局

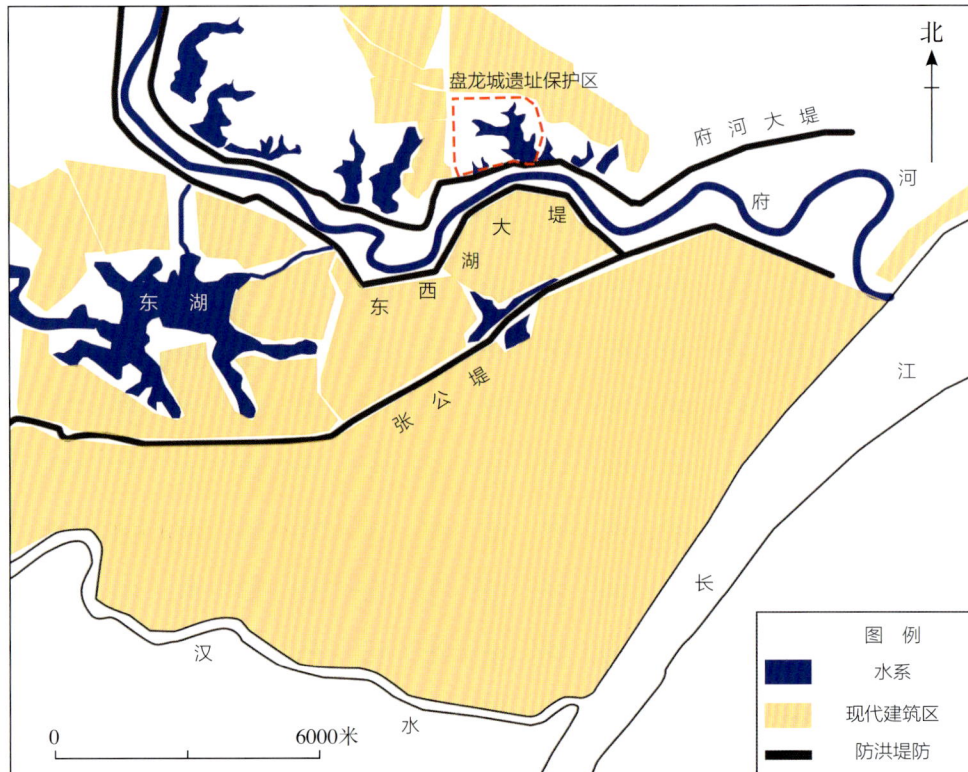

图 4.24　2016 年汉口地区水系格局

荒原变良田，旱涝保收"①。

由此可知，在汉口人工堤防系统出现以前，府河北与盘龙湖、破口湖相连，南与密集的水网相通，直抵长江，而盘龙城遗址与长江之间的区域地势呈北高南低，落差达10米以上。因此，在人工堤防修筑之前，汛期府河洪水顺地势经汉口地区自然倾泄至长江，泄洪孔道众多，行洪通畅。而明代晚期以来，随着汉口城区逐步北扩，府河南岸水网消失殆尽，加之1956年南侧的东西湖大堤的修筑，直接斩断了府河洪水外泄通道，府河只能经由唯一出口汇入长江，造成府河汛期泄洪不畅。至1974年，北侧的府河大堤修筑完成，府河彻底被困束于人工堤防以内，汛期水位陡增，河面大幅拓宽。同时，盘龙湖、破口湖因府河大堤拦截，湖水常年维持在较高水位。上述一系列变化最终造成了当今盘龙城遗址被"高水位"河湖环绕的地貌形态。

二、府、澴河

从地理格局而言，地处武汉市北郊的盘龙城要与其北部450千米处的郑州商城实现交通往来并不困难，两地之间虽有大别山阻隔，但是自盘龙城出发经澴河北上即可穿过大别山山间隘口，北上郑州；亦或自盘龙城出发沿府河经随枣走廊进入南阳盆地，而后亦可抵达郑州地区。而且发源于随州大洪山的府河不仅是江汉地区东北部最大的长江支流，府河下游还直接流经盘龙城遗址南缘，盘龙城遗址南端的王家嘴岗地直抵府河北岸，故而府河沿线通常被视为二里冈文化至洹北花园庄期盘龙城北上中原地区的重要通道②。

但是，以上对于交通路线的分析是以现代府河的河道走向为依据，忽视了历史时期可能存在的河流改道问题，因此我们需要对府河的水系结构及其历史变迁过程有一个基本梳理，在此基础上重新考虑交通路线的问题。府河上游河道受沿岸山地的约束，不易发生明显的河流改道，但是府河自安陆以下则进入平原地带，府河下游支流众多，水系结构错综复杂，因此二里头文化时期府河下游的具体走向直接影响着我们对于这一时期鄂东北地区交通路线的认识。

从现代水系结构而言，府河发源于大洪山，全长266千米，穿随枣走廊、安陆、云梦、孝感后纳澴河，并称府澴河。此后府澴河折向东流经盘龙城南缘，于武汉谌家矶注入长江，府河是鄂东北地区最大的一条长江支流。西周时期，在府河沿线就分布有鄂、随、厉等封国，昭王南征亦是自成周出发经由随枣走廊一带南下至孝感③。春秋时期，楚王伐随也是经由府河沿线④。可见，自古以来，府河沿线就是鄂东北地区水陆交通较为发达的地区，成为沟通江汉与中原地区的重要通途。盘龙城地处府河下游，依据当今的河流走向，自盘龙城溯府河北上，可至南阳盆地，进而进入中原腹地，故而将府河视为二里头文化晚期中原与江汉地区的交通路线具有一定的合理性。

从现代遥感影像上可以看到，当前府河在孝感附近，纳澴河，后府河与澴河合二为一共

---

① 武汉市东西湖区地方志编纂委员会：《东西湖区志》，第13页，武汉出版社，2010年。

② 《盘龙城（1963～1994）》，第1页。

③ 尹弘兵：《地理学与考古学视野下的昭王南征》，《历史研究》2015年第1期。

④ 刘玉堂、袁纯富：《楚国交通研究》，第11页，湖北教育出版社，2012年。

同汇入长江。但是，孝感以上府河河道蜿蜒曲折，呈天然河道自然延伸状态。在孝感以下与滠河合并河段则十分平直规整，与天然河道存在明显差别，考虑此区域属孝感与武汉交接地点，人类活动频繁，推测这段平直的河道可能系人工修整而成。

实际上，《湖北省志·水利》中对府河下游的人工改道过程有着明确记载，1959年以前，府河与滠河二者各分其流，府河属汉江支流，于武汉市西侧的新沟镇注入汉江。而滠河属长江支流，滠河在绕经孝感城关后，汇入捷径河，最终于武汉谌家矶注入长江。因此，1959年以前流经盘龙城遗址南缘的河道属滠河下游河道[①]。1959年，湖北省政府为治理府河下游水患，实施了府河、滠河改道工程，将原本各自独立的府河、滠河自卧龙潭以下合而为一，统一由武汉谌家矶注入长江。由此，府河由汉江支流转为长江支流，而滠河由长江支流转变为府河的最大支流[②]。

1959年府、滠河改道工程显著改变了盘龙城遗址周边的水系格局，这一工程使得原本流经盘龙城遗址南缘的长江支流——滠河，转变成为府河的一条支流，而原本位于盘龙城西侧约30千米的汉水支流——府河，转而流经盘龙城遗址南缘，成为了与该遗址关系最为密切的一条河道。

盘龙城遗址发现于1954年，正式的田野考古工作始于20世纪60年代，因此当现代考古学家开始审视盘龙城遗址周边水系格局时，府河已经成为了长江支流并直接流经盘龙城遗址南侧。因此，考古学家很自然地将府河视为盘龙城北上中原，南下长江沿线的重要交通路线[③]，而滠河与盘龙城的密切联系则在一定程度上被忽视。

以1959年府、滠河改道之前的水系格局而言，滠河直接流经盘龙城遗址南侧，而府河则位于盘龙城遗址西侧30千米，显然滠河与盘龙城的关系更为密切。通过以上对水系变迁过程的梳理，我们发现河流的走向直接影响着我们对于古代交通路线的推测和判断。因此，我们在分析二里冈文化时期鄂东北与中原地区交通路线时，需要对府河、滠河等主干水系的基本走向予以明晰，不能简单地以现代水系结构来臆测古代的交通路线。

实际上，在历史文献及古旧地图中均可见到关于汉江、府河、滠河的河道走向若干信息。鲁西奇等学者即依据《水经注》等文献对汉魏六朝至唐宋明清时期，汉江、府河下游河道进行了详细的考证，据其研究成果基本可以确定汉魏六朝时期以来府河即为汉水支流[④]。同时，在谭其骧等学者编著的《中国历史地图集》中可以看到春秋直至明清时期，府河均汇入汉水，而滠河则注入长江。可见，春秋时期以来，府河与滠河各分其流，分属汉水和长江支流的格局未曾发生改变。目前，我们虽难以从历史文献或古旧地图中直接获知二里头文化时期府河与滠河的河道走向，但是上述已知的历史地理研究成果，我们有理由推测二里头文化时期府河与滠河干流的空间位置关系应该与1959年府滠河人工改道工程之前的形态基本一致。换言之，府河与滠河干流在数千年间均保持着相对稳定的河道形态，1959年的人工改道

---

① 滠河下游北径咀至谌家矶段又名为捷径河。笔者查阅了清代同治年间和民国时期绘制的地图，图中均显示盘龙城遗址南缘的河段名为"捷径河"，且捷径河属滠河下游干流。
② 湖北省地方志编纂委员会：《湖北省志·水利》，第552页，湖北人民出版社，1995年。
③ 《盘龙城（1963～1994）》，第1页。
④ 鲁西奇、潘晟：《汉水中下游河道变迁与堤防》，第155页，武汉大学出版社，2004年。

工程则是府河与滠河下游最为显著的一次河流改道过程。

但是，我们也应该注意到，府河与滠河下游支流众多，湖汊纵横，水系结构十分复杂，在历史上府河与滠河干流虽然各分其流，但二者由于距离较近，且并无自然山脉、天堑阻隔，因此我们推测，府河与滠河下游可能存在着某些分支河道，使二者沟通。在《水经注·涢水》中即记载涢水下游分为两支"西入于沔，东通滠水"，此处的"沔"即汉水，这一记载表明涢水除注入汉水以外，还存在着东通滠水第一条分支。据鲁西奇考证，涢水干流注入汉水，但同时涢水也存在着连通长江的支流。涢水通长江的这条支流正与滠水下游河道相通①。笔者查阅了《中国历史地图集》以及20世纪初期由不同的测绘单位出版印制的地图，图中却均未显示府河与滠河各分其流，这是因为这些地图比例尺均较小，所体现的是府河与滠河干流的流向。而在1928～1932年间中华民国组织测量的1∶50000实测地形图中，我们则可以较为细致地观察到府河与滠河下游的河道形态。我们搜集了覆盖府、滠河下游区域区域的9幅民国时期军用地形图，并依据接图表将其按相对位置予以拼合。从这批地图中我们可以获知，府河与滠河干流各分其流，但是滠河下游分为两支，其东支汇入长江，西支则与涢水连通。这一水系格局基本与《水经注·涢水》中记载的"（涢水）西入于沔，东通滠水"的河道形态相吻合。

综上所述，20世纪30年代，府河与滠河干流各分其流，二者分属汉水和长江支流。但府河与滠河之间存在小型河道使得二者保持连通的状态，这一水系结构直至1959年才被人工河道改造工程所打破。而20世纪30年代实测地形图中所反映的府河与滠河水系结构，与前述春秋至汉魏六朝时期的水系结构基本一致（图4.25）。

目前我们虽然仍无法获知二里冈文化时期府河与滠河的河道走向，但是依据春秋时期以来的河道走向我们可以知晓，府河与滠河干流在两千余年间均保持着相对稳定的形态，因此二里冈文化时期这两条河道的走向很有可能与图4.25，2中所示的形态基本吻合。经过上述分析我们可以发现，从交通路线的角度而言，滠水对于盘龙城的重要性显然不亚于府河。

滠水发源于大悟县北部的光山头，自北向南流经孝感后于武汉谌家矶汇入长江，全长133千米。实际上，在春秋时期，滠河沿线已经成为一条十分重要的水陆交通路线，顾祖禹在《读史方舆纪要》卷七十七"湖广三德安府"条中说，滠水"北控三关，南通江汉，据襄樊之左腋，为黄鄂之上游，水陆流通，山川环峙，春秋时楚人用此得志于中原者也"。时至今日，当今武汉与郑州之间的铁路、公路干线均基本是沿滠水平行分布。

实际上，20世纪80年代，孝感地区博物馆在鄂东北地区的涢水、滠水、澴水流域开展过多次考古调查②，调查者曾在滠水沿线发现了包括聂家寨、凤凰墩、大台子、城隍墩凤凰台、似鼓墩等多处二里冈文化时期遗址，并指出鄂东北地区商周时期的遗存以"滠水、澴水流域为最多，其次是涢水和汉水"③。而且，就空间距离而言，从盘龙城出发沿滠水北上至郑州商城，其空间距离显然短于经府河北上的路线。换言之，相较于府河而言，滠水是郑州

① 鲁西奇、潘晟：《汉水中下游河道变迁与堤防》，第161页，武汉大学出版社，2004年。

② 孝感地区博物馆：《孝感地区文物普查概述》，《江汉考古》1990年第2期；孝感市博物馆：《孝感市古文化遗址调查简报》，《江汉考古》1995年第3期。

③ 熊卜发：《浅谈鄂东北地区古代文化》，《鄂东北地区文物考古》，第3页，湖北科学技术出版社，1995年。

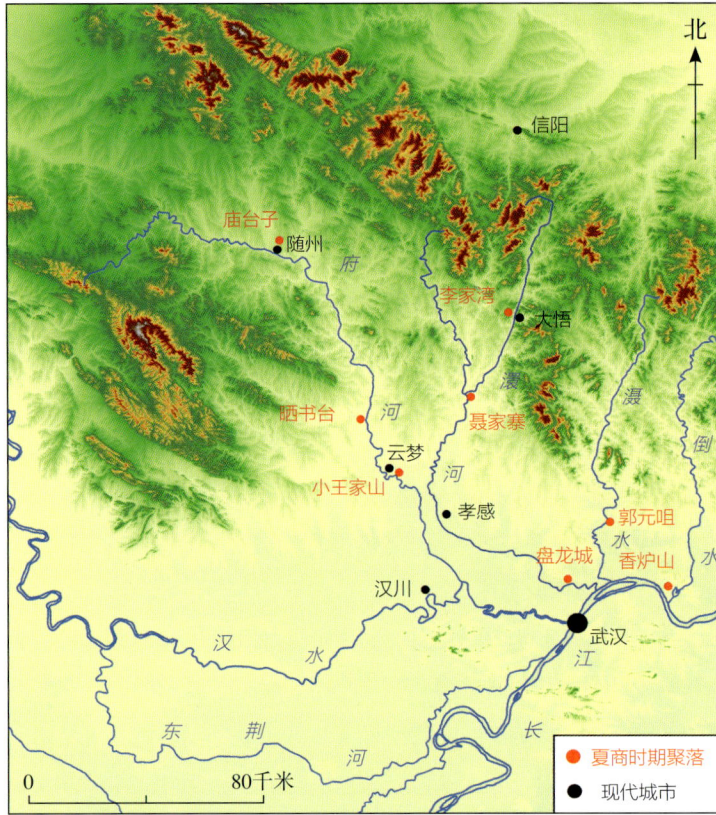

1. 商代府河河道

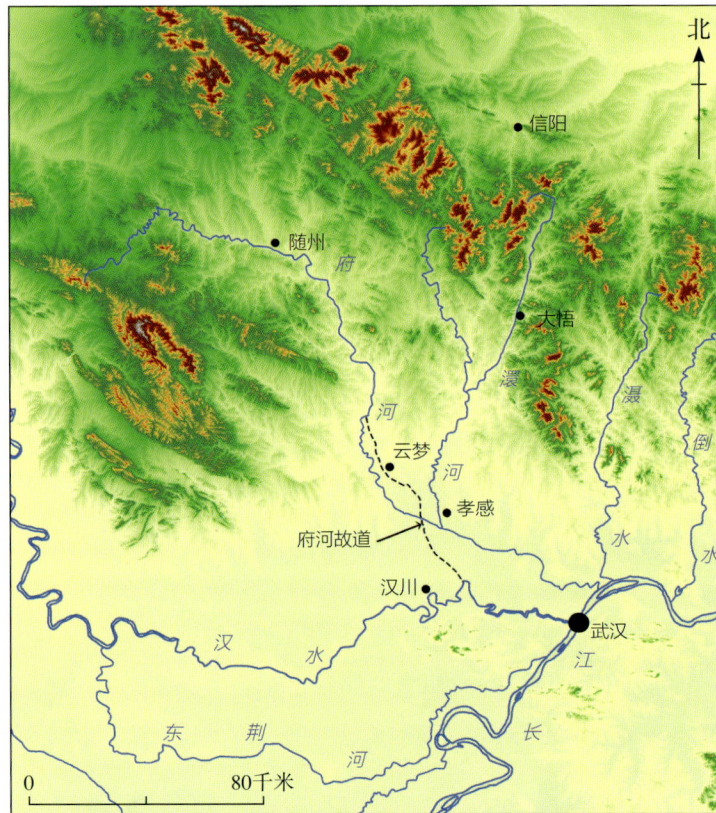

2. 现代府河河道

图 4.25　府河与溳河下游河道形态变迁对比图

商城与盘龙城之间最为便捷的一条交通路线。

通过对溳水、府河的河道走向和溳水沿线考古遗存的分析，我们认为，二里冈文化至洹北花园庄期，溳水下游直接流经盘龙城遗址，而且溳水很有可能是盘龙城与中原地区进行文化交通的一条重要通道，对于盘龙城而言溳水作为交通路线的重要性不亚于甚至更甚于府河。与此同时，府河沿线分布的小王家山、庙台子等遗存表明，府河沿线可能也作为连接江汉与中原地区的通道而存在。

第三节　生态环境与气候

一、来自孢粉的信息

根据盘龙湖水下考古钻探提取的土样，中国科学院南京地理与湖泊研究所团队和武汉大学历史学院团队经过认真讨论和协商，选取了60个盘龙城湖泊钻孔样品进行孢粉分析鉴定工作。孢粉的百分含量计算方法如下：对于陆生木本和草本，按照其两者的和作为分母进行计算，其他按照所有花粉和蕨类孢子的和作为分母计算。孢粉作图使用Tillia软件，使用Tillia的CONISS进行孢粉的聚类，以此作为划带依据。根据孢粉数据的聚类结果，结合孢粉类型的生态学特征，将盘龙城湖泊钻孔（PLCA）孢粉谱划分为5个带（图2.49）。

从整个花粉谱可以看出，人类活动和湖泊水位变化是盘龙城地区植被变化的控制因素之一。松属花粉增加，在本地区可能代表人类活动增加。草本植物中存在较多的栽培类型或伴人类型，其中水稻类型是栽培类型，蒿属、藜科、十字花科和伞形科中既有栽培类型，也有伴人类型，也有野生类型。而蕨类植物增多，在中国南方往往指示人类活动的增加。莎草科是湖沼等浅水湿地的指示类型，同时也生长在现代水稻田周围，属于伴人类型。

带Ⅰ（651～521厘米）　高含量的木本植物表明这个时段森林覆盖度较高，木本植物中亚热带类型含量略少于落叶类型，植被类型为亚热带常绿落叶混交林，常绿类型比现代高，表明这个时段温度高于现代。沉积物中含有一定数量的水稻类型花粉，表明湖泊周围存在人类活动。本带的岩芯为青灰色黏土，表明湖泊水位较高，从较低湿生花粉含量也证实这一点。

带Ⅱ（521～378厘米）　显著下降的木本植物花粉和高含量的栽培类型花粉说明人类活动显著增加，松属花粉的增加也说明这一点。湿生的莎草科含量显著增加，说明这一时期钻孔点附近由湖泊变为沼泽湿地，考虑到钻孔点为整个湖泊最深处，这说明湖泊在这一阶段萎缩，周围存在农田。这一时期湖泊萎缩的原因主要有两种：自然因素或者人类开垦，由于没有年代数据支持，我们无法从气候对比或者文献记载得到证据，这需要将来的进一步工作。

带Ⅲ（378～243厘米）　水稻花粉和伴人类型的显著增加，表明这个时期农业活动进一步增多，莎草科花粉含量达到整个剖面最高值，说明这一时期，沼泽湿地显著发育，考虑到高含量的栽培类型，这一时期，钻孔点附近存在农田。

带Ⅳ（243~125厘米） 莎草科含量显著下降，可能表明水位增加。但是高含量水稻花粉、伴人类型花粉和蕨类孢子表明人类活动依然非常强烈，十字花科花粉在这个时期达到最高值，表明这一时期湖泊周围存在蔬菜或油菜种植活动。

带Ⅴ（125~0厘米） 莎草科花粉减少，藻类增加表明湖泊水位增加，钻孔点地区从沼泽湿地再次演变为湖泊。松属花粉含量的显著增加，可能指示人类活动增强。由于水位增加，因此耕地距钻孔点距离增加，栽培和伴人类型花粉含量减少。

从整个花粉谱来看，花粉数据能够很好反映研究区植被变化状况，在此基础上结合其他数据和文献资料，我们能够较好恢复研究区环境变化，包括气候变化和人类活动的历史。

二、来自植硅体的信息

根据盘龙湖水下钻探提取的土样，山东大学文化遗产研究院团队和武汉大学历史学院团队经过认真讨论和协商，选取了57个盘龙城湖泊钻孔样品进行植硅体提取工作。根据植硅体的浓度变化，参考样品本来的编号（A1~A7），可以划分出以下几个时期：

带1（650~630厘米）时期 基本上没有人类活动，Iph和Ic指数显示该期气候比较干冷。

带2（620~535厘米）时期 气候比较干，却没有那么冷，发现的海绵骨针和硅藻数量远不如带3时期那样多，但这一期却出现了来自水稻的植硅体，说明带2时期的环境是可以进行水稻种植活动的。

带3（530~360厘米）时期 是植硅体、海绵骨针及硅藻含量最高的一期，从Iph和Ic指数来看，这一期的气候比较干冷。如果我们认为干冷的气候使得湖泊萎缩，进而能够允许更多的人类活动发生在采样点周围，那么就能很好地解释植硅体数量的上升，但无法解释同样多的海绵骨针和硅藻数量，因为这两者指示的是有水的湿润环境。一个相对弱的解释是，气候虽然干冷，但是湖面依旧没有干涸，形成了类似于沼泽的湿地，这样的环境不太适合栽培稻生长，因为栽培稻需要生长在排水良好的环境中，因此我们也看到这一期并未发现来自水稻的植硅体遗存。

带4（350~195厘米）时期 同样也发现有水稻遗存，但是相较于带2和带5为少。海绵骨针和硅藻很少，但Iph指数却比较高，推测是地表的水比较少，而且Ic指数比较低，显示气候比较温暖。这样的环境是比较适合进行稻作农业的，但却未发现有较多的水稻植硅体遗存，背后可能有其他文化和社会的原因。

带5（185~40厘米）时期 是水稻发现最多的一期，指示了较多的人类活动。从Iph和Ic指数看，这一期的气候比较冷湿，但海绵骨针和硅藻的数据显示该期的地表水也比较少，有利于人类活动的开展。

需要注意的是，植硅体可以通过流水运输再沉降，因此其物源地可能距离采样点很远。样片中的植硅体风化程度均较高，很有可能是在土壤中沉降之后再经流水搬运到达湖泊。因此上述推测的人类活动都有发生在距离采样点几十千米外的可能。

第五章

聚落景观研究

第一节　盘龙城聚落布局阶段性变化

　　盘龙城是夏商时期的一处重要遗址，是二里头、二里冈文化向南扩张过程中在江汉地区形成的规模最大的一处中心聚落。遗址包括有城址、大型建筑与墓葬等高等级遗存，保护区面积近4平方千米。多年的考古工作表明[1]，盘龙城遗址文化堆积主要分布在多个岗地上，并由此构成一个遗址群，其外在形态与中原地区同时期大型遗址颇为不同。因此，在认知当代遗址的基础上，研究盘龙城古代聚落的布局和兴废，对于理解盘龙城的性质[2]、理解江汉地区与中原地区文化关系，无疑具有重要意义。

　　因为盘龙城的重要性，学者们过去仅就其布局已经进行过较多的探讨。王劲、陈贤一很早就曾专门著文，分析了遗址各地点建筑、手工业作坊、墓葬的布局特征[3]。该文根据当时材料初步地认识到了盘龙城在不同时期存在着布局变化，并指出了盘龙城遗址不同功能区的规划状况。许宏先生从先秦城市研究的视角，检视了盘龙城所包含的中心城址、李家嘴贵族墓葬和周围地区的一般居民区和手工业区[4]。杜金鹏对宫殿区与城址的内部结构提出了新的认识[5]。

　　回顾过往的研究，学术界对于盘龙城遗址布局研究形成了这样的一般性认识：盘龙城遗址是以城垣及其宫殿区为核心，周边分布有墓葬区、手工业作坊以及普通居址等不同遗存的大型聚落[6]。不难看出，上述研究及认识主要集中在对盘龙城不同地点功能区的划分上，且多是将不同阶段的遗存压缩在同一个时间面上进行解读。而根据《盘龙城（1963～1994）》考古报告及学者们对该遗址年代上的认识，盘龙城遗址的绝对年代范围约当于公元前16世纪至公元前13世纪前后。在这样三百多年的一个长时段过程中，盘龙城作为一个城市，理应经历有一个从始建到发展、从繁盛到衰落的过程，聚落的中心区和不同的功能区都可能存在变迁。因此，以历时性的视角，可以更好地观察盘龙城的社会场景及其变化。

　　武汉大学历史学院自2012年开始介入盘龙城的田野考古工作，并计划在未来的考古工作中进一步廓清盘龙城遗址的布局。作为基础工作，我们通过梳理《盘龙城（1963～1994）》考古报告等材料，并结合近年来的工作特别是对遗址的调查与勘探，对遗址布局问题形成了一些初步认识。

---

① 20世纪盘龙城遗址开展了多次考古工作，出版有大型工作报告。参考《盘龙城（1963～1994）》。
② 关于盘龙城遗址的性质，李学勤最早提出"盘龙城应为商朝封国的都邑"或者"是商朝南土的一处重要都邑"，见江鸿：《盘龙城与商朝的南土》，《文物》1976年第2期。高大伦最早提出军事据点说，军事据点与方国两种观点，一直都为不同学者所坚持，见高大伦：《论盘龙城遗址的性质与作用》，《江汉考古》1985年第1期。
③ 王劲、陈贤一：《试论商代盘龙城早期城市的形态与特征》，《湖北省考古学会论文选集》（一），武汉大学学报编辑部，1987年；收入《商文化论集》（下），第520～530页，文物出版社，2003年。
④ 许宏：《先秦城市考古学研究》，第67、68页，北京燕山出版社，2000年。
⑤ 杜金鹏：《盘龙城商代宫殿基址讨论》，《考古学报》2005年第2期。
⑥ 中国社会科学院考古研究所：《中国考古学·夏商卷》，第231、234页，中国社会科学出版社，2003年。

一、聚落中心的阶段性变化

盘龙城地处大别山丘陵向南延伸的余脉，西邻东南流向的府河，东侧5千米之外有南流的滠水，两支水系接近入注长江时，周围地势变得低缓，附近地貌多呈低丘与湖泊相间之势，但地势总体上仍然为北高南低。盘龙城遗址东、南分别频临盘龙湖、府河（图5.1），主体是分布在杨家湾岗地及其向南分枝的多个低岗之上，包括艾家嘴、楼子湾—小嘴、王家嘴、李家嘴等，这些岗地顶部海拔多在20～40米。在杨家湾西北，隔盘龙湖湖汊为大邓湾—小王家嘴，杨家湾东北，隔盘龙

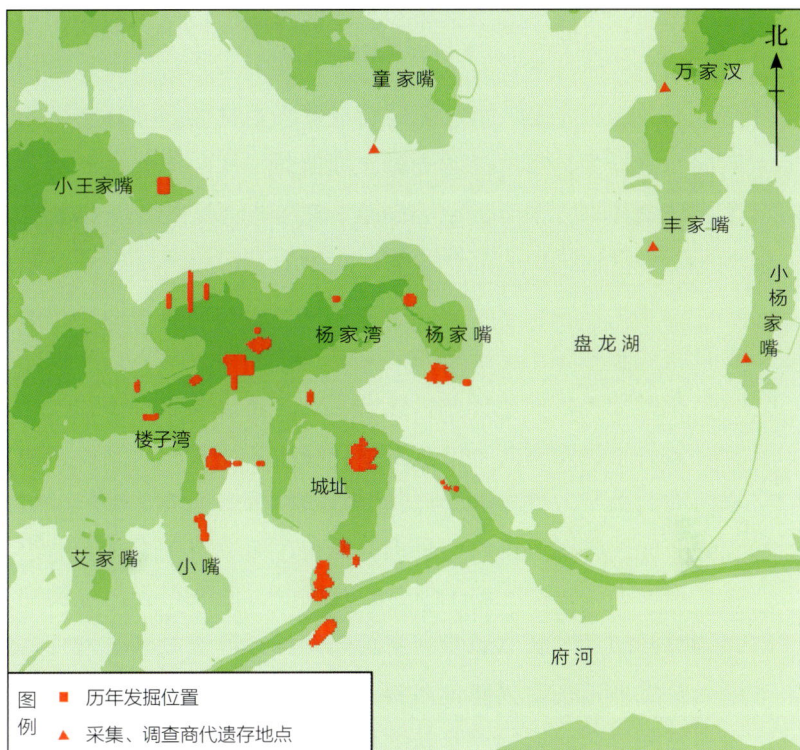

图 5.1　盘龙城遗址遗迹分布平面图

湖为童家嘴，而盘龙城东岸的长丰岗一带则见有小杨家嘴、丰家嘴和万家汊等地点。以上诸地点，在《盘龙城（1963～1994）》考古报告中涉及古文化遗存的有王家嘴、杨家湾、杨家嘴、城址、李家嘴、楼子湾以及童家嘴。除报告中这些地点之外，同时期的文化遗存在其他岗地上如小王家嘴、小嘴、小杨家嘴、丰家嘴和万家汊等地点也有发现。

《盘龙城（1963～1994）》考古报告的编写方式，是先划分期别，再在各遗址点下按期别分别介绍遗存。这样的报告形式，特别是将墓葬之外的大部分遗迹出土的陶器等遗物归入地层，让研究者难以重新对遗址不同遗存进行编年研究[①]。好在发掘报告将盘龙城划分的七期，虽略显细碎，但大体合理并被学者们认可[②]，我们以下就按照发掘报告的分期体系，分别对各地点遗存进行历时性检视，并对其中少数年代、性质可商者进行讨论。

1. 城址

与其他地点不同，《盘龙城（1963～1994）》考古报告中描述的城址并非是一处自然地理单元，而是城址的功能性特指，在范围上包括杨家湾岗地之南、王家嘴之北的城垣内

---

① 拓古：《盘龙城与〈盘龙城〉》，《江汉考古》2002年第4期。
② 蒋刚：《盘龙城遗址群出土商代遗存的几个问题》，《考古与文物》2008年第1期；李丽娜：《试析湖北盘龙城遗址第一至三期文化遗存的年代和性质》，《江汉考古》2008年第1期。

外①。从地形图上可以看出，盘龙城城垣是利用王家嘴及其西的一个小岗地的自然地势修筑而成，城垣以及城内的地势明显有愈南愈低的特征。在东部岗地的南城垣之外，逦迤向南的王家嘴其实只是该岗地的南端。而叠压在南城垣之下的早期遗存，则与其南的王家嘴同时期遗存相连，在城垣形成之前本是同为一体的一处遗址。

盘龙城城垣大体呈方形，南、北城垣均约260米，东、西城垣近290米，面积约7.5万平方米。上述尺寸是根据地表突起位置来定位城垣进行测算的，位置及数据都不十分精准，但城垣规模很小，则是很明确的。城垣的年代，根据是城墙夯土中发现的陶片标本，报告将其定为遗址的第四期②。此外，在南城垣墙体下叠压有盘龙城第一至三期遗存，包括有属于第二期的夯筑台基和灰坑等遗迹。而第七期的遗存则仅见西城垣中部、打破城墙夯土的青铜墓葬。这些现象说明城址兴建之前该地已存在较高等级的聚落，而至第六、七期时城垣地区的人类活动则迅速减少。

在南城垣外和北城垣外的探沟中曾发现有城壕迹象，不过，各处"城壕"深度从2.1至4.6米不等，规模差异较大，并且城垣区所在的西北处于岗地高坡，高于南城垣西部约2米。北高南低不平的地势，使得城垣外围壕沟很难处于同一平面。报告所谓的城壕遗迹是否为一条贯通的护城河还需进一步工作证明。城壕内最底层的堆积属于盘龙城第四期，说明其始建年代不晚于此。按照发掘报告的意见，盘龙城第五、六期堆积接近淤平城壕，应该接近于废弃的时间。直至第七期壕沟内仍然见有少量陶片，城址废弃后仍然有一些人类活动，这与西城垣发现墓葬的情况吻合。

宫殿区位于城址内东北部高地，已发现3座大型建筑F1～F3，呈西北—东南方向横向展开，内在关联明确。此外在F2东侧偏南，还发现有"五个大柱础穴和础石遗迹"③，应该属于另一组建筑。显然，当时的宫殿区并非只有F1～F3，而是应该由布局较为复杂的建筑群构成。《盘龙城（1963～1994）》考古报告将F1、F2基址建筑年代定于第四期④。其中基址出土陶片具有盘龙城四期偏晚的特点，叠压基址的地层则多见第五期的遗物。报告中关于基址建筑年代的结论，大约是合理的，也为学者所接受⑤。

F1、F2基址之下还存在较早的属于盘龙城第三期的"黄土台基"和柱础、础石等建筑遗迹⑥。这些遗迹处于同一范围，可能相互关联。此外，报告还称在位置更北的"F1东北面下层及F3西南面下层均叠压有早期建筑遗迹"⑦。这些迹象表明在第四期成为宫殿区的范围内早在第三期就已经形成了较大规模的建筑或建筑群。

盘龙城城址的兴废、使用时间是个重要问题。《盘龙城（1963～1994）》考古报告认为

---

① 将盘龙城F1、F2这样的大型建筑称之为宫殿，涉及盘龙城遗址是方国还是地方城市的性质判断，是一个值得讨论的问题。本文仅依流行说法，仍然保持"宫殿""宫殿区"称谓。

② 《盘龙城（1963～1994）》考古报告展示了属于第六、七期的陶器标本，均残碎而年代特征不强，说明城垣上这一阶段的文化活动微弱，见《盘龙城（1963～1994）》，第30页图16。

③ 《盘龙城（1963～1994）》，第44页。

④ 《盘龙城（1963～1994）》，第70页。

⑤ 杜金鹏：《盘龙城商代宫殿基址讨论》，《考古学报》2005年第2期。

⑥ 《盘龙城（1963～1994）》，第62页。

⑦ 《盘龙城（1963～1994）》，第44页。

"城址的建筑年代应该在盘龙城第四期，盘龙城第五、六期，是城址建成后的使用期"，并认为第七期废弃①。在认可报告对城垣和城壕同时建筑于第四期的判断下，我们对城址的兴废有不同看法。关于兴建，中原城址从偃师商城到洹北商城，都是先筑宫殿后建城垣②，盘龙城亦有可能如此。如前所述，在F1、F2等基址建筑之前，已经存在第三期的台基等建筑。须知在第三期之前，盘龙城聚落只是分布在王家嘴一带。第三期"黄土台基"等遗迹是在脱离原居址范围的新区域兴建的、独立于居址之外的规模大、等级高的建筑，并由此奠定了其后宫殿区的位置与范围。因此，黄土台基等建筑应该就是F1、F2之前的"宫殿"级别的建筑，代表了盘龙城城址的肇始。关于废弃，其年代则较难确认，我们认为大体应该在第六期。如前所述，这一时期盘龙城城壕已经淤积近平，城垣及城内几乎不见相应时期的堆积和遗物，与城址聚落关系近密的王家嘴作为聚落此时已经废弃（详后），特别是与宫殿区功能对应的李家嘴墓地也不见第六期的高等级墓葬。这样，我们认为盘龙城城址以第三期兴建高等级基址为开端，延续使用至第四、五期为其兴盛时期，至第六期时已经废弃，第七期仍然有一些普通的社会活动。

2. 王家嘴

王家嘴是南城垣东侧以南的岗地，岗地跨过府河大堤向南延伸。在枯水期时，王家嘴南端水下还可见延绵有文化层，说明盘龙城原来的文化堆积分布更为广泛，当时的水位也较现在低一些。

根据《盘龙城（1963～1994）》考古报告，盘龙城第二至五期是王家嘴遗址最为兴盛的阶段。而第一期遗存只在小范围见有地层，别无其他遗迹，体现了初始时期的情况。第六期则无其他遗存，报告认为只有PWZM1一座墓葬。不过，该墓葬随葬的青铜礼器，如PWZM1∶6斝出现兽面纹和涡纹两周纹带，见于盘龙城第五期的李家嘴M3∶1斝；PWZM1∶2尊形体瘦高，虽出现半浮雕兽面纹，但不应晚于第五期的李家嘴M1∶8尊，因此王家嘴M1的年代应该与报告划分在第五期的李家嘴M1、M3相当。

王家嘴第二、三期的遗存主要有3座窑址和1座规模较大的方形房址。其中2座窑址考古报告曾谓之"长窑"，不过比较目前已知其他商时期的龙窑或长窑③，前者长度大大超出，并且坡度不足，底部高低不平，窑室宽窄不一，都不合龙窑的特征。不过2座窑址的确具有一些窑址特性，考虑到Y2仅在Y1之南5米，颇疑这些遗迹是多个窑址较为集中地分布。湖南费家河遗址的沿河岸边，曾见有成组排列的圆形窑址④。王家嘴所谓的"龙窑"，可能即与此类似。大约同时期的房屋遗迹位于王家嘴北部，实际临近于南城垣东部——也就是王家嘴北部——所发现的夯土台基⑤。以上迹象表明当时这里已经出现了较大规模的生产和生活活

---

① 《盘龙城（1963～1994）》，第32页。
② 《商代都城的建设顺序及断代》，《中国文物报》2003年12月12日；张国硕：《试析洹北商城之城郭布局——兼谈大城城垣的建造》，《考古与文物》2015年第4期。
③ 李玉林：《吴城商代龙窑》，《文物》1989年第1期。
④ 湖南省博物馆、岳阳地区文物工作队、岳阳市文管所：《湖南岳阳费家河商代遗址和窑址的探掘》，《考古》1985年第1期。
⑤ 《盘龙城（1963～1994）》，第19页。

动。值得注意的是第二期地层中还出土有尊、折肩尊、瓮、罐等印纹硬陶，以及小件青铜器等高等级遗物，社会等级较此前的第一期已有大的提升。

王家嘴第四、五期遗存仍然丰富，发现有房址和祭祀坑等遗迹。房址规模较大，位于岗地北部接近城垣处，应是有一定级别的贵族住所。报告所谓的祭祀坑H6、H7，多随葬有青铜兵器、容器，灰坑形态分别为长方形竖穴土坑和锅底状，特别是H7坑底还铺有朱砂，颇为怀疑这两个单位性质实际属于墓葬。盘龙城地区土壤酸性较重，墓葬人骨一般朽蚀无存，同时墓葬多埋葬在遗址区域内，与文化层堆积混杂，在土质土色上也难以辨识，一些墓坑没有被识别的遗迹，可能会被当作祭祀坑处理。如果我们联系到王家嘴M1也位于这一区域，而H6为F7所叠压，H7则在F7之南1米，均说明当时的居葬关系可能较为近密。

总的看来，王家嘴作为聚落最早在盘龙城第一期就已经存在，并且其兴衰与北部的城址关系密切。其南城垣之下的第一期遗存，应与王家嘴同时期遗存连为一体。第二、三期时，王家嘴则集中发现居址、窑址和灰坑，遗存堆积较为丰富并形成一定规模。这种繁盛的局面在第四、五期仍然有所延续，在接近城垣的北部岗地，原第二、三期遗存上继续存在较多遗迹，分别属于第三～五期的F4、F5、F7都集中分布在这一带，墓葬就近分布，聚落的使用具有明确的延续性。不过随着城址的废弃，王家嘴岗地未见有第六、七期的遗存，表明在城址废弃之后这处聚落也随之放弃。

3. 李家嘴

李家嘴是杨家湾岗地向东南方向延伸的分支，如今这里的地貌颇为残破。李家嘴已发掘的灰坑和墓葬位于岗地中部，其中墓葬4座位于岗地南侧，灰坑均发现于墓葬区域之北，大部分在李家嘴岗地之北。岗地顶部则未发现遗迹，推测岗顶堆积已有所破坏。墓葬区之南，已遭取土破坏，从已发现遗迹的分布来看，这里原来也应该有更多遗存。在20世纪的考古发掘中，对李家嘴只进行了基于墓葬和灰坑等遗迹的清理工作，而没有布设探访揭露文化遗存。因此，目前对李家嘴文化遗存的了解，因遭破坏和发掘方式的影响，有较大的局限性。

李家嘴发现灰坑30个，分属于第二、四～七期。大部分灰坑其直径、深度都在1米左右，坑壁较为规整。这些灰坑彼此之间无打破关系，并在空间分布上较均匀，未见陶片的H26～H28相间约2米，排列整齐。我们知道盘龙城遗址多见锅底形状和坑壁不规整的灰坑，一般多系地层堆积之残余。李家嘴灰坑坑壁多陡直，系人工挖成。考虑到李家嘴大型墓葬的存在，或可推测这些灰坑可能与祭祀相关[①]。

李家嘴的4座墓葬，只有M2经过正式发掘，其他3座均为遭破坏后才进行清理，信息已不完整。M2是迄今所见早商时期规模最大的墓葬，南北长3.67米，东西宽3.24米，随葬品仅青铜器就有50件，其中礼器21件。其他3座墓葬遭破坏，报告未言及规模，但从发掘报告图九十二给出的李家嘴遗迹平面图看，这些墓葬长度与M2接近，规模都较大。M3出土有长达94厘米的大玉戈，报告所绘M3随葬品出土范围南北长超过3米，东西宽超过2米，是盘龙城

---

① 《盘龙城（1963～1994）》考古报告中将那些出土青铜器等重要遗物的灰坑列为祭祀坑，我们认为这些多是发掘中未辨识出来的墓葬。除此之外，《盘龙城（1963～1994）》考古报告未涉及其他类型的祭祀坑。

遗址中次大规模的墓葬。M1出土青铜礼器22件[1]，更是迄今所知殷墟文化之前随葬青铜礼器最多的墓葬。M1～M4集中分布，相距6～8米，其中M1～M3东西成排横列，其分布明显是有规划的。报告将这些墓葬定为第四期和第五期，根据出土陶器和青铜器看，大体可信。综合上述情况，李家嘴4座墓葬应该是盘龙城同一阶段的一组等级最高的墓葬，系有组织集中安葬社会等级最高的阶层，并形成有意识安置的墓地[2]。

4. 杨家湾

杨家湾是盘龙城遗址范围内最大的岗地，也是范围最大的遗址，发掘报告称"杨家湾遗址的商代遗迹和墓地遍布整个岗地"[3]。目前经考古发现，杨家湾见有丰富的文化堆积，并多是集中在盘龙城遗址偏晚阶段。

墓葬在杨家湾岗地的分布广、数量多，目前该地点总共发现有墓葬22座。除较早的杨家湾M6外，大部分墓葬年代较晚，集中于盘龙城第六、七期。其中大型墓葬有杨家湾M11，被报告定在第七期，随葬有17件青铜礼器和成组的青铜兵器、玉器等，特别是随葬有装配长秘的勾刀、透雕的勾云纹大刀以及钺等礼仪性青铜兵器，说明该墓墓主应为这一时期盘龙城的最高首领。杨家湾H6被报告判断为祭祀坑，其实也和王家嘴H6、H7一样，原来应该属于墓葬。杨家湾H6出土多套组合规整有序的青铜礼器，同样表明墓主等级较高，特别是H6还出土一件与杨家湾M11形制、大小相同的青铜钺，推测H6墓主身份近似于M11。

杨家湾遗址文化堆积丰富，最厚处达到2米，这里最早的生活遗迹出现在盘龙城第四期，为一处地面建筑，编号F1，残存规模达12～16.5米×6.5米，表明杨家湾较早时期已有规格较高的建筑。杨家湾主要生活遗存则属于较晚时期，尤其以第六、七期最为丰富。从发掘报告"图一五五 杨家湾遗迹平面图"看，遗迹集中分布在发掘区不大的范围内，大部分发生有打破关系，反映该区域连续作为居址的情况。这里的房基多数保存不佳，杨家湾F2、F3，均为地面经过垫土处理、带有柱础的高规格建筑，房址规模较为可观。此外，杨家湾与王家嘴两处地点都相应地出土较多印纹硬陶器，住址规格较高，暗示出这种生活区居住有较高社会等级的贵族。

杨家湾一带的确也存在更多高等级遗存。2006～2014年，在20世纪发掘区之西，发现有1座大型建筑和7座高等级墓葬[4]。建筑基址已遭扰乱，复原长度在40米左右，规模与城址宫殿区F1相当。墓葬分布较为集中，紧靠F4之西。其中M17出土青铜爵、斝和形制特殊的觚，以及金片与绿松石组合镶嵌的兽面纹饰件。这些随葬品说明M17也应该为当时盘龙城最高等级墓葬。根据杨家湾堆积特点和F4、M17出土遗物的特征，这些遗迹都应属于盘龙城第六、七期。总的看来，杨家湾在盘龙城较晚阶段的遗存丰富，房址、墓葬等多体现出了较高

[1] 《盘龙城（1963～1994）》考古报告对M1器类数量有不同的、相互矛盾的记录，这里是推测的器类数量。拓古：《盘龙城与〈盘龙城〉》，《江汉考古》2002年第4期。

[2] 部分学者认为早商时期尚未有意识设置独立的墓地，见郜向平：《商系墓葬研究》，第56页，科学出版社，2011年。

[3] 《盘龙城（1963～1994）》，第217页。这一说法虽然在概念上有问题，但描述的情况是属实的。

[4] 张昌平：《湖北黄陂盘龙城遗址又获重大发现》，《中国文物报》2016年4月8日第3版；武汉大学历史学院、盘龙城遗址博物院、武汉市文物考古研究所：《武汉市盘龙城遗址杨家湾商代建筑基址发掘简报》，《考古》2017年第3期；武汉大学历史学院、盘龙城遗址博物院：《武汉市盘龙城遗址杨家湾商代墓葬发掘简报》，《考古》2017年第3期。

的社会等级，以上讨论的F4、M11、M17以及H6应该关联于当时盘龙城最高级别人员。

5. 杨家嘴

杨家嘴处于杨家湾岗地东段，三面为盘龙湖所环绕。杨家嘴一带海拔较杨家湾为低，枯水期其东部有遗存伸入盘龙湖之下，这再次说明二里冈文化时期前后的水位明显较当代要低。

杨家嘴主要发现有一些房址和灰烬沟等遗迹，发掘报告将这些遗迹归为第三～六期。其最早阶段的遗存见有一处"黄土台"遗迹，上分布两排柱洞。这些柱洞直径都不超过0.2米，其下无础石，间距一般不足0.5米，所在的建筑规模应该不大，由于其在位置上并不对应，可能分别属于不同的建筑。杨家嘴稍晚的F1与上述情况近似，发现较为密集的柱洞，但其分布也难以判明房屋的平面结构。年代属于第六期的F2和一处柱础建筑，遗迹规模则稍大。

杨家嘴发现的墓葬多规模较小，随葬品不甚丰富，一些墓葬未随葬青铜器，与杨家嘴遗址作为普通居址的社会地位大体相符。杨家嘴的墓葬主要集中于东南临湖的位置，根据报告文字描述，分布范围较为集中。例如，发掘报告以第二期的M6为基点，描述的几座邻近的墓葬：同属于第二期的M8"位于M6之北3.3米"，第四期的M5"位于PYZM6之南0.2米"，M7"位于PYZM6之北0.5米"，由于这些墓葬均为南北向，它们的排列应当比较规整，应该属于墓地性质。当然，其他墓葬分布疏密不一，并非都是安排有序，又说明当时又有相当数量墓葬的埋葬位置较为随意。

6. 楼子湾

楼子湾位于杨家湾岗地及其支系小嘴之间，文化堆积较为丰厚，但囿于发掘面积，很难了解这一地点的全貌特征。从报告发表材料看，楼子湾属于第四、五期的地层堆积较厚，灰坑等生活遗迹发现较多，属于该地点较为繁盛的阶段。第六、七期的文化层则分布并不普遍。

楼子湾发现墓葬10座，发掘报告将大部分墓葬归为第四、五期，少数归属第六、七期，墓葬年代与地层的相互对应。楼子湾墓葬均为小型墓，多随葬一套觚、爵、斝等为组合的铜容礼器，在小型墓葬中颇具有代表性。M1～M5分布较为密集，间距都不超过5米，具有墓地布局的特征。值得注意的是M2在发掘报告"图二六二 遗迹平面图"上显示打破M3（报告的文字叙述未提及），两座墓葬年代相距不远[①]，这种打破关系大约说明当时对于小型墓地布局的规划性并不强。

7. 其他地点与遗存

盘龙城遗址文化遗存还不只限于上述《盘龙城（1963～1994）》考古报告中的地点，此外在调查和采集的遗存中也有一些重要信息。

盘龙城城垣规模颇小，是否存在外城垣，一直备受学界关注。2000年，考古人员根据对

---

① 楼子湾M3随葬品丰富，在《盘龙城（1963～1994）》考古报告中定为第五期，基本可靠。楼子湾M2随葬品较少，《盘龙城（1963～1994）》考古报告也没有公布任何资料。在《盘龙城（1963～1994）》考古报告的文字部分M2为第五期，在墓葬登记表中为第六期。

杨家湾岗地顶部的调查，推测认为岗地顶部存在外城垣遗迹，外城垣向东沿杨家湾伸展到盘龙湖，西部在楼子湾向南转角进入艾家嘴[1]。不过，由于缺乏等进一步的考古工作，目前并不确定外城垣是否的确存在，其年代与性质也不清楚。设若此段城垣果然存在，它是与现今城址处的城垣组成内外两层城垣？还是在杨家湾存在另一处性质独立的城垣？这是聚落布局上有待深远探索的问题。

盘龙城在一些地点采集到的青铜容器，可能来自墓葬。1985年在北城垣西北角发现一件青铜罍（PCY：84），这里与杨家湾墓葬分布区接近。1975年在王家嘴北部采集到一件青铜罍（PWZ：40），同出有成组陶器和硬陶尊，这些器物都应出自墓葬。上述两件罍器形近似，均为弧腹圜底，年代特征接近二里头文化，或可至二里岗下层[2]，报告定为盘龙城第三期应该可信。如此，则北城垣发现的铜罍对应的墓葬又可以关联到杨家湾M6，后者也属于第三期并随葬青铜器，而王家嘴的铜罍则说明该地点随葬青铜器的墓葬可早至第三期。

盘龙城西城垣之西的小嘴是一条南北走向的岗地，调查表明这条岗地的东侧即面向城址的地带普遍存在文化层，近年这里更采集到锛类工具的石范[3]。小嘴或可能作为盘龙城遗址冶铸青铜器的作坊。

盘龙城遗址的外围地区，也发现有相关遗存。其中盘龙湖对岸的童家嘴曾采集到鼎、罍等铜器，以及玉器和印纹陶等，报告定为第七期，应出自墓葬。在杨家湾岗地之北的小王家嘴，过去也采集到青铜器，近年来更是经考古工作揭露出一片墓地[4]。童家嘴和小王家嘴分布有墓葬，说明盘龙城遗址的文化堆积分布并不仅限于盘龙湖西岸临近府河的地理单元。此外，在盘龙湖东岸，长丰岗一带邻水的岸边，如小杨家嘴、丰家嘴和万家汊也曾调查发现有文化堆积和陶器等遗物[5]。采集的陶器特征多与盘龙城核心区一致，与整个遗址属于同一大的阶段。目前采集的遗物仅见陶器和印纹硬陶，反映出遗存等级偏低，或为城址外围普通居民点。

总体上，盘龙城遗址古文化遗存是以杨家湾岗地为中心分布（表5.1）。从现有地貌考察，遗存主要分布于临湖、河岸边的岗地上，暗示出遗址形成过程中与附近水域的密切关联。遗址范围内所见湖汊相间的地貌景观，显现了与北方中原城市在环境、资源上的差异。

二、聚落布局的阶段性变化

作为一处延续时间长、面积大、社会等级高的中心城市，盘龙城不仅应该存在聚落功能区分，也应该在布局、环境上存在不同阶段的变化。限于目前的信息，以下仅对聚落布局的阶段变化、居葬关系以及环境变化进行讨论。

---

[1] 刘森淼：《盘龙城外缘带状夯土遗迹的初步认识》，《武汉城市之根——商代盘龙城与武汉城市发展研讨会论文集》，武汉出版社，2002年。

[2] 《盘龙城（1963~1994）》，第412页；中国社会科学院考古研究所二里头工作队：《河南偃师二里头遗址发现新的铜器》，《考古》1991年第12期；中国历史博物馆考古部、山西省考古研究所：《1988~1989年山西垣曲古城南关商代城址发掘简报》，《文物》1997年第10期。

[3] 韩用祥、余才山、梅笛：《盘龙城遗址首次发现铸造遗物及遗迹》，《江汉考古》2016年第2期。

[4] 张昌平：《湖北黄陂盘龙城遗址又获重大发现》，《中国文物报》2016年4月8日第3版。

[5] 武汉市盘龙城遗址博物馆筹建处：《盘龙城东部长峰港商代遗存调查勘探简报》，《武汉文博》2007年第2期。

表5.1 盘龙城遗址各地点不同期别遗迹的分布

地点		遗存类别	一	二	三	四	五	六	七
城址	城垣	文化层	●	◎	◎	○	●	○	○
		墓葬			△				○
		房址		○					
	城壕	文化层				○	○	○	○
	宫殿区	文化层			○	○	◎		◎
		房址			◎	●	●		
王家嘴		文化层	◎	●	●	●	●		
		灰坑		○	○	◎	○		
		墓葬			△		◎		
		房址			◎	◎	◎		
李家嘴		灰坑		◎		◎	●	◎	◎
		墓葬				◎	●		
杨家湾		文化层					○	●	●
		灰坑						◎	◎
		墓葬			○	○		●	●
		房址				○			◎
杨家嘴		文化层			◎	◎	◎		
		灰坑					◎		
		墓葬		◎		◎	◎	◎	
		房址			◎	◎	◎	○	
楼子湾		文化层				◎	◎		
		灰坑				◎	◎		
		墓葬				◎	◎	○	○
		房址					○		
童家嘴		墓葬							△
小王家嘴		墓葬						△	
小嘴		文化层				△			
小杨家嘴、丰家嘴、万家汉		文化层				△			

注：○◎●分别表示遗存较少、一般和丰富的程度，△表示发现采集物或遗迹。

上节我们是在《盘龙城（1963～1994）》考古报告的分期框架下，对遗址各个地点的遗存进行的历时性梳理。不过，发掘报告对遗址7期的划分，虽然基本框架被学界认可，但过于细碎而缺乏普遍性。另一方面，聚落在布局上的变化频率不同于、也会慢于陶器，因此从较大的时间阶段观察整个聚落的整体变化，更利于总结当时城市的发展。

对于盘龙城这样规模的聚落而言，大型公共建筑的出现及其变化是衡量城市布局变化的最重要指标。在盘龙城，城垣、城壕以及体现其等级的宫殿基址并未在聚落兴起之初出现，第一、二期出现的遗迹，主要还是小型房址、灰坑、窑址以及墓葬等反映普通社会生活的遗迹，此时盘龙城尚未形成中心城市的规模和结构，宫殿基址和随葬青铜器的贵族墓葬也都未出现。那么，盘龙城的大型公共建筑是在什么时间出现的？如前所述，《盘龙城（1963～1994）》考古报告认为宫殿基址、城垣与城壕基本上在第四期同时出现，而我们认为第三期开始出现在城垣东北部的黄土台基，是独立于当时居址之外、已经具有大型公共建筑的性质。因此，和同时期中原地区其他城市一样，盘龙城也应该是先建宫殿区，而后建设城垣及城壕。此外，第三期盘龙城开始作为中心城市，聚落等级得到提升，从这一时期开始，相应地出现随葬青铜器的贵族墓葬，这也可以作为聚落升级为城市的重要佐证。盘龙城作为城市的变化发生在第六期，城址一带的文化堆积少见，城壕被淤积，F1、F2等宫殿基址应该已经遭到了废弃。此时，大型建筑在杨家湾出现，而早期葬于李家嘴的高规格贵族墓葬，也相应地葬到了杨家湾。

基于上述变化，我们以大型公共建筑的使用为标志，将盘龙城聚落的布局变化分为三个阶段：大型基址出现之前的第一、二期为第一阶段，宫殿基址使用的第三至五期为第二阶段，宫殿基址转移到杨家湾为第三阶段。

上述三个阶段的盘龙城，各有不同的聚落景观。

第一阶段是盘龙城作为城市的形成时期（图5.2）。在稍早的盘龙城第一期，聚落在王家嘴以及后来的南城垣一带开始形成，其规模应该不大，分布在王家嘴岗地南部大约长300米、面积不超过5万平方米的范围。不过此时社会活动已较为频繁，形成了丰富的堆积，只是未见反映高层次社会活动的遗迹现象。稍晚的盘龙城第二期，聚落范围有明显的扩展：在李家嘴形成有灰坑，在杨家嘴出现随葬陶器的墓葬，聚落的发展在空间上扩展到几处不同的地点。聚落的社会等级也有明显提高，在王家嘴以北出现不止一处长度在10米以上的基址，其规模远超一

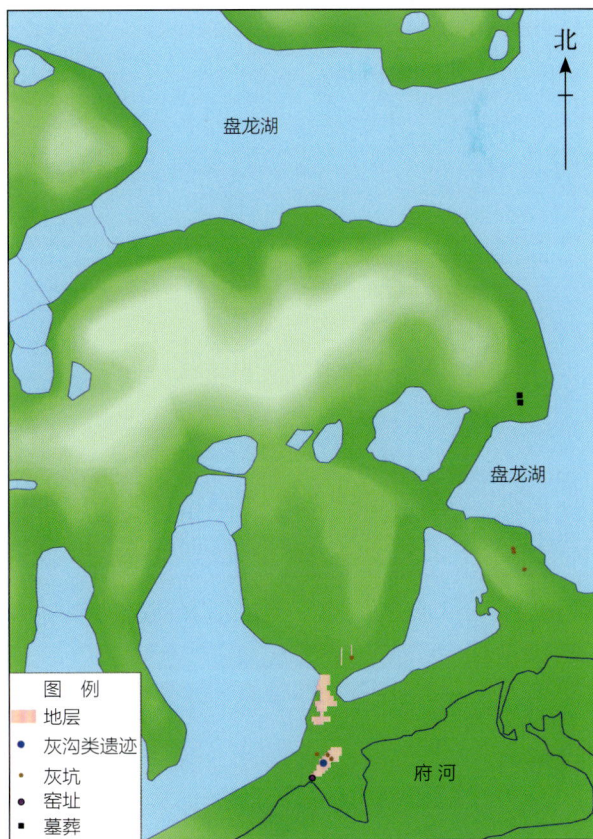

图 5.2　盘龙城遗址第一阶段布局平面图

图 5.3　盘龙城遗址第二阶段布局平面图

般居址，说明公共权力机构或高等级贵族活动场所已经形成。王家嘴堆积中还发现有青铜镞，武装力量的存在对于二里冈下层时期远离王朝政治中心的盘龙城而言，具有军事标志意义。同时，王家嘴还出现有印纹硬陶容器等外来贵重物品，说明当时与长江下游地区的远距离贸易等交流活动已经开展。

从区域地理上看，这一时期二里头或二里冈文化除了在盘龙城以北的鄂北地区形成多个聚落之外，其势力西进至江陵荆南寺[①]，东及九江神墩[②]、潜山薛家岗[③]，长江中游一带在文化、政治上都似已为中原王朝所控制。这一形势下的盘龙城，聚落已超出普通村落的规模，大型建筑的存在更说明其已发展成为具有一定社会等级的城市。该城市包括有高级别社会阶层或机构，向政治中心集中印纹硬陶等资源的功能已经出现。考虑到其后作为长江中游地区中心城市的情况，这一时期的盘龙城可能已经达到控制长江中游地区的重要地位。

第二阶段是盘龙城作为中心城市的繁盛时期（图5.3）。这一阶段之初，在其后的宫殿区位置开始兴建大型夯土建筑，这一建筑脱离当时的王家嘴聚落区而独立规划，暗示聚落的进一步分化与蜕变和权利中心的形成。稍晚，F1、F2为标志的宫殿区形成，其外拱卫以盘龙城城垣，临近的李家嘴墓葬区成为相对应的高等级贵族埋葬之所，聚落最为中心的区域专门辟为高等级阶层从生到死的存在空间。城垣和宫殿等大型建筑及其布局规整有序，墓葬规模、随葬品数量和品质不仅是盘龙城的各阶段、也是二里冈文化时期城市迄今所见最大和最高的。

在盘龙城作为城市的形成过程中，南部城垣之外的王家嘴是聚落的起始之地，宫殿区实际上是从这里向北发展的结果，因此在本阶段，王家嘴聚落仍然继续得到发展。除王家嘴之外，杨家湾岗地从西部的楼子湾到东部的杨家嘴，都开始发展成为聚落区。这一阶段的盘龙城，城址之外还包括王家嘴、李家嘴、小嘴以及整个杨家湾岗地，都成为生活居址等社会活动区域。这些聚落点形成了丰富的文化堆积，灰坑、房址、中小型墓葬等分布较为密集，说明聚落曾经有过繁盛的景象。生活区之外，王家嘴等地点长达数十米的灰烬沟虽然生产类型不明，但仍然说明规模较大手工业作坊的存在。小嘴与青铜器生产相关的遗存也更暗示城市

---

① 荆州博物馆：《荆州荆南寺》，第31～148页，文物出版社，2009年。

② 江西省文物工作队、九江市博物馆：《江西九江神墩遗址发掘简报》，《江汉考古》1987年第4期。

③ 安徽省文物考古研究所：《潜山薛家岗》，第433～523页，文物出版社，2004年。

社会生产具有更重要的类别和技术要素。本阶段聚落区域范围大大扩展，已经成为一座规模较大的城市，估计当时城市中心区域面积超过50万平方米。

这一阶段不同规模房址、不同等级墓葬的存在，并都有相当的数量，表明盘龙城城市社会层次复杂，人口也达到较大的规模。许多墓葬特别是李家嘴M1、M2这样的高等级墓葬中，随葬青铜器数量、体量和质量都处于较大的量级，其他贵重物品如印纹硬陶、玉器的数量和类别也大大增加。这些奢侈品的资源、技术背景不同，显现出盘龙城对于资源与财富的获取渠道的多样化。

这一阶段盘龙城应该具有南方中心城市的地位。不仅盘龙城城市以及高等级遗存如建筑、墓葬规模远远超出本地区其他聚落，周边聚落如江陵荆南寺[①]、黄梅意生寺[②]文化面貌表现出与盘龙城的高度一致性，一些长江中游地区个性因素如红陶缸在这些聚落中都有较大比例的存在。随着盘龙城的兴盛，周边聚落数量远较上一阶段增多[③]，荆南寺还出现有随葬青铜器的墓葬，这些聚落面貌折射出本阶段中原文化势力在长江中游地区达到顶峰。

第三阶段是盘龙城作为中心城市的衰落时期（图5.4），直至整个聚落的废弃。这一阶段城市的一个重要变化，是此前使用时间很长的城址包括宫殿区被废弃，新的大型建筑出现在杨家湾南坡，高等级贵族墓地也相应地迁移到杨家湾，形成新的城市核心区域。杨家湾M11、M17等规模仍然较大，随葬品在该阶段属于最为丰富的。杨家湾M11随葬勾刀、镂空大刀等多件新型兵器，杨家湾M17出现中原文化系统中迄今最早的成形金器结合绿松石镶嵌饰件，这些奢侈的稀有品可能还带有礼仪性质，暗示其拥有者在盘龙城具有最高的身份。不过，盘龙城已经开始显现出颓势并最终废弃，杨家湾的几座大型墓葬除M11出土大型圆鼎之外，随葬品总体不及李家嘴墓葬那样在总量、类别和品质上所体现的层次。杨家湾M11不少青铜器装饰、造型简陋，杨家湾M17虽出土绿松石金器饰件，但墓葬中青铜器数量并不多，盘龙城最高首领所拥有的财富无论品质、总量还是多样性都有所下降。同时，杨家湾作为核心区，宫殿一级建筑与普通居址没有明显的分隔，M11、H6等高等级墓葬分布零散，核心区没有此前阶段那样布局规整、突出其核

图 5.4 盘龙城遗址第三阶段布局平面图

---

① 荆州博物馆：《荆州荆南寺》，第31～148页，文物出版社，2009年。

② 湖北省文物考古研究所纪南城工作站：《湖北黄梅意生寺遗址发掘报告》，《江汉考古》2006年第4期。

③ 盛伟：《盘龙城遗址废弃的年代下限及相关问题》，《江汉考古》2011年第3期。

心地位的规划。在盘龙城废弃之前，这里的权力和地位已经明显降低了。

第三阶段遗存以杨家湾岗地以及向东西两侧扩展至杨家嘴和楼子湾的范围最为丰富，该岗地的南坡文化堆积丰厚，同时分布有大型及普通建筑、墓葬等遗迹。考古调查与勘探表明，杨家湾北坡也同样分布有较多房址与墓葬，这说明杨家湾岗地在这一时期人口的密度较大[1]。从这些情况看，目前发现的疑似外城垣也可能建筑于这一阶段，同步于这种频繁的社会活动。这一阶段的聚落还在向北、向东发展，其中童家嘴是跨过盘龙湖形成的新区，北部的小王家嘴墓葬也属于这一阶段。但这一阶段的聚落又并非是全面的扩展，在盘龙城城垣、李家嘴虽然仍有文化堆积，但已不甚丰富，这两个地点在位置上与杨家湾相连，是当时核心区活动向南的延伸部分，但不再有此前频繁社会活动的迹象。而在位置更南的王家嘴，此阶段已完全不见文化堆积，至尾声的盘龙城第七期，杨家嘴、楼子湾等地点均不见文化层，显现出城市在废弃之前局部区域已经被先行放弃。因此第三阶段盘龙城城市范围虽未大规模缩小甚至在局部地区还有所发展，但原有的聚落点不断被遗弃，城市延续于萧条之中。

本阶段盘龙城大概仍然保持作为本地区中心城市的地位。不仅它此时仍然是南方规模与等级最高的城市，最高首领拥有迄今仅见的青铜勾刀、金器等奢侈品，来自长江下游的原始瓷、印纹硬陶仍然有较大数量，城市的对外功能可能并没有大的削弱。随着盘龙城的废弃，长江中游一带原有的商文化聚落也一并被放弃，这样的联动性也在另一方面说明商文化在该地区的退出。

上述三个阶段的城市布局的变化，其转变的重心实际上围绕高等级社会活动场所进行的。当第二阶段盘龙城城址、宫殿、李家嘴贵族墓核心区形成后，一般性居民点也开始由此前王家嘴向以城址为中心的四周扩散。而当第三阶段高等级遗存出现在偏北的杨家湾时，普通居址也向北发展，并越过盘龙湖在童家嘴、小王家嘴形成文化堆积。可见，在盘龙城聚落的布局演变过程中，高等级遗迹和一般性居民聚落呈现出了一种联动效应，权力中心造就聚落中心。

三、居、葬功能区的变化

聚落功能区简单地来说包括有反映起居、祭葬以及生产等不同活动类型的遗存。在盘龙城，房址与墓葬是最多见的两类，它们在时空分布上有很强的关联性。

高等级建筑和墓葬在关联性上极为突出。在反映城市发展的层面，当盘龙城还只在王家嘴一带建立聚落时，墓葬在稍晚的时间才开始出现，这一阶段也没有发现随葬青铜器等珍贵材质的墓葬。第二阶段开始，盘龙城作为聚落的地位提升，并开始在居住区之外兴建独立的大型建筑，这一时间相应地出现了随葬青铜器的墓葬。至盘龙城宫殿区确立，城垣、城壕、李家嘴高等级墓地也同时出现，形成了这一时期城市的核心区域，盘龙城进入城市发展的繁盛时期，李家嘴墓地和宫殿区同时是其地位与财富的象征。至第三阶段，原来的城址与宫殿区被废弃，李家嘴墓地也停止使用，大型建筑和墓葬组成的城市核心区同时迁移到杨家湾。此时盘龙城城市发展开始衰退，大型建筑的规模未见扩大，而高等级墓葬随葬品的丰富程度

---

[1] 一般而言，居民会选择向阳、冬季避风的岗地南坡作为居住区。岗地北坡存在房址，暗示南坡居址较为密集。

却有所降低。在反映核心区布局的层面，大型建筑等"生"与高等级墓葬的"死"的空间在位置上紧密相连。李家嘴墓地中西部的李家嘴M3西距宫殿区不足200米；在杨家湾，杨家湾M11和H6西距大型建筑F4不足100米，杨家湾M17东距F4不足20米，显现出来的信息都是居、葬一体的社会观念。不过，第三阶段，杨家湾大型墓葬M11、M17和H6在位置上较为松散，分布远远没有李家嘴墓地紧凑，和此阶段宫殿一带较为凌乱的布局情况相关，反映出此时盘龙城体现权力核心的区域缺乏规划，城市核心的凝聚力在下降。

普通居址与小型墓葬在分布上关联性也很强。埋葬活动一般会滞后于居住，第一阶段盘龙城聚落范围和密度不大，墓葬因之少见。至第二阶段，除了城址和李家嘴墓地这一核心区以外，普通居址范围内普遍都发现有小型墓葬，其中王家嘴、楼子湾居址文化层堆积丰富，同时这两个地点与城址邻近，墓葬数量也相应较多。杨家嘴这一阶段的文化堆积和墓葬也都有较多数量，并延续到第三阶段较早时期，是一个值得注意的现象。在第三阶段，随着杨家湾成为城市核心区，这里也同时是普通居址的密集分布区，墓葬在这一岗地普遍都有分布。另一方面，这一时期居址在王家嘴到城址一带明显收缩，相应地，小型墓葬在遗址南部从王家嘴到李家嘴都没有发现。

普通居址与小型墓葬在空间分布上甚至较高等级阶层更加近密。从王家嘴到杨家嘴，各个地点所见的小型墓葬，都分布在各自的聚落区范围内。而分布在核心区外围如杨家嘴、楼子湾等地点的墓葬，规模往往都较小，这也是居葬关系近密的体现。每个地点居址与墓葬的延续阶段都接近，且居址还多见与年代相近的文化层发生迭压或打破的情况。王家嘴发现的3座墓葬均与同时期居址距离较近，甚至为房址所叠压。与李家嘴等大型墓葬有城垣与宫殿区相隔的情况不同，小型墓葬应该多是就近分布在聚落之内，居、葬在位置关系上几乎是一体化的。

小型墓葬虽未像大型墓葬那样具有规划性，但一些墓葬也已显现出墓地布局的特征。楼子湾发现5座墓葬，成排安葬，间距都不超过5米。杨家嘴M6等4座墓葬分布密集，其中的3座墓葬间距在1米以内。墓葬如此密集排列，显然是有意识的安置，应该属于墓地性质。不过小型墓的分布又表现出松散的特性，楼子湾和杨家嘴除了密集分布的墓葬之外，还都有相当数量的墓葬彼此间距数十米，位置相当分散。目前发现墓葬数量最多的杨家湾，小型墓葬彼此距离较远，没有显现出作为紧凑墓地的布局特征，除了其墓葬延续阶段较长之外，或许与此地第三阶段处于核心区，小型墓葬墓主只是处于该区域社会边缘相关。

《盘龙城（1963～1994）》考古报告认为属于第七期的城垣M1打破西城垣墙体，将其视为第七期盘龙城城址遭到废弃的主要依据。但是，属于第七期的文化堆积在城垣一带也有发现，城垣M1正是居葬关系密切的体现，而与城址的废弃无关。实际上，M1下葬时城址已经被废弃，该墓葬和其时的堆积都是城址废弃后普通社会阶层活动遗存。从其他同时期的城址来看，郑州商城和偃师商城均可见到与城址年代相当的墓葬打破城墙的现象[①]。城址的废弃与墓葬打破城垣并无必然联系，这是应该区别于东周时期城市研究的认识。

① 河南省文物考古研究所：《郑州商城——1953～1985年考古发掘报告》，第199、210、211页，文物出版社，2001年；王学荣：《河南偃师商城遗址的考古发现与研究述评》，《考古求知集》，第135～146页，中国社会科学出版社，1997年，另收入杜金鹏、王学荣：《偃师商城遗址研究》，第15～38页，科学出版社，2004年。

童家嘴、小王家嘴发现的墓葬，目前还缺乏详细的信息，暂不了解是否存在对应的居址。不管情况如何，这里位于城市的外围甚至是较为边远的区域，墓葬仍然随葬青铜器。盘龙城目前可统计的墓葬数量为53座，其中随葬青铜礼器的墓葬数量达到37座，比例高达70%。虽然有不少随葬陶器或无随葬品的墓葬未被辨识，但这一远高出郑州商城的数量和比例，无疑暗示盘龙城聚落社会结构的复杂性。

除了居址与墓葬之外，盘龙城较为明确的生产活动方面的功能性遗存少见。《盘龙城（1963～1994）》考古报告和一些学者曾对盘龙城遗址手工业作坊进行过讨论[1]，但也仅仅局限于简单的性质指认。例如，发掘报告认为盘龙城各个地点不同时期都存在作坊遗迹，此外"在西城垣与楼子湾之间，北城垣与杨家湾之间的一片湖汊，也分布着许多作坊遗迹"[2]，报告中的这些作坊遗迹一般仅仅是指较多红陶缸出土之地，而报告中并未展示作坊结构或相应标志物。盘龙城遗址揭露的可能属于作坊性质的是大型灰烬沟遗迹，这种遗迹在王家嘴、杨家湾、杨家嘴均可见到，一般沟长30～50米，内填较多黑灰土，并安置红陶缸或出土较多陶片，具有明显的共性。同时，这些遗迹多与居址活动频繁时期的堆积并存，它们的性质应该是接近的，但目前难以判明其确切性质。除此之外，除了宫城区之外，城垣以内的范围也是布局不明的区域。城址内缺乏基本的考古工作，堆积情况完全不明。因此，对于生产性遗存的揭示，将是盘龙城今后田野考古工作中的一个重点。

第二节　盘龙城周边聚落层级与空间分布

江汉地区包括长江与汉水交汇形成的冲积平原，及其周邻的低山丘陵地带。本区虽与中原地区有桐柏山—大别山脉阻隔，但山系南麓的多条南北向水系成为联系两个地区的天然孔道。因此，自新石器时代以来，江汉地区就长期与中原地区保持着密切的文化关联。夏商时期在以二里头、二里冈文化为代表的中原文化的强烈辐射之下，江汉地区的文化发展进程得以改变，同时彰显出了早期王朝国家对南方地区明显的政治经略意图。故而本区域夏商时期的文化面貌与聚落形态备受研究者关注。

在以往的研究中，学者们多从夏商时期考古遗存的文化面貌入手，对江汉地区考古学文化谱系以及本区域与中原地区的文化互动模式进行了探讨[3]。新近的田野考古及研究工作表

---

① 早年王劲和陈贤一先生就曾对盘龙城遗址手工业作坊进行过探讨。王劲、陈贤一：《试论商代盘龙城早期城市的形态与特征》，《湖北省考古学会论文选集》（一），武汉大学学报编辑部，1987年。

② 《盘龙城（1963～1994）》，第396页。

③ 相关研究成果较多，在此仅列举代表性成果：李伯谦：《中国青铜文化的发展阶段与分区系统》，《华夏考古》1990年第2期；何介钧：《商文化的南渐与商时期南方青铜文化》，《亚洲文明》（第3集），安徽教育出版社，1995年；施劲松：《中原与南方在中国青铜文化统一体中的互动关系》，《长江流域青铜文化研究》，科学出版社，2002年；张昌平：《夏商时期中原与长江中游地区的文化联系》，《华夏考古》2006年第3期；豆海峰：《长江中游商时期考古学文化演进及与中原地区的联系》，《考古》2014年第2期。

明，夏商时期江汉地区的河湖水位与地貌形态可能与当今所见存在明显的差异[①]。此项研究暗示着本区域夏商时期聚落的布局形态与营建方式可能与当今所见的遗址面貌有所不同。不仅如此，已有学者注意到，夏商时期江汉地区东部与西部，虽共同处于中原文化辐射之下，却呈现出了不同的文化发展进程[②]。这种文化格局的不同，或体现出了夏商王朝对不同地理单元采取了差异化的社会管理模式。

基于上述研究成果，我们有必要在重新评估夏商时期江汉地区地理环境的基础之上，对夏商时期江汉地区聚落的宏观分布态势乃至聚落布局形态、营建方式、等级分化重新予以讨论，由此重塑江汉地区夏商时期的"聚落景观"。考古学中"景观"的概念来源于地理学，20世纪70年代以来，"景观考古学"逐步开始在欧美考古学界兴起。这一研究范式强调将人类行为置于复杂的地理空间之中进行考察，尤为关注人类对空间的理解和认知[③]。这种研究理念与环境考古、聚落考古均有所不同，因此为我们理解古代社会提供了全新的视角。

一、聚落分布

江汉地区夏商时期聚落基本沿长江干、支流等天然水系分布，这种聚落分布态势，从整体上透露出了夏商时期中原文化在江汉地区传播的基本路径。具体而言，可将江汉及其周邻地带夏商时期聚落的分布区域划分为两大地理单元，即长江干流沿线和长江各支流沿线（图5.5）。以下分而述之。

（一）长江干流沿线

长江干流自西向东流经江汉平原腹地，成为了沟通本区域与长江上、下游乃至洞庭湖平原、赣鄱地区等多个地理单元的文化交流廊道。长江干流沿线可见荆南寺[④]、李家台[⑤]、周梁玉桥[⑥]、官堤[⑦]、铜鼓山[⑧]、盘龙城[⑨]、香炉山[⑩]、下窑嘴[⑪]、意生寺[⑫]、铜岭[⑬]、檀树嘴[⑭]等

① 武汉大学历史学院、湖北省文物考古研究所、盘龙城遗址博物院、中国科学院南京地理与湖泊研究所、武汉大学遥感信息工程学院：《武汉市盘龙城遗址水下勘探及试掘简报》，《江汉考古》2018年第5期；张海、王辉、邹秋实、陈辉、苏昕、廖航：《商代盘龙城聚落地貌演变的初步研究》，《江汉考古》2018年第5期。

② 孙卓：《商时期中原文化在江汉地区的影响历程》，《江汉考古》2019年第3期。

③ 张海：《景观考古学——理论、方法与实践》，《南方文物》2010年第4期。

④ 荆州博物馆：《荆州荆南寺》，文物出版社，2009年。

⑤ 沙市市博物馆：《湖北沙市李家台遗址发掘简报》，《考古》1995年第3期。

⑥ 荆州市周梁玉桥遗址博物馆：《湖北沙市周梁玉桥遗址1987年的发掘》，《考古》2004年第9期。

⑦ 湖北省博物馆：《沙市官堤商代遗址发掘简报》，《江汉考古》1985年第4期。

⑧ 湖南省文物考古研究所、岳阳市文物工作队：《岳阳市郊铜鼓山商时期遗址与东周墓发掘报告》，《湖南考古辑刊》（第5集），《求索》杂志社，1989年。

⑨ 《盘龙城（1963～1994）》。

⑩ 武汉大学历史系考古教研室、武汉市博物馆、新洲县文化馆：《湖北新洲香炉山遗址（南区）发掘简报》，《江汉考古》1993年第1期。

⑪ 黄冈地区博物馆、黄州市博物馆：《湖北省黄州市下窑嘴商墓发掘简报》，《文物》1993年第6期。

⑫ 湖北省文物考古研究所纪南城工作站：《湖北黄梅意生寺遗址发掘报告》，《江汉考古》2006年第4期。

⑬ 崔涛、刘薇：《江西瑞昌铜岭铜矿遗址新发现与初步研究》，《南方文物》2017年第4期。

⑭ 江西省文物考古研究所、瑞昌市博物馆：《江西瑞昌市檀树咀商周遗址发掘简报》，《考古》2000年第12期。

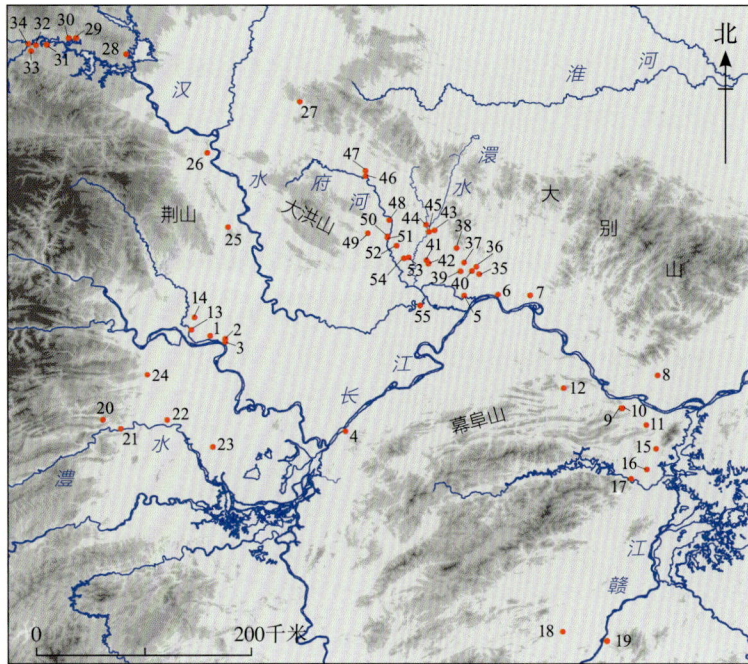

图 5.5　江汉地区夏商时期遗址分布图

长江干流：1. 荆南寺　2. 李家台　3. 周梁玉桥　4. 铜鼓山　5. 盘龙城　6. 香炉山　7. 下窑嘴　8. 意生寺
　　　　　9. 铜岭　10. 檀树咀　11. 神墩　12. 大路铺　13. 梅槐桥　14. 阴湘城

长江支流：A. 赣江沿线：15. 龙王岭　16. 陈家墩　17. 石灰山　18. 吴城　19. 牛头城
　　　　　B. 澧水沿线：20. 皂市　21. 宝塔　22. 斑竹　23. 子龙庵　24. 汪家嘴
　　　　　C. 汉水沿线：25. 乱葬岗　26. 王树岗　27. 墓子坡　28. 熊家庄　29. 李营　30. 尖滩坪　31. 方滩
　　　　　　　　　　　32. 店子河　33. 龚家村　34. 辽瓦店子
　　　　　D. 府、澴河下游：35. 郭元咀　36. 光山造　37. 钟家岗　38. 袁李湾　39. 中分卫湾　40. 徐家洲　41. 城隍墩
　　　　　　　　　　　42. 凤凰墩　43. 凤凰台　44. 涨水庙　45. 聂家寨　46. 淅河　47. 庙台子　48. 花园
　　　　　　　　　　　49. 女儿台　50. 晒书台　51. 下坝电站　52. 好石桥　53. 凤凰台　54. 小王家山　55. 甄山

一系列夏商时期遗址分布。

　　二里头文化因素主要见于长江沿线的荆南寺、盘龙城两处遗址中。盘龙城遗址出土的扁足鼎、花边口沿罐，体现出了明显的中原地区二里头文化因素。在荆南寺遗址中，亦出土有深腹罐、大口尊等体现二里头文化因素的陶器。

　　二里冈文化时期，盘龙城迅速崛起并发展成为江汉地区规模最大的区域中心城邑，并对盘龙城周边区域形成了强烈的文化辐射。在荆南寺、李家台、铜鼓山、香炉山、下窑嘴、意生寺、铜岭、檀树嘴等遗址中均可见二里冈文化因素，但是各区域出土遗存又呈现出了明显的差异。简言之，长江沿线的盘龙城、香炉山、下窑嘴、意生寺等遗址出土陶器、青铜器的类别与形制均与中原地区二里冈文化遗存具有较大的相似性，因此学界通常将此类遗存视为二里冈文化的地方类型——"盘龙城类型"[①]。但是，位于江汉地区西部的荆南寺、李家台等遗址，出土的二里冈文化时期遗存，其文化面貌则与盘龙城类型存在明显的差异，以釜、鼎、大口缸等陶器为代表的土著文化因素在该遗址总体文化因素中占据了50%以上[②]。长江

---

①　邹衡：《试论夏文化》，《夏商周考古学论文集》，文物出版社，1980年。

②　何驽：《荆南寺遗址夏商时期遗存分析》，《考古学研究》（二），北京大学出版社，1994年。

南岸的铜鼓山及铜岭、檀树嘴等遗址分别位于长江干流进入洞庭湖与鄱阳湖平原的前沿地带，因此这几处遗址出土的二里冈文化时期遗存既可见较明显的二里冈文化因素，但同时又显现出了鲜明的地方文化风格（图5.6）。

洹北花园庄期至殷墟一期，本区域的聚落分布态势呈现出了明显的变化。这一阶段盘龙城聚落规模大幅缩减，至洹北花园庄晚期前后被彻底废弃。盘龙城的废弃，引发了长江沿线聚落的连锁反应，荆南寺、铜鼓山、下窑嘴、意生寺等聚落随之消亡。与此同时，周梁玉桥、官堤、梅槐桥、阴湘城等聚落开始在江汉地区西部兴起，其文化面貌与中原地区有着巨大的差异，以鼎、釜为核心的陶器组合被视为"周梁玉桥文化"①。而赣鄱地区的铜岭、檀树嘴等聚落继续存在，但是其文化面貌日益趋近于吴城文化，而与中原地区相去甚远。

（二）长江各支流沿线

江汉平原腹地地势低平，发源于周邻山地的长江各支流大体呈南北向汇注长江，具体而言包括长江北侧的汉水、府河、澴河水系及长江南侧的澧水、赣江水系。

二里头文化晚期，在位于府、澴河沿线的李家湾②、聂家寨③、光山造④以及前述的盘龙城遗址中，均可见二里头文化因素。大体呈现出了一条自豫南地区，穿越大别山，顺澴水、涢水南下的文化传播通道。同时在汉水沿线亦可见下王岗⑤、李营⑥、龚家村⑦、熊家庄⑧、东龙山⑨，以及襄阳至钟祥一线的王树岗⑩、乱葬岗⑪、墓子坡⑫等遗址中均可见较为典型的二里头文化遗存，陶器以扁足鼎、花边口沿罐、大口尊为主，体现出了伊洛地区的二里头文化越过伏牛山，经南阳盆地，沿汉水中游南下的传播态势。

二里冈文化时期，随着府河下游盘龙城聚落的迅速崛起，在盘龙城周边出现的府河、澴水及涢水沿线均出现了聂家寨、晒书台⑬、小王家山⑭、袁李湾⑮、中分卫湾⑯、凤凰台⑰、

① 王宏：《论周梁玉桥文化》，《江汉考古》1996年第3期。
② 湖北省文物考古研究所：《大悟县城关镇双河村李家湾遗址发掘简报》，《江汉考古》2000年第3期。
③ 孝感地区博物馆、孝感市博物馆：《湖北孝感聂家寨遗址发掘简报》，《江汉考古》1994年第2期。
④ 孝感地区博物馆：《湖北孝感地区古文化遗址调查》，《考古》1986年第7期。
⑤ 河南省文物研究所、长江流域规划办公室考古队河南分队：《淅川下王岗》，文物出版社，1989年。
⑥ 武汉大学考古系、郧阳博物馆：《湖北郧县李营遗址二里头文化遗存发掘简报》，《江汉考古》2014年第6期。
⑦ 中国人民大学北方民族考古研究所：《郧县龚家村遗址发掘简报》，《湖北省南水北调工程考古报告集》（第四卷），科学出版社，2014年。
⑧ 郭长江：《丹江口市熊家庄青铜时代遗址》，《中国考古学年鉴（2011）》，第349、350页，文物出版社，2012年。
⑨ 陕西省考古研究院、商洛市博物馆：《商洛东龙山》，科学出版社，2011年。
⑩ 襄石复线襄樊考古队：《湖北襄阳法龙王树岗遗址二里头文化灰坑清理简报》，《江汉考古》2002年第4期。
⑪ 荆州市博物馆、钟祥市博物馆：《钟祥乱葬岗夏文化遗存清理简报》，《江汉考古》2001年第3期。
⑫ 张昌平：《夏商时期中原与长江中游地区的文化联系》，《华夏考古》2006年第3期。
⑬ 孝感地区博物馆：《湖北安陆市商周遗址调查》，《考古》1993年第6期。
⑭ 武汉大学考古系：《武汉大学考古系2002～2003年田野考古主要收获》，国家文物局2002～2003年全国田野考古工作汇报材料。转引自蒋刚：《盘龙城遗址群出土商代遗存的几个问题》，《考古与文物》2008年第1期。
⑮ 郭冰廉：《湖北黄陂矿山水库工地发现了青铜器》，《考古通讯》1958年第9期。
⑯ 熊卜发、刘志升、李晓明：《黄陂县出土玉器铜器》，《江汉考古》1981年增刊1期。
⑰ 云梦县博物馆：《湖北云梦商、周遗址调查简报》，《江汉考古》1990年第2期。

的地方特征①。龙王岭、陈家墩、石灰山遗址中所见的二里冈文化时期遗存，一方面有鬲、甗、斝、大口缸等中原地区常见器类，另一方面，该遗址还发现细柄浅盘豆、圜底印纹罐等基本不见于中原地区的器类，凸显了赣江沿线的地方文化特征（图5.7）。

洹北花园庄晚期至殷墟一期前后，随着盘龙城被废弃，滠水、澴水沿线依然可见聂家寨、郭元咀、中分卫湾、徐家洲等聚落分布。而在府河沿线分布的小王家山、晒书台、下坝电站、好石桥及庙台子等一系列聚落，似乎表明洹北花园庄晚期至殷墟一期前后，府河沿线成为了一条较为繁荣的交通路线。殷墟一期之后，本区域聚落均趋近消亡，使得本区域成为了文化分布的"空白"地带。这一阶段汉水沿线地带的聚落趋近消亡，中原文化经由汉水对江汉地区施加的文化影响暂告终结。而在长江南侧的澧水和赣江沿线，依然可见较为密集的聚落分布。但是其文化面貌则呈现出浓厚的土著文化风格。例如，澧水沿线的斑竹、宝宁桥、文家山、黄泥岗等遗址出土的鼎、釜、甗、盆、罐、豆、钵等陶器类别均不见于中原地区。赣江沿线所见遗存则受到了吴城文化的显著影响。

二、聚落营建方式与层级

通过田野考古调查确定遗址准确地理坐标，并借助高分辨率卫星遥感影像，可以让我们从高空视角俯察旷野之中的古代遗址，从而获知其地貌形态，乃至营建方式等信息，为我们评估聚落的等级、功能乃至探讨相应时期的社会结构提供全新的视角。在Google Earth软件中发布了覆盖全球各区域的卫星遥感影像，其分辨率可达0.6~2.5米，影像拍摄时间实时更新，从中可以清晰地观察到江汉地区夏商时期遗址的地貌形态。但是，部分遗址的地貌形态在近半个世纪以来的时间内遭到了平整土地、基础设施建设工程等现代人类活动的破坏。所幸，1962~1970年，美国军事侦查卫星CORONA拍摄了覆盖全球大多数区域的遥感影像，其分辨率达2米左右。这批资料能够让我们观察到过去50年间业已消逝的遗址景观。

借助上述两类卫星遥感影像，我们对江汉地区夏商时期遗址的地貌形态与营建方式逐一进行了观察。本区域夏商时期聚落的地貌形态可分为两大类别：一类分布于岗地之上，遗址与其周边地表形成2~10米的高差；另一类分布于平原之上，遗址与其周边地表无明显高差（图5.8）②。

就聚落的营建方式而言，分布于岗地之上的聚落呈现出了两种营建方式，第一种为直接利用天然岗地营建聚落，第二种则对天然岗地加以整饬，使得聚落整体呈现出近似椭圆或方形的台墩，乃至在台墩之上修筑城垣及环壕。而对于分布于平原之上的聚落而言，其营建方式则基本为平地起建，基本不见城垣、环壕、夯土台基等大型设施。由此，我们可以将本区域夏商时期聚落的营建方式分为三类（图5.8、表5.2）：

A类　聚落的营建方式为直接利用天然岗地，并未对岗地进行明显的人工整饬。例如香

---

① 孙卓：《南土经略的转折——商时期中原文化势力从南方的消退》，科学出版社，2019年。
② 本文所谓的"岗地"与"平原"均是基于聚落的微地貌形态而言，与地貌学中常见的"岗地"与"平原"有所差异。为便于表述，本文特将高出周边地表2~10米的低岗、台墩统称"岗地"；将与周边地表无明显高差的微地貌形态成为"平原"。

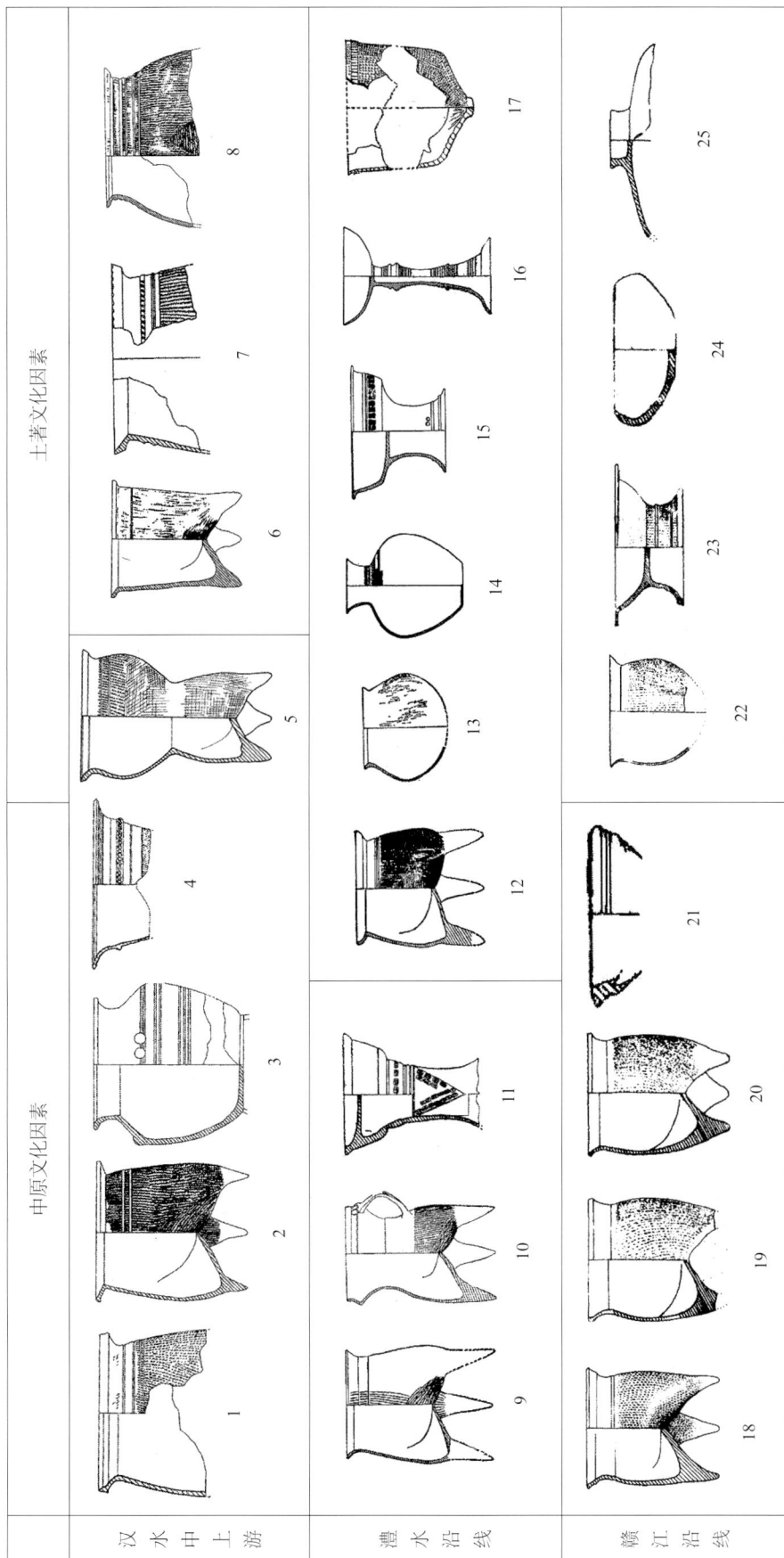

图 5.7　长江各支流沿线二里冈文化时期遗存

1、2、6～9、12、18～20. 鬲（H58：16、T0504⑥：1、H13：2、T0504⑥：5、T0504⑥：6、T0504⑥：5、H23：36、TB8②：64、JI④：1、采：5、T10③C：3、）　3. 罍（H13：1）
4. 大口尊（H58：7）　5. 甗（H58：4）　10. 罩（M2：1）　11、15、16、21、23. 豆（H13：32、H8：1、T41③：138、采：2、JI：1）　13、22. 釜（T17③：11、JI：4）
14. 罐（TI6③：17）　17. 瓮（T10③：70）　24. 钵（T6②A：13）　25. 器盖（T9④A：4）

（1、4、5 出自店子河、2、3、6～8 出自方滩，9～17 出自皂市，18 出自荞麦岭，19、20、22、23、25 出自石灰山，21、24 出自龙王岭）

分布于岗地之上的聚落　　　　　　　　　　　　分布于平原之上的聚落

图 5.8　江汉地区夏商时期聚落地貌形态差异举例

1. 郭元咀　2. 香炉山　3. 晒书台　4. 铜鼓山　5. 中分卫湾　6. 神墩
7. 乱葬岗　8. 王树岗　9. 皂市　10. 宝塔　11. 辽瓦店子　12. 李家台
（1、2、8、12 来自于 CORONA 卫星影像，3～7、9～11 来自于 Google Earth 影像）

表5.2　江汉地区夏商时期聚落地貌类型与营建方式

地貌类型		营建方式	示意图
岗地	A 类	直接利用天然岗地	
	B 类	对天然岗地加以整饬，或加筑城垣、环壕	
平原	C 类	平地起建	

炉山、荆南寺、郭元咀、铜鼓山、中分卫湾、神墩、铜岭等聚落均采用了此种营建方式。值得注意的是，此类台墩的面积一般为1～5万平方米。但是依据CORONA影像可知，荆南寺所在台墩面积约为30万平方米左右。20世纪80年代考古部门对荆南寺进行发掘时，该遗址实际已经遭到了当地砖瓦厂取土活动的严重破坏，因此《荆州荆南寺》考古发掘报告中介绍其残存面积为长约100米，宽约50米。实际上，二里冈文化时期荆南寺聚落的面积可能远大于此。

B类　以盘龙城、小王家山城址为代表，是迄今在江汉地区发现的2座修筑于二里冈文化时期的城址。考古勘探及城垣解剖工作表明，盘龙城遗址中近似方形的城垣正是利用了两道南北平行走向的天然岗地修筑而成[1]。

值得注意的是，位于江汉地区东侧的意生寺遗址，从CORONA影像中可以看到遗址所在台墩边缘修筑有一周高出台墩地表的建筑，疑似为"城垣"，其与环绕台墩分布的"环壕"似乎构成了一套完整的防御体系。由于目前尚未对意生寺疑似"城垣"的遗迹开展解剖，因此其修筑时间仍不能确定（图5.9）。

但是已有的考古发掘工作表明，意生寺遗址出土遗存年代集中为石家河文化和二里冈文化两个时期。而石家河文化时期的遗存又出土于探方第5层之下，因此凸显于地表之上的"城垣"遗迹很有可能系二里冈文化时期所见。意生寺"城垣"内面积达61200平方米，仅次于盘龙城宫城面积75400平方米。因此，我们推测二里冈文化时期意生寺很有可能是一处具有较高社会等级的大型聚落。

此外，位于府河上游的庙台子遗址，由南北两处相连的台墩组成，考古勘探表明台墩周围分布着"环壕"，"环壕"的修筑时间或可早至商文化时期，这表明商时期庙台子可能为一处环壕聚落。

C类　聚落的营建方式最为简略，属平地起建。例如长江沿线的沙市李家台、周梁玉桥，汉水沿岸的襄阳王树岗、乱葬岗、墓子坡，以及澧水沿线的皂市、宝塔等遗址均在CORONA影像中呈现出遗址所在区域地表极为平坦的地貌特征，推测这类聚落的营建方式为平地起建。

三、聚落景观的阶段性特征

由前文的分析可知，江汉地区夏商时期聚落的地貌形态与营建方式存在显著差异，随着中原文化势力在江汉地区"扩张"与"消退"[2]，上述聚落景观呈现出了较为鲜明的阶段性特征。具体而言，可将聚落景观的阶段性差异划分为两个时期：二里头文化晚期至二里冈文化时期、洹北花园庄期至殷墟一期前后（图5.10）。

（一）二里头文化晚期至二里冈文化时期

二里头文化晚期，中原文化因素大体沿汉水及府、澴河南下传播至长江干流沿线，二里

---

① 武汉市文物考古研究所、盘龙城遗址博物院：《盘龙城遗址宫城区2014至2016年考古勘探简报》，《江汉考古》2017年第3期。

② 孙卓：《南土经略的转折——商时期中原文化势力从南方的消退》，第207～217页，科学出版社，2019年。

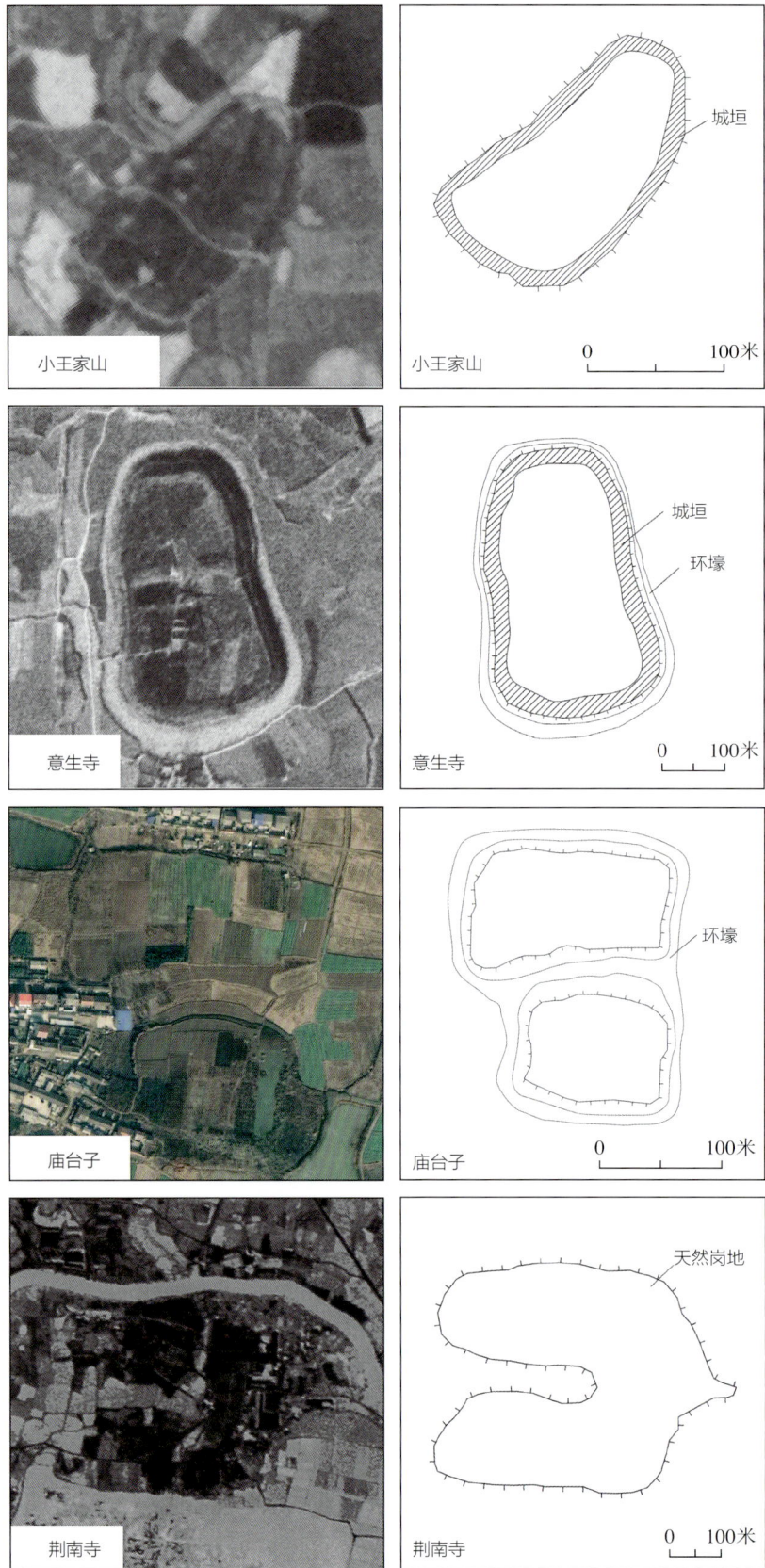

小王家山

小王家山

城垣

0　100米

意生寺

意生寺

城垣

环壕

0　100米

庙台子

庙台子

环壕

0　100米

荆南寺

荆南寺

天然岗地

0　100米

图 5.9　江汉地区夏商时期聚落营建方式举例

（小王家山、意生寺、荆南寺遗址影像来自 CORONA 影像，庙台子遗址影像来自 Google Earth 影像；黑白线图改绘自遥感影像）

1. 二里头文化时期

2. 二里冈文化时期

3. 洹北花园庄期至殷墟一期

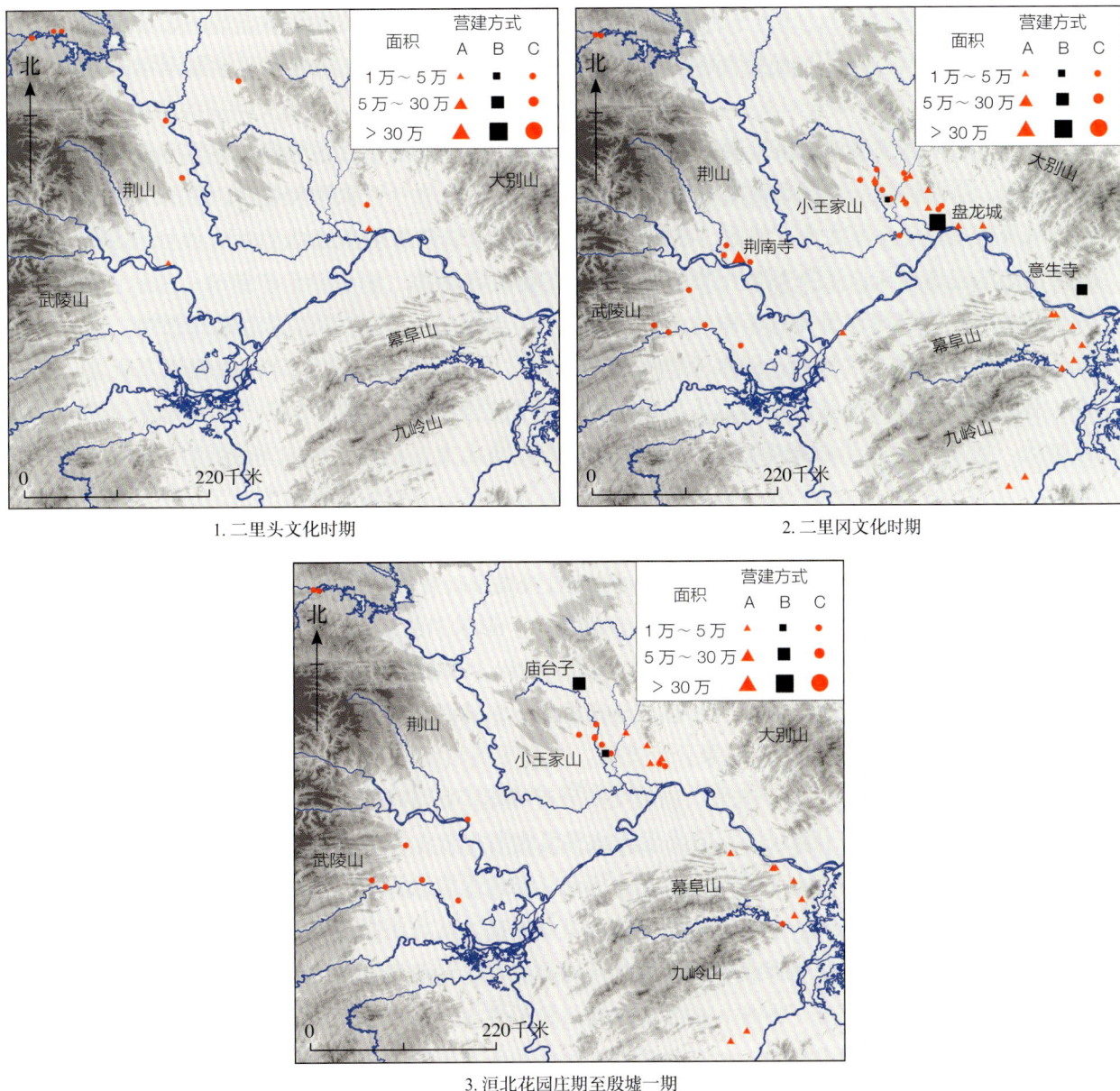

图 5.10　江汉地区夏商时期聚落景观

冈文化时期，随着本区域聚落数量的显著增加，上述文化传播路线更趋明晰。然而，就聚落的整体分布态势及微观地貌形态而言，长江干、支流沿线呈现出了不尽相同的聚落景观。

第一，这一时期形成了以长江干流为核心的多层级聚落体系，打破了江汉地区史前时期的聚落分布格局。二里头至二里冈文化时期，以盘龙城、香炉山、下窑嘴、意生寺、铜鼓山、荆南寺为代表的一系列聚落直接分布于长江干流沿线。城邑的出现以及青铜礼器的出土，暗示着上述聚落具有较高的社会等级，长江干流无疑成为了这一时期江汉地区聚落分布的核心地带。

值得注意的是，新石器时代江汉地区聚落分布的核心地带曾长期处于澧阳平原—荆山南麓—大洪山南麓所共同构成的"月牙形地带"，长江中游地区迄今发现的17座史前城址中有

不见踪迹，而带有浓厚土著文化风格的因素日趋兴起。这一文化格局为殷墟文化晚期，长江流域青铜文化的兴起奠定了基础。府、澴河沿线与中原地区在地理空间上的邻近关系为其在文化面貌上保持长久的同步提供了重要的地理条件。而长江南侧的低山、丘陵地带有着相对封闭且独立的地理空间。这些掩映在山岭之间的小型地块为殷墟文化时期"费家河文化""大路铺文化""吴城文化"等极具地方风格的青铜文化的兴起提供了沃土。

江汉地区以河湖冲积平原为主，兼具低岗、残丘的地貌特征，造就了本区域夏商时期聚落景观的若干共性特征，聚落大多沿天然水系分布，同时因地制宜式地选择在"岗地"或"平原"之上营建聚落。

另外，本区域夏商时期聚落在营建方式、选址特点等方面又呈现出了诸多的差异化的特征。以盘龙城、意生寺、小王家山、荆南寺等为代表的聚落表现出了聚落面积的巨大、营建方式的复杂和"趋高"的选址倾向。这些聚落景观特征无疑是人为规划与刻意选择的结果，折射出了聚落自身的等级、功能乃至性质等方面的显著差异。不仅如此，二里头文化晚期至二里冈文化时期，高等级聚落在长江干流沿线地带的集中兴起，反映出了中原王朝对江汉地区的经略乃是基于长江干流得以展开，从而打破了本区域史前时代所形成的聚落分布态势，彰显出了早期王权国家对南方地区所采取的管控与经营模式。这一聚落景观对历史时期江汉地区的城市分布格局造成了深远的影响。

Abstract

The Panlongcheng site is located on the granite structure along Panlong Lake in Huangpi District, Wuhan City, Hubei Province, China. The total area of the site is approximately 3.95 km^2. This book is organized into three sections as follows. The first section introduces the environmental archaeological work done at the Panlongcheng site and its harvest. The second section describes the testing and analysis of samples collected from the site during the fieldwork and the preliminary research results. The third section reveals the settlement landscape of Panlongcheng in the Early Shang Dynasty period and the Jianghan area, including the change of the settlement center of Panlongcheng in the Shang period as well as the layers and social organization of the settlements in the Jianghan area in the same period. The third section also elaborates on the settlement landscape of Panlongcheng and the Jianghan area in the Early Shang Dynasty.

The systematic archaeological exploration of the Panlongcheng site provided essential information for environmental and landscape study. After completing the systematic exploration of the land area of the site, the archaeological department conducted multidisciplinary cooperative research on its geography and environment. The main work includes the following aspects. High-precision digital mapping: A three-dimensional mapping coordinate system for the Panlongcheng site was set up, and a first- and second-level mapping control network consisting of 16 control points was set up in the protected area of the site. Underwater archaeological exploration and trial excavation: To explore the distribution range of Shang Dynasty relics in the lake basin at the Panlongcheng site, the archaeological department conducted exploration and sampling work on Panlong Lake with the help of a water exploration platform and sampling apparatus. Then, plant microsomal remains were identified and analyzed. The mud samples of the Panlong Lake bottom stratum collected through underwater exploration were analyzed for phytosilica and sporoderm, and the carbon blocks contained in the samples were absolutely dated. The macro-geomorphologic evolution of the site was studied. Based on the stratigraphic information revealed by the land archaeological exploration of the Panlongcheng site, a series of studies, such as environmental archaeological investigation, soil micromorphology analysis of typical profiles, particle size analysis, and carbon-14 dating, were conducted, and a preliminary understanding of the macro-geomorphic evolution of the Panlongcheng site was formed. Then, river channel changes were studied. By comparing the early satellite remote sensing images, ancient maps, and modern digital maps and by combining the archaeological survey and exploration data, we studied the process of river channel changes of the Fu River and Huan River in the south of the Panlongcheng site, as well as the process of changes in the plane shape of Panlong Lake and Poukou Lake.

后　记

　　盘龙城遗址保护区面积近4平方千米，自1954年以来，国内多家考古机构在此主持过考古工作。面对盘龙城这类大遗址，如何快速了解地下遗存的分布范围，同时准确记录各地点历年发掘区域，成为考古领队们希望解决的问题。

　　2014年秋，武汉大学开始对盘龙城遗址核心保护区开展系统性考古勘探工作，同时计划在遗址保护区内建立统一的三维测绘坐标系统，还准备搭建田野考古钻探地理信息系统平台。彼时，笔者刚刚进入硕士二年级，出于对考古测绘方面的兴趣，正在武汉大学测绘学院旁听"地理信息系统""遥感原理与应用"等相关课程。获悉盘龙城遗址将开展相关实践工作，笔者便欣然加入了这一田野考古项目之中。

　　2014～2017年，武汉大学考古队基本完成了盘龙城核心保护区的勘探工作，围绕这项勘探工作开展的考古测绘、地质调查、古地貌复原等工作成为盘龙城遗址环境考古工作的起点。这项工作的一个重要成果便是完成了对"商代地面"的虚拟复原。在计算机软件中，考古探孔中的"表土层"得以剥离，生成了覆盖遗址全域的商代文化层"点云"，将这些离散的点状数据缀合，便呈现出了接近真实的商代地貌模型。

　　系统性考古勘探工作给笔者带来的另一个认知便是，盘龙城遗址中商代遗存的分布范围不仅限于陆地区域，还延伸至盘龙湖之中。每年枯水期，在滨湖地带散布的大量陶片和偶见的商代墓葬，吸引着考古队员将目光从陆地转移至水域之中。

　　2016年初秋，笔者与学校遥感信息工程学院胡庆武老师取得联系，在租借的渔船之上搭载了先进的超声波测深仪，对盘龙城遗址中面积最大的湖泊——盘龙湖，开展了水下地形测绘工作，测绘完成了盘龙城考古60余年以来第一张盘龙湖地形图。随后，在中国社会科学院考古研究所王辉老师的引荐之下，中国科学院南京地理与湖泊研究所的李春海、姚书春老师携带着湖泊钻探平台，对盘龙湖开展了考古钻探和采样工作，在水下2米的地带发现了商代文化堆积。随后的两年间，李春海老师和山东大学靳桂云老师分别对盘龙城钻孔采集样品开展了孢粉和植硅体分析与鉴定工作，对盘龙城区域的古代生态环境与气候形成了初步认识。

　　盘龙湖的水下地形测绘和勘探工作使笔者认识到，商文化时期盘龙湖及周边河湖的水位可能大幅度低于当代。2017年春，笔者正在参与盘龙城小嘴岗地的田野考古发掘工作，小嘴岗地与盘龙城西城门隔湖相望，直线距离不足200米，鉴于对盘龙城区域古代水环境的已有认知，考古领队决定在小嘴与西城门之间的湖区布设探沟，以探明湖底地层的形成年代。果然，在湖底探沟之内再次发现了商代文化堆积。

在盘龙城遗址开展的上述田野工作，让笔者逐渐意识到，聚落营建和使用时期的景观与今人所见的遗址面貌之间可能存在着明显的差异。因此在对盘龙城及江汉地区古代地理环境进行分析的基础之上，探讨商文化时期的聚落景观，便成为笔者和研究团队希望接近的一个目标。这也是本书名为"景观与环境"的出发点。

本书由多位作者合作完成。第二章第四节、第四章第一节由北京大学考古文博学院张海、中国社会科学院考古研究所王辉完成；第二章第五节、第四章第三节由中国科学院南京地理与湖泊研究所李春海、山东大学文化遗产研究院段绮梦、靳桂云完成。第五章第一节由武汉大学历史学院张昌平、孙卓完成，其他内容均由笔者本人完成。

本书的完成先后得到国家文物局、湖北省文化和旅游厅、湖北省文物考古研究院、盘龙城遗址博物院等机构的支持与帮助。同时得到国家社科基金重大项目"湖北黄陂盘龙城遗址考古发现与综合研究"（项目编号16ZDA146）的专项资助。最后特别感谢本书的责编雷英女士、蔡鸿博先生为本书付出大量的辛苦劳动。

邹秋实于武汉大学振华楼

2024年9月30日